日本の歴史　十二

開国への道

平川　新

Hirakawa Arata

小学館

日本の歴史　第十二巻

開国への道

アートディレクション　原研哉
デザイン　竹尾香世子
美馬英二

凡例

- 年代表示は原則として和暦を用い、適宜、西暦を補いました。
- 本文は原則として常用漢字および現代仮名遣いを用いました。また、人名および固有名詞は、原則として慣用の呼称で統一しました。なお、敬称は略させていただきました。
- 歴史地名は、適宜、（ ）内に現在地名を補いました。
- 引用文については、短歌・俳句なども含めて、読みやすさ、わかりやすさを考えて、句読点を補ったり、漢字を仮名にあらためたりした場合があります。
- 中国の地名・人名については、原則として漢音の読みに従いました。ただし慣習の表記に従ったものもあります。
- 朝鮮・韓国の地名・人名は、原則的に現地音をカタカナ表記しました。ただし、歴史的事柄にかかわる地名・人名などは漢音読みにした場合があります。
- この巻が扱っている時代の年表を巻末に掲載しました。
- 図版には章ごとに通し番号をつけ、それぞれの掲載図版所蔵者、提供先は巻末にまとめて記しました。
- おもな参考文献は巻末に掲げました。
- 五十音順による索引を巻末につけました。
- 本書のなかには、現代の人権意識からみて不適切な表現を用いた場合がありますが、歴史的事実をそのまま伝えるために当時の表記どおりに掲載しています。

1

開国の始まり

北方からの波

●国後《くなしり》アイヌの首長ツキノエ
清《しん》朝の官服（蝦夷錦《えぞにしき》）とロシア風の軍靴・軍服を身に着けた姿で描かれ、アイヌの異国的イメージが故意に強調されている。（蠣崎波響《かきざきはきょう》『夷酋列像《いしゅうれつぞう》』写本）

→54ページ

2

●北の城下町松前

最北の大名松前《まつまえ》氏は、アイヌとの交易で成り立つ特異な存在であった。松前港には北方の物産を求めて、和人の船が多数入港した。(『江《え》差《さし》松前屏風《びょうぶ》』)

↓53ページ

3

●北の港町箱館

箱館《はこだて》（函館）が急速に発展するのは、寛政《かんせい》一一年（一七九九）に東蝦夷地が幕府の直轄地になってからである。この図には、高田《たかだ》屋《や》嘉《か》兵《へ》衛《え》の屋敷や蔵なども描かれている。 ↓150ページ

●漂流民の外交

ロシア使節ラクスマンに送還された大《だい》黒屋《こくや》光太夫《こうだゆう》（右から二人目）。鎖国を揺るがす国際交渉の表舞台に漂流民がはじめて登場。漂流民外交の始まりであった。

→70ページ

●**はじめての日ロ会談**
安永《あんえい》七年（一七七八）、アッケシ（厚岸）に来航したロシア商人は日本に通商を求めた。翌年、松前藩役人がアッケシに出向き通商拒否を伝えた。（ロシア商人シャバリン画）
↓33ページ

5

●**ロシア人通訳キセリョフこと善六（右端）**
ロシアに漂着した若宮丸《わかみやまる》船員の善六《ぜんろく》は、ゴロヴニン釈放の箱館会談のために、ロシア士官リコルドの通訳として文化《ぶんか》一〇年（一八一三）、一九年ぶりに母国の地を踏んだ。

↓155ページ

長崎の日ロ会談

文化二年春、半年待たされたロシア使節レザーノフは、船から降りると駕籠《かご》に乗せられ、奉行所に向かった。沿道は警護の役人だけで町人の姿は見えず、町家は窓も戸口も閉じられていた。（『ロシア使節レザノフ来航絵巻』）

↓112ページ

8

6

●**幕府兵の西洋式調練**（『**調練之図**』）

国防体制の充実をめざして幕府がつくった講武場は、慶応《けいおう》二年（一八六六）に陸軍所に改組され、砲術などの洋式調練に励んだ。新たな国防の担い手として農兵が登場した。↓181ページ

大村堅メ
舟番
町使
筑前
肥前警固人
使節
魯西亜人被召出図
肥前警固人
椛島町口
通詞
波戸場

目次

日本の歴史　第十二巻

開国への道

開国への道

はじめに

変わる江戸時代のイメージ

1

鎖国と国土防衛

大航海時代とは、スペイン、ポルトガル、オランダ、イギリスなどの西洋列強が、非西欧世界における領土獲得と植民地交易をめぐって覇権を争った時代である。その先兵となったのが、海洋探検家や、キリスト教による文明化を標榜《ひょうぼう》した宣教師たちであり、イギリス東インド会社やオランダ東インド会社などの植民会社であった。これによって、アジア、アフリカ、アメリカの多くの地域は、ヨーロッパ列強への従属を余儀なくされていった。

日本にも多くの宣教師が渡来して、布教活動を展開した。天正《てんしょう》一五年（一五八七）には、一一一人もの宣教師が来日している。彼らは戦国大名に取り入って教会領地を獲得し、有力大名や多くの武将をキリシタンに改宗させる成果をあげた。天正七年段階の日本人キリスト教徒は、およそ一〇万人にも達していたという。

戦う大名が割拠した戦国乱世の時代、日本は国家として分裂しており、国家としての統一された意志の形成は困難だった。西洋列強からすれば、そうした状態こそが、日本に食い込み、日本を従属化させる大きなチャンスであった。スペイン・ポルトガルの日本征服計画の存在や、在日宣教師による日本への出兵要請なども確認されており、両国の商人や宣教師たちが多くの日本人を東南アジアに売り飛ばしていたことも知られている。

だが、豊臣秀吉《とよとみひでよし》とそれに続く徳川家康《とくがわいえやす》によって統一政権が樹立され、国家意志は一元化されるこ

◉一八世紀のオランダ製地球儀
佐賀藩の武雄鍋島家《たけおなべしま》は、長崎で海外の物品を多数購入していた。この地球儀は天保《てんぽう》一五年（一八四四）に到来したという記録がある。（武雄鍋島家資料）前ページ図版

とになった。その結果、豊臣秀吉は人身売買を禁止してバテレン（宣教師）追放令を出し、教会領も没収した。徳川政権になると貿易統制を強化して、ついにキリスト教の禁止に踏み切ることになった。これが、いわゆる鎖国＝海禁体制である。

こうした一連の措置は、国家としてキリスト教的文明化を拒否したものであり、列強主導の植民地型・従属型交易を排除し、日本を主体とした貿易管理体制の構築をめざしたものにほかならない。これを可能にしたのは、日本がまさに国家としての統一体を形成できたからであった。それはとりもなおさず、国家としての国土防衛を可能にし、日本の植民地化を防ぐ防波堤となったのであった。もし戦国の争乱が、あと数十年継続していたならば、日本は国家として存立していなかったかもしれない。

このように、大航海時代に押し寄せた西洋からの津波を、日本は鎖国＝海禁体制という堤防を築くことで乗り切った。対外関係はようやく落ち着きを見せ、鎖国泰平国家としての日本ができあがることになった。だが一八世紀になると、北太平洋地域に新たな変動がもたらされるようになった。本書が対象とするのは、おもにこの時代からのことになる。

環太平洋の時代

ロシアがカムチャツカ半島に到達して千島《ちしま》列島（クリル列島）を南下しはじめるのは、一八世紀初頭のことである。ベーリング隊がアリューシャン列島からアラスカを探検し、北太平洋にロシアの版図《はんと》を拡大したのは、一七三〇年代から四〇年代にかけてのことだ。これに対して、伝説の南方大陸（メガラニカ）を追い求めたイギリスのキャプテン・クックが、北太平洋にまで探検の途を広げ、北アメリカの西海岸で毛皮を発見したのは一七七〇年代のことであった。

それを追いかけるようにフランスがラペルーズ探検隊を北太平洋に派遣し、一七八三年に独立したばかりのアメリカも、ホーン岬を迂回《うかい》して西海岸への進出を強めた。太平洋海域は、第二次大航海の時代に突入したのである。

その結果、北アメリカ大陸で入手した大量の毛皮が太平洋を横断して中国に持ち込まれ、環太平洋交易圏を形成することになった。太平洋の西と東が市場として連結したのである。

だがスペインが、ポルトガルとの間で子午線を境に世界を二分割することを決めたトルデシリャス条約（一四九四年）を根拠に、北アメリカ西海岸の占有権を主張し、これに北からの進出をはかる

2

●クック探検隊の航路
三回目の太平洋探検で、クック隊は三陸《さんりく》沿岸を南下した。カムチャツカ半島から中国沿岸まで描かれた線が、その航路。この情報は一五年後にロシアの遣日使節ラクスマンが、世界地図とともに日本に伝えた。（桂川甫周《かつらがわほしゅう》「地球全図」）

ロシアも加わって、この地域の領土分割競争が激化することになった。その確執を典型的に示すのが、一七八九年にスペインがイギリス船やアメリカ船を拿捕《だほ》して国際紛争になったヌートカ湾事件であった。

一方、目を北太平洋の西側に転じてみると、ほぼ同時期の一七七〇年代以降、南下するロシアとの間で、この日本もまた領土紛争を発生させていた。日本も領土分割競争の主役として環太平洋史に登場していたのであった。

北太平洋の北東部では、ロシア、イギリス、スペイン、アメリカによる領土分割競争が展開し、北西部ではロシアと日本による千島列島やカラフト（樺太）をめぐる領土分割競争が並行的に進行していたことになる。しかも、ヌートカ湾事件に関与したアメリカ船が、二年後の一七九一年、毛皮を売り込みに日本に寄港していたのである。日本は早くも一八世紀の末に、環太平洋市場圏に組み込まれようとしていたのであった。

日本は鎖国体制下の国家として、ひたすら閉じこもることに徹していたのではなく、むしろ列強に伍《ご》して、領土分割競争の戦列に積極的に参入していたのであった。江戸時代の日本は、「環太平洋の時代」がもたらした世界史的大変動に明確に関与し、国防体制を固めつつ、そのなかで北方の境界を画定していったのである。本書では、そうした動きを環太平洋史の一環として描きだしてみたい。

漂流の時代

四方を海に囲まれた日本の有力な交通手段は海運である。海岸沿いに進む沿岸走法であれば、天候の急変を避けて近くの湊《みなと》や入り江に逃げ込むこともできるが、遠距離航行に適した沖合い走行が開発されると、海難事故も多くなった。突風や大波にあおられて難破した船が近くの海村で救助された事例も多い。沈没してしまえば海の藻屑《もくず》となった。だが、帆柱をへし折られ舵《かじ》を壊されても、転覆せずに暴風雨を乗り切れば、あとは風まかせ波まかせの漂流の世界となった。

幸いにして国内の沿岸に漂着したのであれば、身柄だけでも戻ることはできるが、沖合いに流されると消息はたどれない。漂流中に沈没した船も少なくないはずだ。長い漂流の間に病死したり、悲観して自殺することもあった。どこかに流れ着いたとしても、それで命が助かるわけではない。上陸しても現地民からすれば不審者になるので殺害されたり、船の積み荷をねらわれて襲撃されることもあった。あるいは現地民に捕縛されて奴隷となった例もある。

一方で、現地民に保護されて地元の女性と結婚し、日本に帰

3

◉金刀比羅《ことひら》神社（福浦）の北前船遭難絵馬
運よく遭難をまぬがれたときに、神仏に感謝して絵馬を奉納した。福浦《ふくら》（石川県志賀町《しかまち》）は北前船《きたまえぶね》の風待ち港、避難港として栄えた。

るきっかけを失った漂流民もいる。望郷の念やみがたく、いろいろな手づるをたどって帰国の道を必死で探った漂流民もいた。南方の台湾やフィリピン、ベトナムから帰国するには、長崎に向かうオランダ船を探すか、中国に渡って長崎行きの中国船に頼みこむしかなかったが、それを実現できたのは幸運以外の何ものでもなかった。こうした様子がわかるのも、幸いにして生還してきた人たちが漂流記を残しているからである。

各地に残された漂流記や、幕府編纂《へんさん》の『通航一覧《つうこういちらん》』に記載された漂流記事などを集計してみると、これまでに三四一件の漂流事件が確認できた（下図参照）。もっとも多いのは日本近海九九件だが、それでも八丈島《はちじょうじま》や小笠原《おがさわら》諸島あたりから戻ってくるのは容易ではない。

つぎに多いのが、中国の四七件と朝鮮の四二件（池内敏《いけうちさとし》の研究では、九一件確認されている）である。逆に朝鮮から日本の沿岸に漂着したのは、慶長《けいちょう》四年から明治五年（一五九九～一八七二）までの二七四年間に九七一件にのぼる。漂着地は対馬《つしま》がもっとも多く、肥前《ひぜん》、長門《ながと》、石見《いわみ》など、日本海側沿岸部であっ

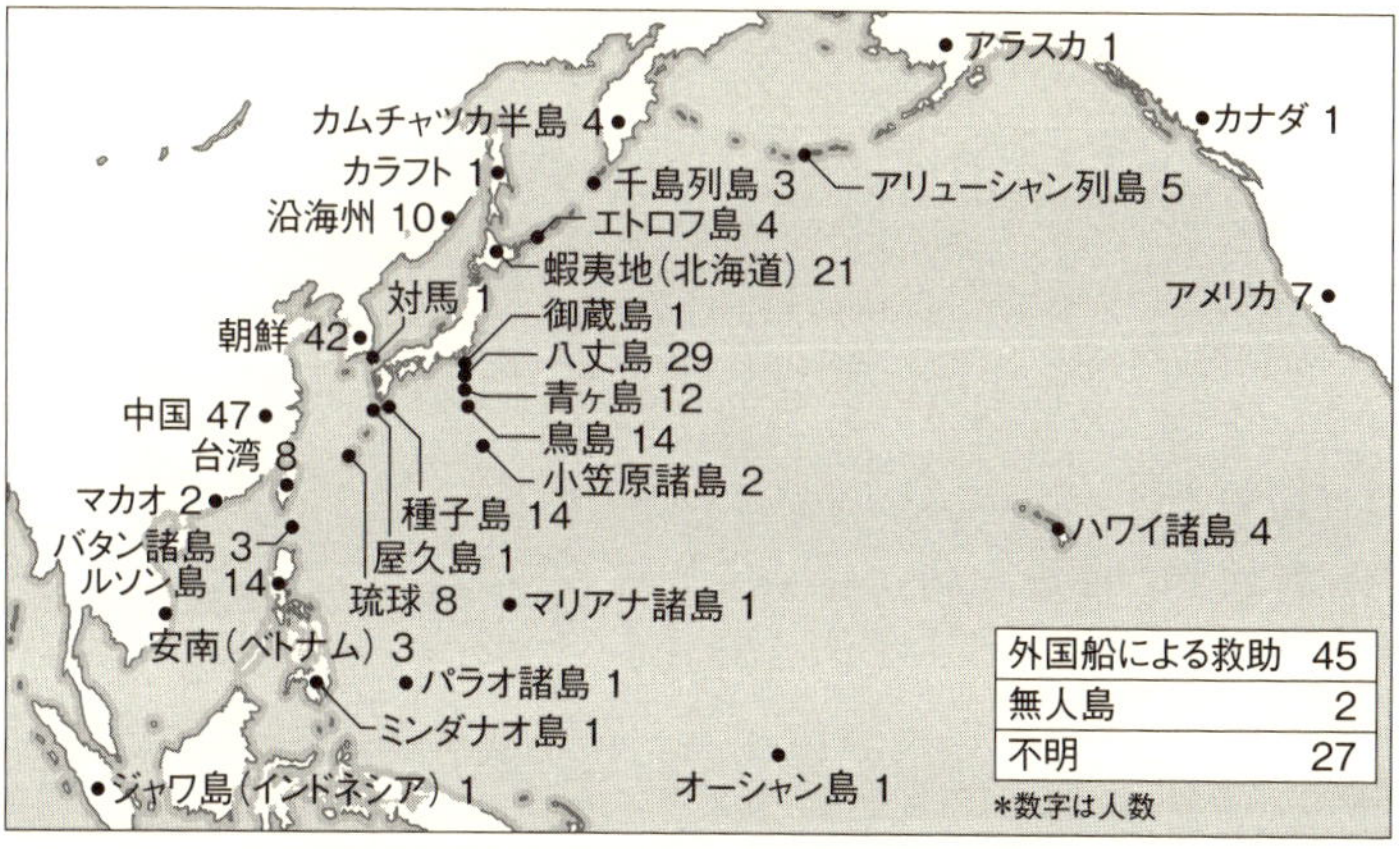

●漂流船の漂着地と件数
実際の漂流件数は、この数十倍あると思われる。日本と漂流民の相互送還制度があったのは、中国と朝鮮・琉球だけであった。

た。船種の判明する六三五件のうち四三七件は漁船であるから、朝鮮からの漂着は漁船が圧倒的に多い。小型の漁船が朝鮮沿岸から吹き流されても、すぐに日本の沿岸に漂着するので救命率も高かったのだろう。

　これに対して、太平洋に押し流された日本の漂流船は、そのほとんどが商船（廻船《かいせん》）であった。漁船は小型であり、すぐに沈没してしまうが、商船は千石船《せんごくぶね》のように大型のものが多かったので、沈没せずに漂流する可能性が高かったのだろう。伊豆《いず》諸島の鳥島《とりしま》に漂着してアメリカの捕鯨船に救助され、幕末に日米の橋渡し役として活躍した土佐《とさ》のジョン万次《まんじ》郎《ろう》（中浜《なかはま》万次郎）は、カツオの一本釣り船に乗っていたが、これなどは漁船が漂流したためずらしい例である。

　南方海域ではルソン島がいちばん多い。北方海域で沿海州が多いのは日本海を航行中の船が対岸に漂着したものだ。太平洋を越えてハワイ諸島や北アメリカ大陸にまで流された船もあった。漂流の期間は、一か月程度から半年を超えるものまである。それでも生きながらえるのは、商船の場合、売買用の米を大量に積んでいることが多いからだ。飲料水は雨水をため、魚を釣っておかずにしたらしい。同じような場所で遭難しても、南海に流されるか、北方に吹き飛ばされるかは、海流と季節風次第だった。

4

◉朝鮮の漂流民
日本沿岸に漂着した朝鮮人とは漢字で筆談した。漂流民は長崎から対馬藩を経て釜山《ブサン》に送還された。

漂流と異国船

下の表をみると、一七世紀に比べて一八世紀の漂流件数が多くなり、一九世紀には約三・四倍にまで増えている。漂流事件が増大するのは、列島沿岸での廻船《かいせん》の活動が年々盛んになっていくからである。とはいえ、一九世紀でも年間平均二・五件だから少ないようにみえる。だがこれは、あくまで漂流記などから把握できた数字であり、実際の漂流事件は数十倍あったとみたほうがよいだろう。廻船による物流の活性化は、漂流を日常的な社会現象にしたのであった。江戸時代は、まさに「漂流の時代」だといってもよい。

表にはあげてないが、一九世紀に現われる興味深い現象がある。外国船が漂流中の日本船を洋上で救助した事例が激増することである。それまではオランダ船と清国《しんこく》船による四例しかなかったが、一八〇六年に大坂船がハワイ近海でアメリカ船に救助されたのを皮切りに、外国船による救助が一八六八年までに四五件も確認できる。アメリカ船の二五を筆頭に、イギリス船五、オランダ船二、スペイン船二、フランス船、ドイツ船、ロシア船の各一となっており、太平洋海域における欧米列強の活動ぶりがこの数字に反映されている。アメリカ船が突出しているのは、一九世紀初頭から鯨を追って太平洋に本格的に進出しはじめたからである。

時　期	件数	1年あたり
慶長16～元禄13年 (1611～1700)	65	0.73
元禄14～寛政12年 (1701～1800)	106	1.06
享和1～明治1年 (1801～1868)	170	2.50

◉時期別漂流件数
右は海外への漂流だけだが、日本沿岸の村々にも、遭難関係の文書が無数に残されている。

漂流事件は、たんに日本における海運事情の変化を反映しているだけではなく、漂着・救助・送還をめぐって、世界状況を敏感に反映する歴史現象だといってよい。本書ではとくにロシア領に漂着した伊勢国白子《いせのくにしろこ》（三重県鈴鹿市《すずか》）の神昌丸《しんしょうまる》と陸奥国石巻《むついしのまき》の若宮丸《わかみやまる》の漂流事件を取り上げておきたい。漂流民の数奇な異国体験や、送還したロシアの思惑《おもわく》なども興味深いが、漂流民が伝えた西洋の日本観、すなわち「帝国日本」像は、その意外性のゆえに、江戸時代の日本のイメージを大きく変えることになるだろう。

世論政治の時代

日本の近世＝江戸時代は封建社会であり、領主が専制的・強圧的に支配し搾取した時代だといわれることが多い。たとえば、「由《よ》らしむべし、知らしむべからず」という『論語《ろんご》』の言葉が、江戸時代における政治と民衆の関係を語る際に、しばしば引用されてきた。あたかも、民《たみ》百姓の政治への口出しを封殺したのが、江戸時代の政治であったかのように。また、ある教科書では、「百姓共は死なぬ様に生きぬ様に」という『落穂集《おちぼしゅう》』の文言を引用し、これが徳川家康《とくがわいえやす》のころからの年貢徴収の方針であり、厳しい収奪に百姓がいつもさらされつづけてきたかのように書いている。

政治への関与を遮断され、苛酷《かこく》な年貢収奪に耐えきれなくなった民衆は、それゆえ一揆《いっき》や騒動などの実力行使によって異議申し立てを行な

◉**徒党・強訴・逃散の禁令**
徒党を組んで願い事を通そうとするのが強訴、申し合わせて村から逃げるのが逃散とされた。手続きをふんだ訴願は合法であった。

い、政治のありようを変えさせた、というのが、長い間、通念化された理解になっていた。

江戸時代には二百数十の大名がおり、民政をあずかる代官や奉行にも、さまざまな人物がいた。なかには、苛斂誅求《かれんちゆうきゆう》に走って一揆を誘発した大名や代官も、たしかに存在している。だが江戸時代は、前述した片言隻句や悪徳領主の事例だけで語ることができる社会ではなかった。

なぜ二六〇年もの徳川長期政権が続いたのかを、はたして強権的武士政権論＝軍事政権論で説明できるのだろうか。そうした疑問から出発して、江戸時代の政治と民衆の関係を再検討してみると、意外な実態がみえてくるようになった。庶民は政治的発言を封殺されていたどころか、逆に「民百姓による御政道への口出し」には相当に激しいものがあり、領主政治もそれに大きく規定されていたことがわかってきたのである。

江戸時代の政治のありようを、先入観を捨てて冷静に観察すると、幕府や藩は民意の動向を気にかけ、庶民からの意見を積極的に吸収していたのであった。その民意の表明を保証していたのが、訴願《そがん》（訴訟と請願）という制度である。政策に民意を反映させる独自の制度をつくりあげたからこそ、徳川政権は二六〇年もの間、安定的に維持されたといってよ

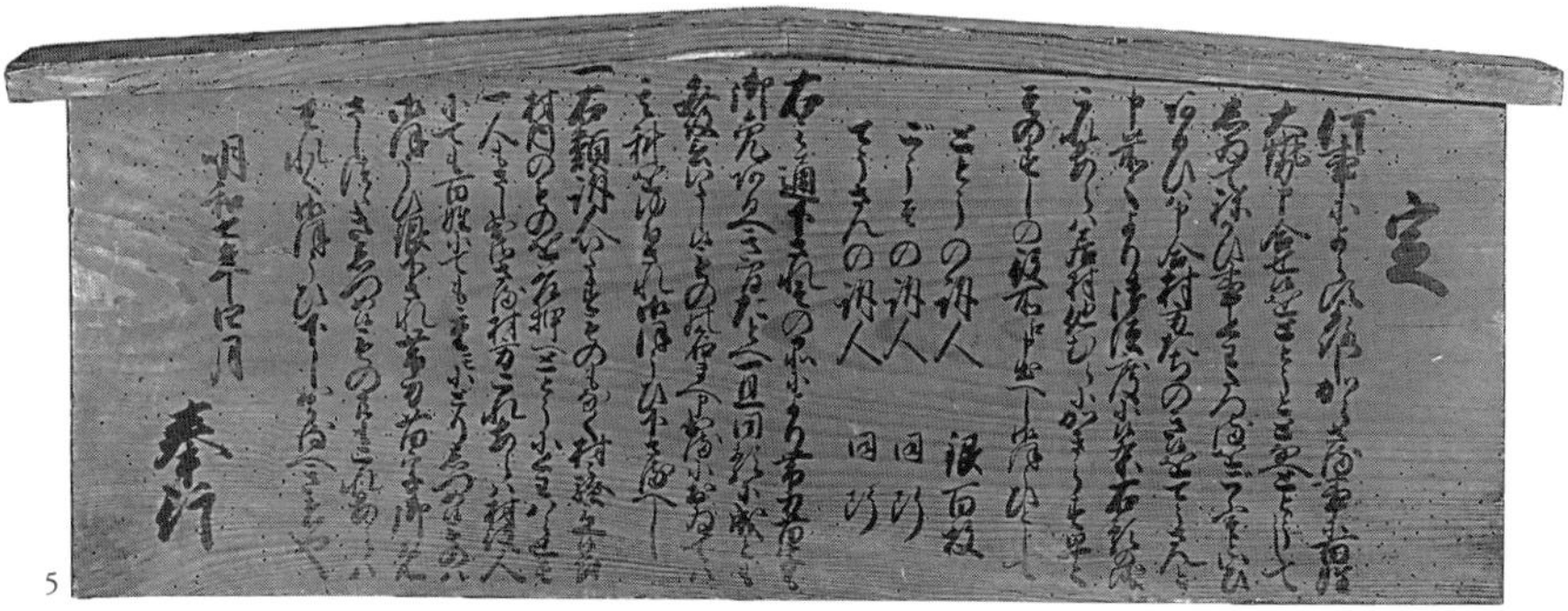

5

い。江戸時代は意外にも、「世論政治の時代」だったのである。

一方、社会は、地縁・血縁・身分・職業など、さまざまな社会関係によって利害を異にしており、主張する意見も多様である。世論は、つねに分裂しているといってよい。だからこそ、社会には大小諸種の紛争が起こるのである。社会は決して一枚岩ではないからこそ、ある特定の世論に、その意見だけが唯一正しいという絶対性を与えることはできない。したがって世論に基礎をおく政治は、世論の均衡の上に成り立つということになる。

その世論の均衡を実現するのが合意の形成であり、権力こそ歴史的・社会的に存在する、最大の合意形成システムであった。権力は人々が発するさまざまな要求を、どのように処理したのだろうか。利害関係のずれや対立から発する紛争や世論の分裂状況を前に、権力はどのような対応ができるのだろうか。

そのような視点から江戸時代の政治と社会の関係をとらえ直すと、江戸時代の権力＝幕府や藩といった領主層は、意外なほどに民意＝世論の帰趨《きすう》に神経を使い、対立する世論を合意に導くことに腐心していたようである。いわば民意吸収と利害調整である。領主が民衆と対立する側面はもちろん存在するが、領主は官僚機構を通して民の声に対応していたともいえるだろう。

もちろん、現代の世論政治のあり方とは、システムも認識も大きく異なっている。しかし、江戸時代を「世論政治の時代」だと、あえて表現するのは、民衆と政治のこのような関係を重視し、民衆の政治的力量を適正に評価したいからである。

本書では、民衆の意見がどのように扱われていたのか、地域おこしに励んだリーダーたちによる民心把握の事例も紹介しながら、世論政治としての江戸時代の実態を示すことにしたい。

庶民剣士の時代

よく知られた庶民剣士といえば、近藤勇《こんどういさみ》や土方歳蔵《ひじかたとしぞう》（歳三）などが代表だろう。新選組《しんせんぐみ》での活躍が認められて幕臣に取り立てられるが、彼らはまぎれもなく百姓出身の剣士であった。近藤や土方のような庶民剣士が生まれた背景を探っていくと、これまた江戸時代の意外な実態に行き当たることになった。

そもそも百姓や町人は、剣術を禁止されてはいなかったらしい。百姓による武芸の習得を禁じる触書《ふれがき》が出されたのは、なんと江戸時代が五分の四も過ぎた文化《ぶんか》二年（一八〇五）のことだった。江戸の町人に武術稽古《けいこ》の禁止が示達されたのは、さらに遅れて天保《てんぽう》一四年（一八四三）である。ということはそれまで、百姓や町人などの庶民が剣術を習うことは禁止されていなかったということになる。

江戸時代は、士農工商の身分を厳格に分けた身分制の社会で

6

●脇差を差して旅をする庶民
庶民の脇差《わきざし》は禁じられていなかった。藩領外への旅には二本差しを許した藩もある。（『江戸《えど》名所図会《めいしょずえ》』）

あり、武士を武士たらしめているのは、大刀と小刀（脇差《わきざし》）を差し、道場で腕を磨いているからではなかったのか。にもかかわらず、百姓や町人が道場で剣術修行をしていたとすれば、剣術は武士のものという身分的な意味をもっていなかったということになる。

では、二本差し（帯刀）のほうはどうなのか。さすがにこちらは、御用町人や有力百姓など、一部の者が許されていたにすぎなかった。二本差しこそ武士身分を表象するものとして機能していたといってよい。だが、脇差一本なら、腰に差しても咎《とが》められることはなかった。二尺《しゃく》五寸《すん》（約七五センチメートル）以上の長脇差が禁止されているにすぎなかったからである。その長脇差の統制が本格的に始まったのも、寛政《かんせい》一〇年（一七九八）からのことであった。

百姓・町人が剣術を習い、脇差を帯びる。これは合法的である。帯刀を免許された一部の百姓や町人が二本差しを帯びる。これも合法的である。一八世紀に入ると、献金で士分を得た郷士《ごうし》が全国的に増えてきた。もちろん、彼らは二本差しである。とすると巷《ちまた》には、二本差しの者をはじめ、脇差や長脇差をした者が至る所にいたということになる。

剣術道場の隆盛

関八州《かんはっしゅう》（相模《さがみ》・武蔵《むさし》・安房《あわ》・上総《かずさ》・下総《しもうさ》・常陸《ひたち》・上野《こうずけ》・下野《しもつけ》）の農村部の至る所に、最少でも数百の剣術道場があった。数百人の門人を抱えた道場もあったというから、百姓剣士の数は万を下らないのではないだろうか。江戸市中にも三〇〇近くの道場があり、町人が足しげく道場に通ったともいわれる。しかもこれは、幕府が百姓や町人の武術禁止令を出したあとも続いた動向であった。幕府の触書《ふれがき》など、ほとんど効力をもたなかったことがわかる。

埼玉県下で確認できる剣術道場四二のうち、文政期《ぶんせい》（一八二〇年代）以前に開設されたのは七道場で、大半はそれ以降になるという。しかも道場主の身分が明らかな四〇人のうち、武士は五人、名主《なぬし》は八人、百姓は二四人、その他は三人となっている。なんと八割は、名主や百姓らによって開設されていたのである。また武士とはいっても、本来の出自は百姓身分ながら、剣術の腕を見込まれて大名や旗本のお抱え師範となった者もいる。とすると道場主のほとんどは、百姓出自だったといっても過言ではない。

本書では、庶民剣士が生み出された歴史的な経緯を検証し、その延長上に、浪士《ろうし》組《ぐみ》の実像を紹介する。文久《ぶんきゅう》三年（一八六三）二月に幕府が結成し、二三二人の浪士が参加した浪士組では、なんと六割もの隊員が百姓身分だったのである。浪士組とは百姓組かと思わせる、驚くべき数値であった。しかも、小頭《こがしら》（小隊長）ポスト二一人の三分の二を百姓出身者が占めて、武士を部下にしていた。この身分の逆転現象を可能にした

7

◉馬庭《まにわ》念流道場（群馬県馬庭）
農村には多くの道場があり、庶民にも「武芸」が伝承されていた。念流《ねんりゅう》の起源は江戸時代初期と古く、樋口《ひぐち》家によって継承されている。

のは、剣術の実力とリーダーシップだったといってよい。この浪士組が分裂したあとに、新選組《しんせんぐみ》が誕生することになる。

「庶民剣士の時代」もまた、これまでの江戸時代のイメージを大きく変えることになるだろう。

以上、本書では幕末開国に至るまでの時期を対象に、「環太平洋の時代」「漂流の時代」「世論政治の時代」「庶民剣士の時代」という新たな江戸時代像を提示する。江戸時代は、閉ざされて抑圧された時代だというイメージをいだいている読者も少なくないと思われるが、さまざまな読み解き方によって江戸時代の多面性を浮き上がらせてみたい。

このほかに、大塩平八郎《おおしおへいはちろう》の乱《らん》と天保《てんぽう》の改革《かいかく》を取り上げているが、従来の大塩論や天保の改革論とは大きく異なった解釈を提示している。大塩は幕府に反抗した英雄として評価が高く、天保の改革を断行した老中《ろうじゅう》水野忠邦《みずのただくに》は庶民の敵として評判が悪い。だが、評判がよすぎるというのも気になるし、評判が悪すぎると少しは弁護してあげたくもなる。いずれにしても、人物評価や政策評価に関して、解釈の可能性を広げてみようという試みにほかならない。

第一章

環太平洋時代の幕開け

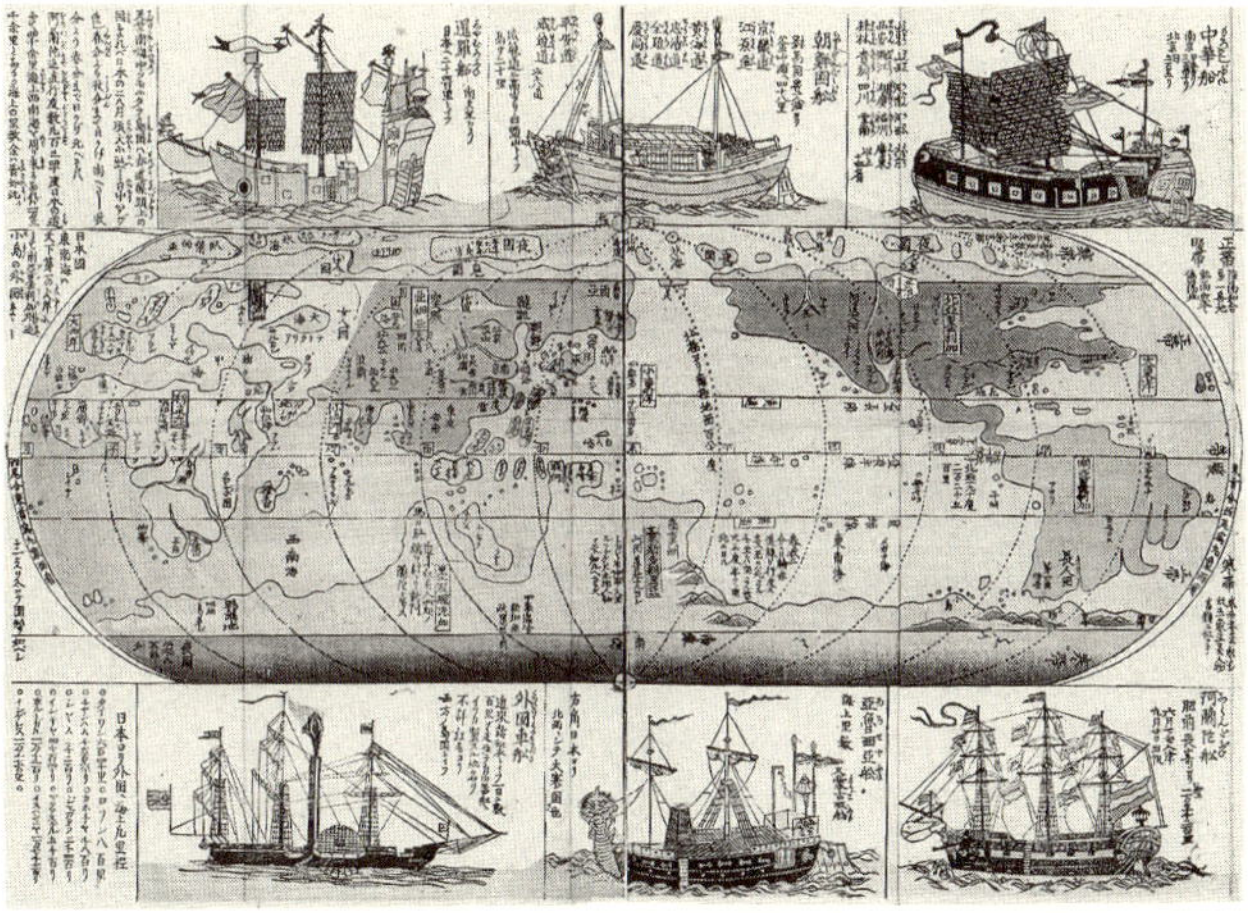

1

ロシア帝国、太平洋へ

日本人漂流民と出会う

ロシアによるシベリアへの進出は、一五八〇年代にウラル山脈を越えたトポリスクに要塞《ようさい》を建設したのがその始まりであった。その後は、広大なタイガ（針葉樹林帯）に棲息《せいそく》する黒貂《くろてん》の毛皮を求めてシベリアを東に突き進んでいった。多くの先住民族をつぎつぎに征服して、一六三二年にはヤクーツクに要塞を築き、太平洋岸に到達してオホーツクを開いたのは一六四〇年代のことである。一方、シベリア南部のイルクーツクやネルチンスクを拠点に、アムール川を越えてさらに南下しようとしたが、こちらは清《しん》国に押し返された。軍備が劣勢なロシアは、一六八九年に清国とネルチンスク条約を結び、アムール川流域の放棄を余儀なくされている。カムチャツカに探検の主力を投入するようになったのは、そのためであった。

シベリア征服に貢献したのは、武装集団としてのコサック隊である。コサックとは、一五世紀あたりから現在のウクライナ周辺を支配した自治集団のことだが、その一部はモスクワ大公国と結んでシベリアに進出した。乗馬に長じ高度な戦闘技術を身につけていたことから、シベリアに散在する小規模な狩猟採集民族を征服するのは、たやすいことだった。彼らが征服した地はロシアの広大

◉『万国地球全図説近世舶来の図』世界地図は一八世紀なかばの形態で、一九世紀に登場した外輪船も描かれている。嘉永《かえい》期（一八四八〜五四）ごろの作。前ページ図版

な領土となり、彼らの切り開いたルートを冒険的な毛皮商人が追いかけ、ヨーロッパに黒貂をはじめとする種々の毛皮をもたらした。コサックは、モスクワ大公国がロシア帝国に飛躍していく先兵として、大きな役割を果たしたのであった。

そのコサック隊長のひとりであるアトラソフが、わずかな手兵を率いてカムチャツカ半島の南部にまで到達したのは、一六九七年のことであった。一説には、銃装備したコサック兵六〇名と大砲四門で、先住民族のカムチャダールを征服したという。火器の威力を示す逸話である。

アトラソフは、カムチャツカで思わぬ発見をした。先住民族のもとで暮らしていた日本人と出会ったのである。名前はデンベエ（伝兵衛か）といい、大坂商船の乗組員だった。船は元禄《げんろく》八年（一六九五）に大坂から江戸に向かったが、嵐にあって半年間漂流し、カムチャツカ半島南部に漂着した。一五人の乗組員がいたが、先住民に殺されたり行方不明になったという。アトラソフに保護されたデンベエは、一七〇一年にモスクワに送られ、翌年、ピョートル一世に引見された。日本人ということで皇帝が強い関心を示したのである。

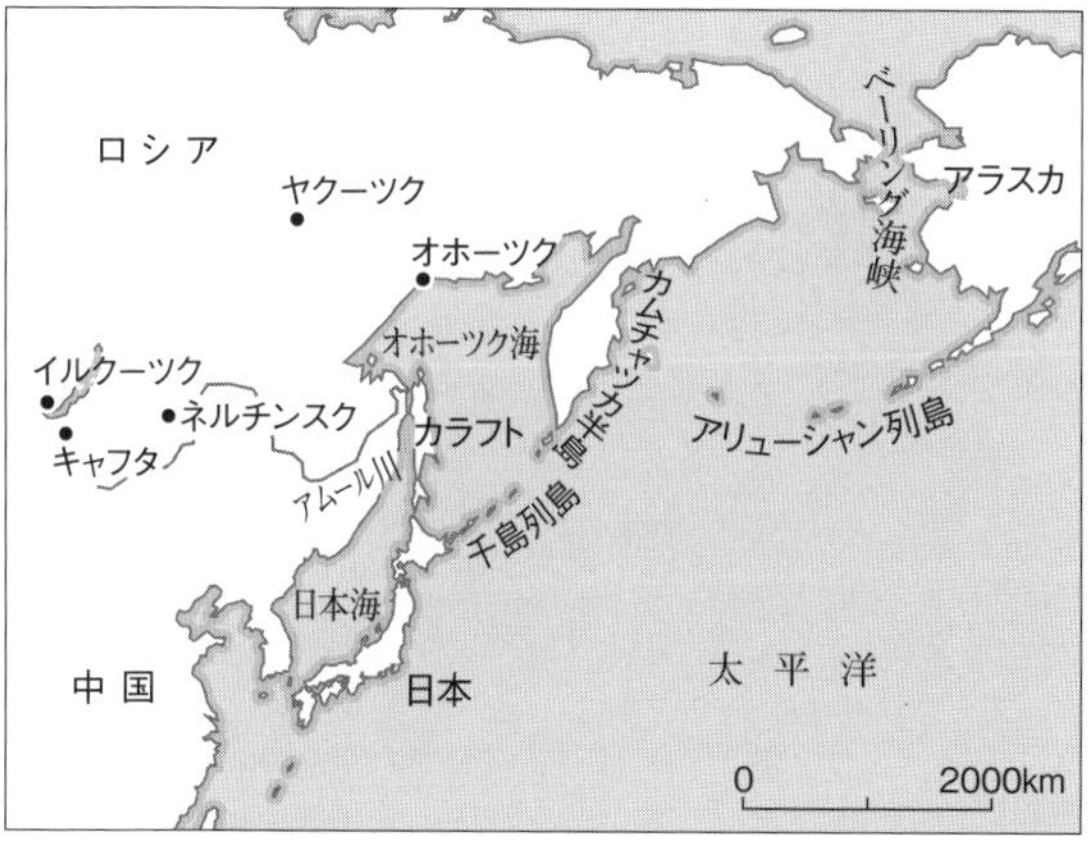

●環北太平洋の世界
多様な先住民族が住むシベリアや北太平洋地域は、列強が占有と覇権を争う場となった。一九世紀中ごろには、ほぼ領域が確定する。

その直後、皇帝は、日ロの通商開始のために日本への経路を調査し、日本の軍備状況、日本商品の種類、ロシア商品に対する日本人の需要などを調査するように命じている。ロシアが当時得ていた日本情報は、ヨーロッパ諸国のうち一国だけ長崎に入港を許されていたオランダ経由のものであった。デンベエは、そうした迂回《うかい》情報ではなく、ストレートな日本情報をロシアに伝えたため、皇帝は北からの日本ルートの開発に強い意欲を示したのである。

千島列島弧の交易関係

千島《ちしま》列島（クリル列島）の第一島シュムシュ島に最初に足を踏み入れたのは、コサックのアンツィフェーロフとコズィレフスキーで、それは一七一一年（宝永《ほうえい》八〔正徳《しょうとく》元〕）のことであった。コズィレフスキーは一七一三年に第二島パラムシル島まで渡っているが、彼の報告書によれば、この探検にはサナという日本人漂流民が同行したとある。日本船は一七一〇年にカムチャツカ半島南部の東岸に漂着したが、先住民カムチャダールの襲撃によって一〇人中四人が殺され、六人が捕虜になっていた。征服戦でカムチャダールを破ったコズィレフスキー隊が、このうち四人を救出・保護し、比較的ロシア語をしゃべれるようになったサナという日本人を伴ったという。

このパラムシル島でも、銃で武装したコズィレフスキー隊は、剣と槍《やり》と弓矢で戦う島民を制圧した。コサック隊はここで南千島のエトロフ（択捉）島から来たアイヌたちを捕虜にし、彼らが交易品として持ってきた日本製の衣服・刀・陶磁器などを取り上げ、新たな日本情報も入手している。シタナイという名前のアイヌの話によると、日本人は松前島《まつまえ》（北海道）から絹・木綿製品や刀・鉄釜《てつがま》・煙草《たばこ》などのさまざま物資を積んだ船でクナシリ（国後）島に来航し、アイヌとの間でラッコや狐の毛皮、鷲《わし》の羽などと交換しているという。

エトロフ島の住人であるシタナイは、クナシリ島に行ってこれらの日本商品を毛皮と交換して買い入れ、その日本商品を毛皮と交換するために北千島やカムチャツカ半島にまで渡来していた。だが当時の交易関係はそれだけではなく、日本人が鉱石を求めて第六島ライコケ島までやってきて、鉄釜や漆器《しっき》、綿布・絹布、刀剣類と交換していたという北千島住民の証言も記録されている。

コズィレフスキーのこうした記事をみると、北海道・千島列島・カムチャツカ半島南部をつなぐ千島列島弧地帯では、ロシア人が進出する前の一八世紀初頭段階において、日本人による列島北部との直接取引も時としてみられたようだが、基本的には、クナシリ島やエトロフ島を中継点とする南北の交易関係、すなわち和人・アイヌ・カムチャダールの複合的な民族間交易が展開していたといえる。

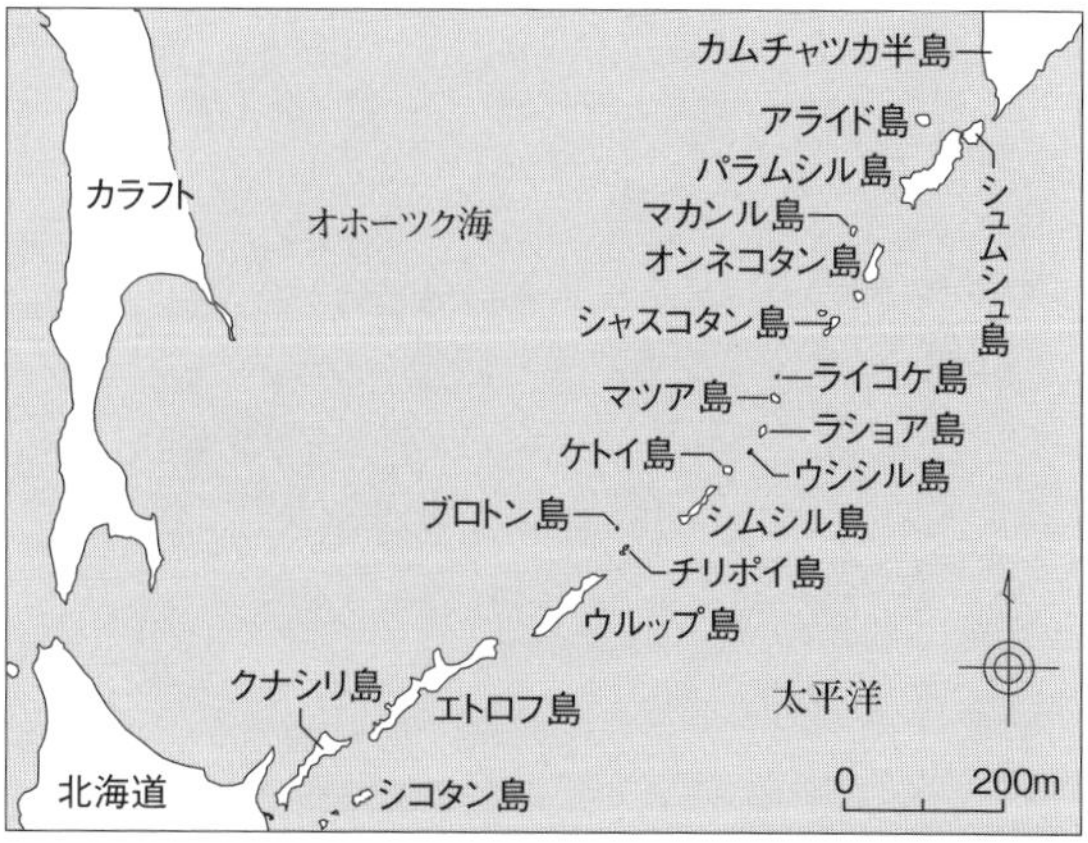

◉千島列島
千島アイヌは北海道とカムチャツカ半島を結び、カラフトとも交流があった。自立した民族は、ロシアと日本に徐々に支配されていった。

シパンベルグ隊の日本上陸

一七二二年には、千島《ちしま》列島のライコケ島までロシアの測地学者が南下した。だが、ロシアの太平洋進出が大きく飛躍するのは、ベーリング探検隊からである。ベーリング隊は、一七二八年の航海でユーラシア大陸とアメリカ大陸の間の海峡（ベーリング海峡）やカムチャツカ湾を発見し、一七四一年の探検では北アメリカ大陸のアラスカとアリューシャン列島を発見した。

ベーリング探検隊は、こうした地理上の発見だけではなく、新たな毛皮も発見した。ラッコである。ベーリングがこの島で亡くなったことにちなんで命名されたベーリング島で、同隊は多数のラッコを発見した。柔らかな肌触りで保温力に優れたラッコの毛皮は、「走る宝石」といわれたシベリアの黒貂《くろてん》よりも、さらに高価だった。

ラッコ発見の話を聞いたシベリアの毛皮狩猟者や毛皮商人たちは、アリューシャン列島やアラスカにつぎつぎと繰りだしていったのである。黒貂はヨーロッパに輸出されたが、ラッコはその多くが、バイカル湖の南にあるキャフタから中国に輸出され、毛皮商人は驚くほどの高利を得た。キャフタではカムチャ

2

●『蝦夷《えぞ》島《しま》奇《き》観《かん》』に描かれたラッコの図
ラッコは、千島列島やアリューシャン列島、アラスカなどの北太平洋地域に生息。ベーリングがラッコを発見したあと、ロシアの毛皮業者が乱獲し絶滅寸前に追い込まれた。

ツカの四〜五倍で中国商人に売られたという。

このベーリング探検隊には、別働隊として、シパンベルグを隊長とする日本隊も編成されていた。一七三八年（元文三《げんぶん》）には三隻《せき》の探検船がウルップ島まで南下して、多くの島々を海図に記録し、翌三九年にはついに日本沿岸に到達した。シパンベルグの乗った船は仙台湾に停泊し、田代《たしろ》島と網地《あじ》島（いずれも宮城県石巻市《いしのまき》）の島民らと船上で物々交換をしている。他の一隻は房総《ぼうそう》半島まで南下して安房国天津村《あわのくにあまつ》（千葉県鴨川市《かもがわ》）に上陸し、井戸から水を汲《く》み上げ、大根を数本抜いて本船に戻ったという。伊豆《いず》沖でも異国船を見かけたと報告されている。

一方、日本側では、黒船出現の情報を得た仙台藩が数百人の藩兵を派遣し、石巻から漁船を動員して異国船に接近する大騒動となった。安房国でも数十隻の漁船が動きだしたために、いずれも異国船はすぐに出帆して逃れている。

彼らが残していったコインによって、のちにロシア船であったことが判明したが、幕府はこの年の六月、沿岸の領主・代官に対して、もし異国人が上陸したなら捕らえおき、逃げたら深追いしなくてもよいと命じた。要するに、上陸しなければ手を出すなということである。正体不明の異国船を、むやみに刺激しないようにという配慮だろう。シパンベルグ隊は、一七四二年にもカムチャツカ半島から三隻の船で日本に向かったが、濃霧のために日本にたどり着くことができなかった。だが、日本への航路を発見したロシアは、その後、積極的に日本へのアプローチを試みることになる。

アイヌの抵抗

コサック探検隊や毛皮商人の進出は、ロシアの版図《はんと》の拡大でもあった。征服地の住民をロシア帝国の臣民とするために、現地民から毛皮税（ヤサーク）を徴収した。だが、逃亡する住民も少なくなかった。一七六〇年（宝暦《ほうれき》一〇）には、北千島《ちしま》から中千島に逃亡した住民から毛皮税を取るために、カムチャツカから徴税人が派遣され、三〇人をパラムシル島に連れ戻している。一七六六年から六九年にかけて中千島のシムシル島やウルップ島に上陸したコサック隊長チョールヌイも、アイヌから食料や日本との交易品を取り立てただけではなく、ウルップ島にラッコ猟に来ていたクナシリ島のアイヌからも強制的に毛皮税を徴収し、日本人と交易をしていると証言したエトロフ島のアイヌからも毛皮税を徴収した。

力ずくで支配しようとするロシア人たちに対してアイヌは、逃亡ではなく、武力によって抵抗することもあった。たとえば、一七七〇年、ラッコ猟のためにウルップ島に出猟したエトロフ島のアイヌをロシア人が発砲して排除し、さらに毛皮税まで要求して二名のアイヌを射殺する事件があった。翌年も発砲

3

◉ウルップ島の在留ロシア人
一七九三年の遣日使節ラクスマン来航後、日本との交易に備えてロシア人がウルップ島に入植した。（『辺要分界図考《へんようぶんかいずこう》』）

してラッコ猟を妨害したため、エトロフ島とラショア島のアイヌが手を組んで、ウルップ島とその北にあるマカンル島で二〇数名のロシア人を殺害したのである。アイヌたちはウルップ島で捕獲したラッコの毛皮を日本人との交易品としていたため、ロシア人によるラッコ猟の独占と臣民化の強制は、アイヌの交易と生活の基盤を破壊することになり、危機意識に駆られて大量殺害へと走ったのであった。

コサック隊長チョールヌイの上陸にみられるように、ロシアは一七六〇年代にはウルップ島までを、ほぼ支配下に置いていたといってよい。だがこの時期以降、南千島をめざした遠征事業は、コサック隊から商人たちへと変化していった。たとえば一七七〇年には、ヤクーツクの商人プロトディヤコノフ商会の一行がウルップ島に上陸し、翌年にはチュメニの商人ニーコノフの一行もウルップ島に上陸したという。コサック隊の地ならしのあとに、新たな毛皮市場を求める商人たちがなだれ込んできたのである。一七六〇年代から七〇年代は、このようにロシアの対外膨張のあり方に大きな変化が現われた時期であった。

ロシア商人の蝦夷地来航

ロシアは、エトロフ島やクナシリ島の住民からも一時的に毛皮税を徴収したが、アイヌの反乱にみられるように、南千島《ちしま》の支配は貫徹できていなかった。そこでカムチャツカ長官やロシア商人は、日本人と親交を結び交易しているアイヌを「上首尾《じょうしゅび》に女帝陛下（エカチェリーナ二世）の臣民に加え」、また日本人と交易するために日本の国境まで積極的に進むことを具体化した。一七七五年（安《あん》永《えい》四）、ヤクーツク商人のラストチキンとルィリスク出身の商人シェリホフが、千島列島南部および松前《まつまえ》への航路を開発するために、シベリアのアンチーピンを探検隊長として派遣したのである。アンチーピンは、日本人漂流民が教師をしているイルクーツクの日本語学校の出身であったが、日本語通訳としては同校出身のオチェレディンも加わっていた。日本人との接触・交渉を視野に入れた探検であったが、ウルップ島で船が座礁したため、目的を達せられなかった。

出資者のひとりであるシェリホフは、この失敗に懲りて南千島から撤退し、アリューシャン列島や北アメリカに毛皮事業を集中していくことになる。だがもうひとりのラストチキンはあきらめることなく、イルクーツク商人のシャバリンを派遣した。一七七七年九月にオホーツク港からウルップ島に向かった一行は、翌年五月、ウルップ島から三艘《そう》の船で北海道に向かい、ネモロ（根《ね》室《むろ》）のノッカマップに着岸して、そこにいた松前藩士に交易を申し入れた。これが日本人とのはじめての直接交渉であった。

シャバリンらは一七七九年、回答を得るためにアッケシ（厚岸《あっけし》）に渡来したが、松前藩（福《ふく》山《やま》藩）士は交易を拒否してウルップ島への渡来禁止も通告したという。ロシア側通詞《つうじ》アンチーピンの遠征日記は交易を拒否されたとは記していないが、イルクーツク県知事のクリチカは元老院《げんろういん》総裁に対して、シャバリンとアンチーピンの遠征は失敗したと報告している。アンチーピンは、交渉失敗を明記したくなかったのだろう。それだけではなく、ウルップ島に戻ったシャバリン一行は、一七八〇年に連続発生した地震と津波によって大打撃を受けた。これによってロシア商人は一時的に南千島から撤退して、勢力をアリューシャン方面に投入することになった。

ただし、この間のロシア側の動きとして興味深いのは、一七七九年に出されたエカチェリーナ二世の勅令である。臣民となった千島列島遠方部（南部）住民のアイヌからは毛皮税を徴収してはならない、とする命令であった。その理由は、住民を管理する者が私腹を肥やす可能性があること、またアイヌを保護するための軍隊の維持に多額の費用がかかるからだとされている。

帝国臣民としてアイヌを編入することは、たんに毛皮税を徴収する対象になったということだけではなかった。他民族がロシア臣民を攻撃してきたときに、ロシア皇帝は臣民を守る責務をもつことになる。だがシベリアでは軍隊や指揮官が不足しており、南千島で臣民としたアイヌを守れないと判断したのである。しかしここで想定されている他民族とは、何を指しているのだろうか。当然日本のことだろう。ではなぜ、日本からの攻撃を想

◉松前藩役人を出迎えるロシア商人
先にアッケシに着いたロシア商人団が、海岸で松前藩役人を迎える。日本側には荷物を運ぶアイヌも描かれている。シャバリン画。

定しなければならないのか。

前述のように、ロシア商人シャバリンらが一七七八年にアッケシに渡来した。彼らはたんに、松前藩士に通商の申し入れをしただけではなかった。じつは、ウルップ島やエトロフ島、クナシリ島のアイヌをロシア帝国の臣民として取り込む活動を積極的に展開していたのである。アイヌの首長や部族民たちに、たくさんの高価な贈り物をして親愛の情を示した。また、ロシアの偉大さを印象づけるために、一組みのアイヌ人夫婦をイルクーツクに連れていって華やかな都市生活を体験させ、その体験談を持ち帰らせようとするなど、懐柔は手の込んだものだった。その結果、探検隊はイルクーツク県知事に対して、南千島で一五〇〇人のアイヌを新たに臣民にすることができたと誇らしげに報告し、県知事はすぐに元老院総裁にそれを上申している。

エカチェリーナ二世が南千島のアイヌから毛皮税を取るなという勅令を発したのは、そのわずか三か月後のことである。因果関係があるとみるのが自然だろう。おそらくロシア政府は、日本の国境付近での性急なアイヌ臣民化の動きが日本側を刺激し、紛争化するのを恐れたのではないだろう

5

◉アッケシ渡来のロシア人
右はロシア商人シャバリン。左はロシア服を着た通訳の北千島アイヌ。（『辺要分界図《へんようぶんかいず》考《こう》』）

か。もし日本側が南千島に武装部隊を送ってきた場合、ロシア政府は臣民であるアイヌを保護するために、シベリア本土から軍隊を急派しなければならなくなる。だがロシア政府にとって、それは困難なことであった。しかも紛争化すれば、日本との通商は絶望的にならざるをえない。南千島探検隊が積極的にアイヌの臣民化をはかったにもかかわらず、それを否定する勅令を出したのは、日本との関係を重視したからだと見なしてよいだろう。

西洋列強の北太平洋進出

キャプテン・クックの北太平洋探検

一四九二年のコロンブスによるアメリカ大陸の発見以降、ヨーロッパ諸国は新天地や植民地を求めて南北アメリカに進出した。南アメリカは太平洋側をスペイン、大西洋側をポルトガルが占領していったが、北アメリカでは、イギリス、フランス、スペインなどが地歩を固めていった。一七六三年にはイギリスとフランスの間で七年戦争（フレンチ・インディアン戦争）が終結し、その結果、仏領カナダがイギリスに割譲された。一七七五年にはイギリス植民地である北アメリカ一三州による独立戦争が勃発《ぼっぱつ》するなど、植民と領土分割、宗主国からの独立など、一八世紀のアメリカ大陸は大変動にさらされた。それをさらに世界史的変動に結びつけたのが、有名な海洋探検家のキャプテン・クックこと、イギリスの海軍士官ジェームズ・クックであった。

クックが南アメリカのホーン岬をめぐって、第一回目の太平洋探検を行なったのは、一七六八年から七一年にかけてのことである。この探検では、タヒチ、ニュージーランド、オーストラリアを回遊し、インド洋からアフリカ南端を迂回《うかい》して帰国している。一七七二年から七五年までの第二回目の探検では南極圏に入り、さらにトンガやイースター島など太平洋の島々を発見した。この二回の大航海によって南太平洋の多くの島々や海岸線が測量され、新たな海洋地図が作成されることになった。そのクック探検隊がじつは、一七七九年に日本の沿岸からわずか二マイル（三・七キロメートル）ほど沖合いを通過していたのである。

クックの第三回探検は、一七七六年に始まる。この航海の目的は、北極海を抜けて太平洋と大西洋をつなぐ航路の探索にあった。南アメリカのホーン岬やアフリカ大陸の喜望峰《きぼうほう》を南から大きく迂回する航路ではなく、ヨーロッパから太平洋へ至る最短の北方ルートを探ろうとしたのである。まず喜望峰まわりで太平洋に入ったクック隊は、ニュージーランドやタヒチなどに立ち寄り、新たにサンドイッチ（ハワイ）諸島を発見した。そこから北アメリカの西海岸沿いに北上してアラスカに到達し、さらにベーリング海峡を抜けて一気に北極海に入った。北のルートの探索である。だが、九月だというのに北極海はすでに結氷しており、やむなくハワイに南下して翌年に期すことにした。ところが一七七九年二月、先住民とのトラブルによってクックは殺害されてしまった。偉大な探検家のあっけない幕切れとなったが、日本とのかかわりは、その後のことになる。

キャプテン・クック亡きあとの指揮は副官クラークがとり、ふたたびベーリング海峡へと向かった。だが真夏でさえ氷塊が漂う北極海は探検隊の行く手を阻み、大西洋への航路を発見することはできなかった。断念してカムチャツカ半島にあるロシアの港ペトロパブロフスクに戻るが、クラークもまた同年八月に死去した。残された隊員たちは一〇月に同港を出航し、中国のマカオに向かった。途中、千島《ちしま》列島と日本の沿岸を測量しようとするが、風と濃霧のために十分な観察ができなかった。だが、富士山とおぼしき円錐《えんすい》形の山を遠望したと記録されている。一七七九年一〇月下旬のことである。後述するフランスの探検家ラペルーズは、このときクック隊は犬吠埼《いぬぼうざき》（千葉県銚子《ちょうし》市）を正確に測量したと評価している。

●クックの第三回探検航路
クック探検隊は、太平洋地域の測量で大きな功績をあげた。クックはすでに第一回探検時の一七七〇年に、イギリスによるオーストラリア東海岸領有を宣言していた。

日本側ではイギリス船の接近に気づいた形跡はないが、わずか一五年後の寛政《かんせい》六年（一七九四）に桂川甫周《かつらがわほしゅう》が作成した「地球全図」には、クック隊による三回の探検航路が記入されている（12ページ参照）。原図は、前年にロシアの遣日使節ラクスマンがもたらしたものである。クックの航海記は一七八四年に公刊されてベストセラーになり、探検隊がもたらした地理情報も最新の地図に反映され、それがロシア経由で日本に伝えられたのであった。この情報によって日本は、海洋国家としてのイギリスの活動力と領土獲得の動きを知ることになり、その後のイギリス認識に大きな影響を与えることになった。

クック探検隊が新たにヨーロッパにもたらしたのは、地理情報だけではなかった。彼らは探検の途中、北アメリカのヌートカ湾やアラスカで先住民から毛皮を仕入れていたが、その毛皮がマカオや広東《カントン》でひじょうな高値になるということがわかった。この情報が広まると、イギリス商人たちが毛皮を求めて北アメリカ西海岸に押し寄せはじめたのである。アリューシャンやアラスカでの毛皮交易はロシアが先行していたが、クック隊がもたらした情報は、イギリス商人の目を北太平洋地域に向けさせることになった。それは、この地域における列強の領土分割競争にも道を開くものとなった。

ラペルーズ探検隊の日本接近

キャプテン・クックの探検成功に張り合うかのように、フランスが国家の威信をかけて派遣したのが、ラペルーズ探検隊であった。一七八五年から八八年までの間、ラペルーズは、南アメリカのホーン岬をまわって太平洋に入り、ハワイ、アラスカ、北アメリカ海岸、マニラと、北太平洋海域を巡航して地理的調査を遂行した。マニラから北上すると、対馬《つしま》海峡から日本海に入り、大陸とカラフト（樺太）の間にある間宮《まみや》海峡で折り返し、北海道とカラフトの間の海峡を抜けてカムチャツカに向かった。この海峡をラペルーズは、みずからの名をとってラペルーズ海峡（宗谷《そうや》海峡）と命名している。

フランス国王がラペルーズに出した指令は、多岐《たき》に及んでいる。南北太平洋の航路を調査してポルトガルやスペイン、イギリスの植民地支配の状況を観察すること、捕鯨基地を見つけること、中国との毛皮交易の可能性を探ること、北方海域におけるロシアの進出状況と日本沿岸や日本との貿易の可能性を調査すること、などがおもなものであった。

これに対してラペルーズは、千島《ちしま》列島南部にはロシアの支配権が及んでおらず、もしわがフランスが新通商航路を活用した

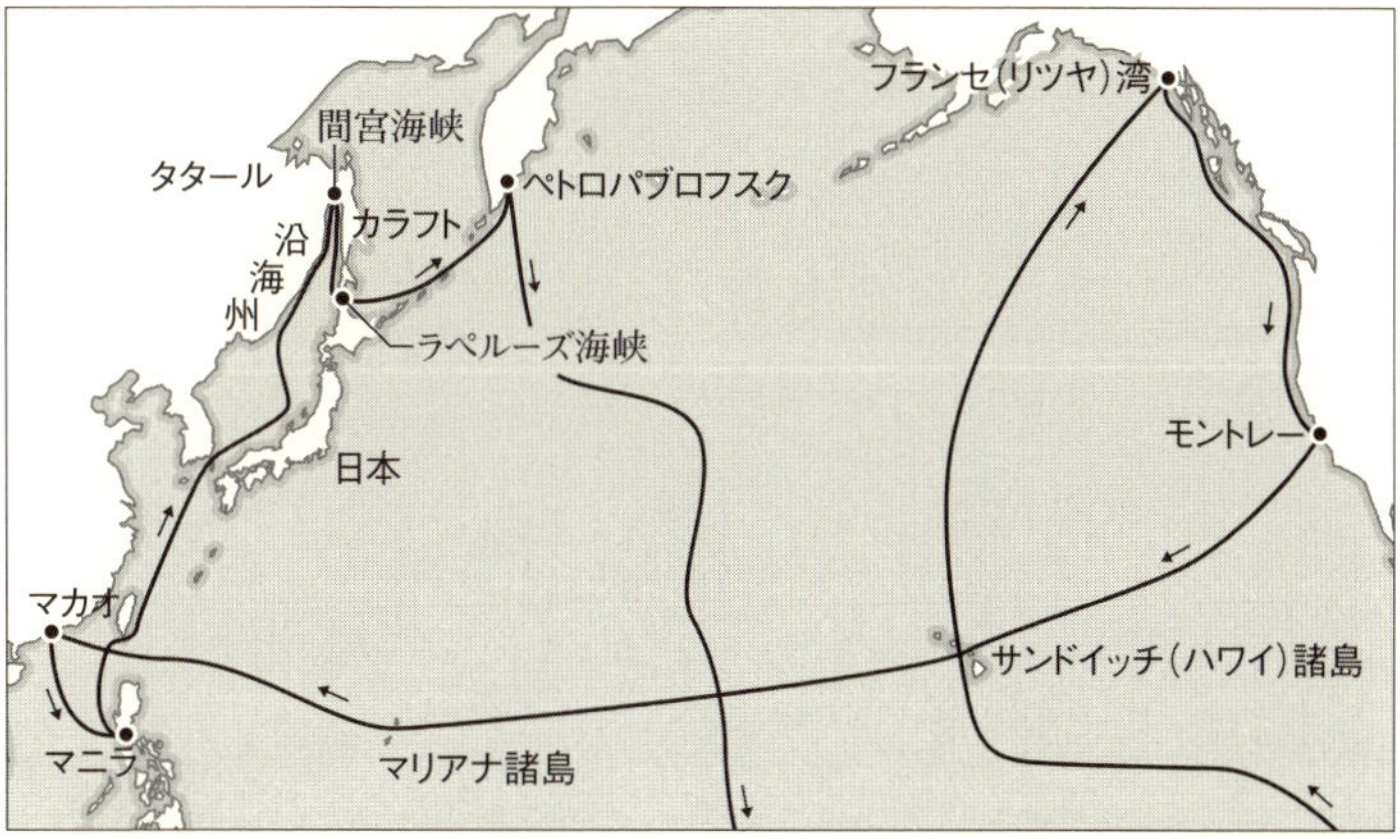

●ラペルーズの太平洋探検航路
ラペルーズは太平洋海域調査のなかでも、北方地域への強い関心をもっていたようだ。（佐藤淳一訳『ラペルーズ太平洋周航記』より作成）

毛皮交易に成功するなら、この地域に堅牢《けんろう》な拠点を築くことができるだろうと、商業的拠点だけではなく領土的野心とも受け取れる可能性を述べている。しかもオランダ人は長崎以外で日本との貿易はできないといっているが、それはほんとうのことなのか、日本の北東部では交易ができないのかどうか、千島列島南部の住民を介した貿易は不可能なのかを確認する必要があると、日本に対する調査に強い意欲を見せた。

ラペルーズの船が対馬海峡から日本海に入ったのは、一七八七年（寛政《かんせい》元）五月下旬のことだ。対馬海峡では三〇分ごとに水深測量を繰り返し、北上して能登《のと》の岬を沖合いから測量したのは七月五日のことだから、かなり詳しい調査をしたことになる。そこからは日本海の広さを測るために方向を北西に変え、タタール沿岸（沿海州）に進んでいる。調査中に日本船二隻《せき》と遭遇し、乗組員の顔つきが見えるほど近くを通過していったという。

ラペルーズ船は中国東岸を測量しながら北上してカラフト島西岸に到達し、同島が大陸から切り離された島であることを確認した。その後、カムチャツカのペトロパブロフスクを経て、

6

◉フランス船が出会った日本の千石船《せんごくぶね》
ラペルーズの船は乗組員の顔つきがわかるほど日本船に近づいたが、驚いた様子もなかったという。（ラペルーズ『世界周航記《しゅうこうき》』）

オーストラリアまで南下して行方不明になる。クックもそうだが、偉大な探検家の名声は命と引き換えであった。

幸いにして探検の報告書は残されたが、フランス国王やラペルーズの企画書にあった北太平洋の毛皮交易に、その後フランスが積極的に参入することはなかった。フランス革命による混乱ということもあるだろうが、中国市場が必ずしも好条件ではなかったからである。ラペルーズ隊がアラスカのフランセ湾（リツヤ湾）の先住民から一〇〇〇枚のラッコの毛皮を買ったとき、ここに交易拠点をつくれば毎年一万枚の毛皮を買い集めることができると見みなしていた。だが、いざマカオに着いてみると、毛皮の値段はクック隊が大儲《おおもう》けをした八年前（一七七九年）の相場の一〇分の一にまで下落していた。ラペルーズ隊がマカオに入港した一七八七年には、イギリスがアメリカ北西海岸に六隻もの毛皮商船を派遣しており、供給過剰が毛皮の暴落を引き起こしていたのである。こうした報告書を読めば、さすがのフランス商人も毛皮交易に新規参入する意欲を失うだろう。

しかし、ラペルーズ隊による中国・日本・朝鮮沿岸の正確な測量は、世界地図の向上に大きな役割を果たすことになった。幕末の安政《あんせい》五年（一八五八）、イギリス製世界地図を翻訳した武田《たけだ》簡吾《かんご》の「輿地《よち》航海《こうかい》図《ず》」には、クックの航路に加えてラペルーズの航路も記入されている。太平洋岸はクック隊、日本海側はラペルーズによって測量され、日本が徐々に丸裸にされていったことを、この地図は実感させたのである。

ヌートカ湾事件

一七八〇年代に本格化したイギリスの北アメリカ西海岸進出に続き、一七八三年にイギリスからの独立を達成したアメリカもまた、裏庭の西海岸に食指を動かすのは当然だった。キャプテン・クックの航海記を読んだ東海岸ボストンの商人が、北西海岸のヌートカ湾に二隻《せき》の商船（コロンビア号とワシントン号）を派遣したのは一七八七年のことである。両船は先住民から毛皮を購入してハワイ経由で中国に向かい、広東《カントン》で南京《ナンキン》木綿や茶などを仕入れてボストンに戻った。以後、一七八八年から一八二六年までの間に、アメリカ船が西海岸から毛皮を積んで中国に向かった航海は一二七回だという。平均して年三回とはいえ、アメリカは独立直後からイギリスに対抗する勢力となったのである。

だが、一四九四年のトルデシリャス条約によって、北アメリカ大陸の領有権を承認されていたのはスペインであった。一七七〇年代、スペインはサンフランシスコに軍隊を置いて拠点とし、さらに北方へと探検隊を派遣した。一七七九年にはアラスカのカヤック島付近にまで到達し、実効支配を試みている。

このように一七八〇年代後半、北アメリカの西海岸では、ロ

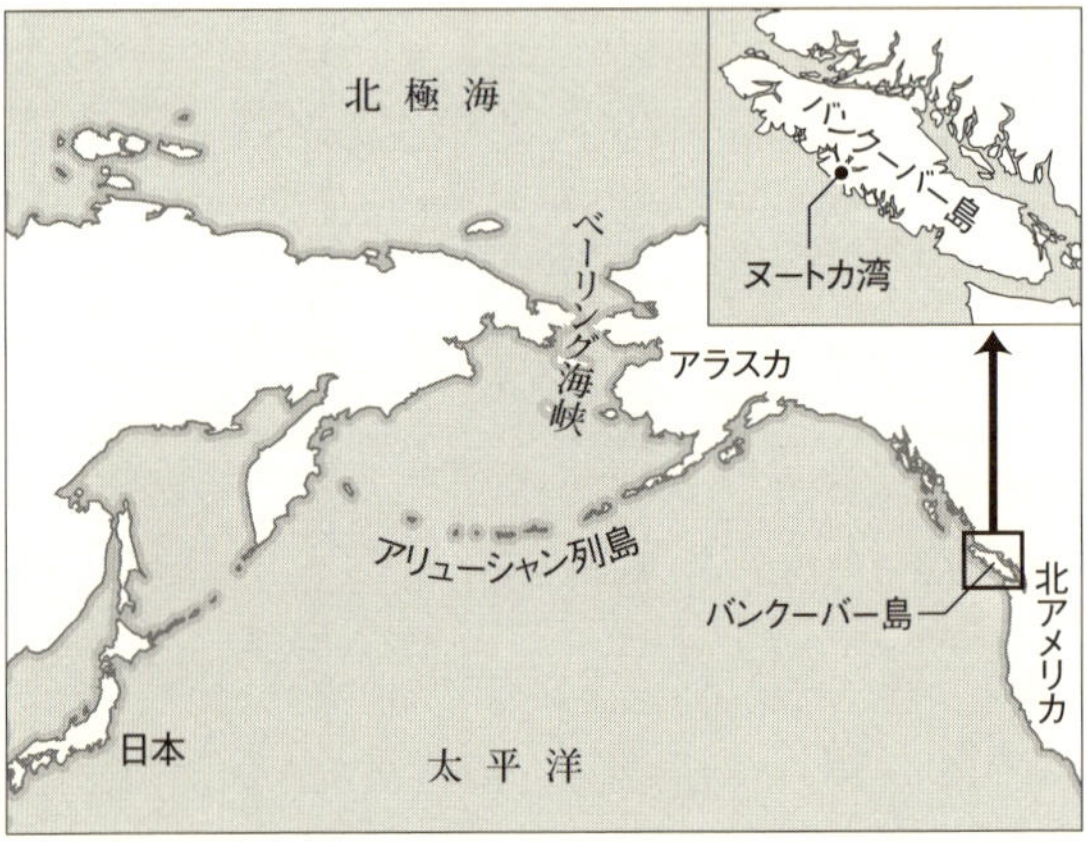

◉北太平洋とヌートカ湾
北太平洋地域は列強が角逐《かくちく》しあう場であると同時に、先住民と国家が対抗した場所でもあった。

シア、スペイン、イギリス、アメリカが入り乱れて毛皮交易の利権と領土獲得にしのぎを削っていた。その行き着いた先の衝突が、一七八九年に発生したヌートカ湾事件であった。

一七八九年、スペインがヌートカ湾に要塞《ようさい》を建設して、南アメリカからクック湾までの領有を宣言した。しかもこの年、ヌートカ湾に入港したイギリス船四隻を拿捕《だほ》した。すぐあとに、アメリカ船一隻も接収されている。

この事件が本国に伝えられるとイギリス政府は、翌一七九〇年、ヌートカ湾における不当拿捕とイギリス国旗に対する侮辱に抗議して、スペインに謝罪と賠償を求めた。さらに重要なことは、まだ入植されていないアメリカ大陸の未開地であれば、イギリス船を退去させる権利をもたないということをスペインが認めない場合、開戦もやむをえないと最後通牒《つうちょう》を出したことである。スペインは頼みにしていたフランスやオーストリア、さらにロシアの協力を得ることができず、ついにイギリスに屈服することになる。

その結果、一七九〇年に署名されたヌートカ湾協定では、スペインが領有していない地域での上陸や交易は自由であることが明記された。これは、スペインが主張する南北アメリカ太平洋岸での排他的な領土権を打破し、以後の新たな領土分割競争に道筋をつけたものといわれている。北太平洋における新たな海洋秩序がこうして生み出され、やがてその波は日本にも押し寄せてくることになる。

ヌートカ湾事件と日本

北アメリカ西海岸で発生したスペイン、イギリス、アメリカの紛争は、これまで日本史研究者の視野にまったく入っていなかった。日本の歴史にとっては、対岸の火事だったのである。だが、火の粉はすぐに日本に飛んできた。

『南紀徳川史《なんきとくがわし》』の寛政《かんせい》三年（一七九一）四月四日の条に、熊野《くまの》の樫野浦《かしのうら》（和歌山県串本町《くしもと》）に異国船が来航し、漢文の書面を残していったとある。それによれば、わが「紅毛船」は「中華国」で毛皮を交易しようとしたが不調だったので出航した、ところが風浪にあって当所に漂着した、乗組員は一〇〇人で船長は「堅徳力記」だ、と書いてあった。

ここに記された「紅毛船」の「堅徳力記」とは、アメリカ船レディ・ワシントン号のケンドリックのことである。ケンドリック船長はヌートカ湾事件の現場にいたが、スペインと融和的に対応したため、幸いなことに拿捕《だほ》されなかった。事件後の一七九一年一月、北アメリカで入手したラッコ皮を積んでマカオに入港したが、毛皮の取り引きは不調に終わった。高値で売れなかったのである。そこで毛皮市場を新規開拓すべく、日本に立ち寄ったのであった。樫野浦では日本側の抵抗感を弱めるために漂流船だといっているが、方便にすぎない。

だがレディ・ワシントン号は、一週間程度で出帆した。日本側の記録によれば、アメリカ船は浜の人たちを船中に招き入れて、酒を飲ませたり食事をさせたようだ。当地の医師と漢字で筆談しているので、船には中国人が乗り組んでいたのかもしれない。アメリカ側の記録にも、日本人から大歓迎され、字を書いて理解しあったと記されているので、符節は合う。だがその記録には、こうもあった。「ケンドリック船長は中国から極上のラッコ皮二〇〇枚を日本に運んでいったが、日本人はその使い方を知らなかった」と。北方では日本人商人がアイヌからラッコ皮を仕入れて、国内で売ったり、長崎経由で中国に移出していたから、貴重品としてのラッコ皮市場は存在していた。だが、浜の漁民たちは毛皮に関心がなかったのだろう。ケンドリックは商機なしとみて、出帆したようだ。

アメリカ船レディ・ワシントン号と入れ替わるようにやってきたのが、ジェームズ・コルネットを船長とするイギリス船アルゴノート号である。ヌートカ湾事件には四隻《せき》のイギリス船が巻き込まれたが、そのなかの一隻であったアルゴノート号は、ヌートカ湾の領有権を主張するスペインの司令官マルチネスに拿捕され、一三か月の拘留のあと、一七九〇年七月に解放された。

その後、コルネットはふたたび北西海岸に戻って一〇〇〇枚のラッコ皮を手に入れ、一七九一年五月三〇日にマカオに向かった。だがケンドリックと同じく、中国での毛皮販売が不調に終わったため、日本に舳先《へさき》を転じた。同年八月上旬、アルゴノート号は長崎を避けて対馬《つしま》に達し

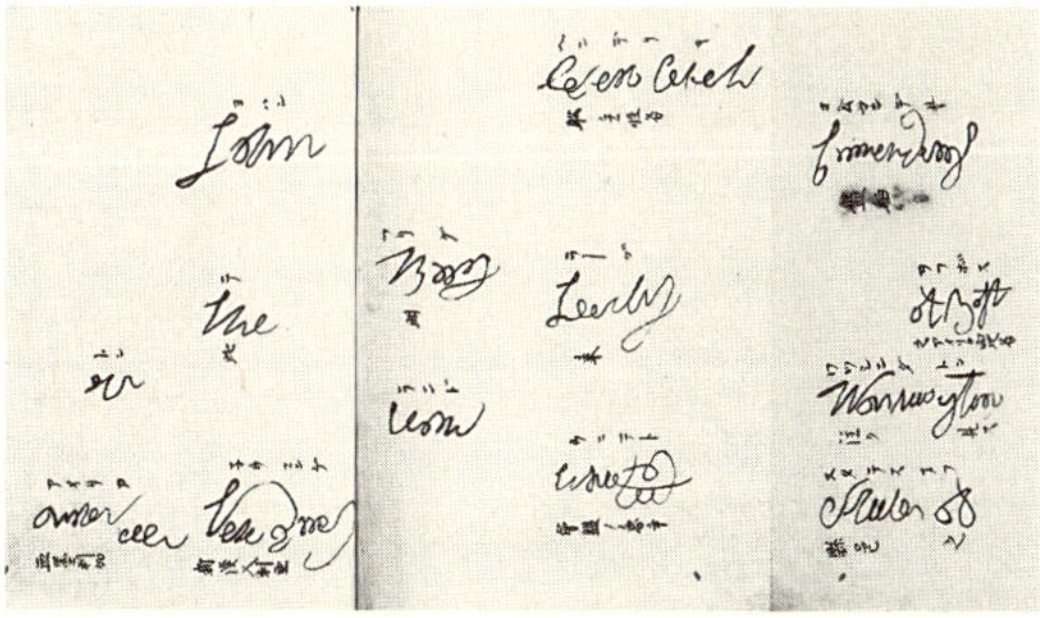

◉ケンドリック船長のサイン
日本人が筆写したもの。書体と順序は乱れているが、下段にUnited States of Americaとある。(『外国通覧』)

た。なぜなら、コルネットは船主から、長崎に行ってもオランダ以外の船を受け入れてくれるかどうか疑わしいのでほかの港に入港すること、もし江戸に入港できたら、自分たちはカトリックではなく、オランダと同じプロテスタントであることを強調して貿易許可を訴えるよう、指示を受けていたからである。そのためコルネットは、アメリカ船のケンドリックのように一か所で見切りをつけることはせずに、二週間ほどの間に六か所で停泊し、何隻もの日本船に声をかけたという。しかしどの船も応じないばかりか、すぐに退去せよと、追い返す身ぶりをするだけだった。コルネットは日本人との交易を断念せざるをえなかったのである。

このように一七九一年には、ヌートカ湾事件にかかわったアメリカ船とイギリス船が相次いで日本に来航し、毛皮交易を求めた。太平洋の東と西が完全に連接した様子を知ることができる。日本はオランダ以外の西洋の国と、太平洋を介して接点をもちはじめたのであった。

こうした動きに対する日本側の反応は、すぐに現われた。寛政三年九月、老中《ろうじゅう》は全国の大名に対して、近ごろ、筑前《ちくぜん》、長門《ながと》、石見《いわみ》沖に異国船が現われたので警戒するようにと、触れ流したのである。触書《ふれがき》では「漂流の様子」と書いているが、かれこれ八日ほども対馬海峡から石見沖を行き来したとあるので、ほんとうは漂流ではないことはわかっていたはずだ。しかし、長崎以外での異国船との交渉を禁止された鎖国状況にあっては、漂流船として対応する以外になかった。

触書ではイギリス船だけをあげているが、これはコルネットが九州北部海域をあちこち動きまわって目立ったためかもしれない。触書の内容は、今後もし異国船を見つけたら、事を荒立てないように船員を上陸させて、早々に幕府に連絡せよ、もし抵抗するようであれば船を打ち砕き、乗組員を召し捕らえよ、というものだった。硬軟の使い分けは相手の出方次第であった。

異国船に対する幕府の触書は、ロシアのシパンベルグ隊が仙台湾や安房《あわ》沖に現われた元文《げんぶん》四年（一七三九）以来、なんと五二年ぶりのことである。もちろんこの間、ロシア人のアッケシ来航や幕府による天明《てんめい》の南千島《ちしま》探検など、日ロ間の動きは存在した。だが、これに対応した幕府の触書は確認されていない。おそらくそれは、異国ではないが日本でもない日本の北辺における蝦夷《えぞ》地や南千島での出来事だったからだろう。日本への直接の脅威とは受け止められていなかったのである。だが、日本沿岸への異国船の出現は、シパンベルグ隊の前例があったように、本土へ直接上陸する可能性をもっていた。五二年ぶりに確認した異国船であるにもかかわらず、幕府が敏感に反応したのはそのためである。それだけ異国船の出現は、日本に衝撃を与えたのであった。元文の触書では上陸したら捕縛せよとなっていたが、寛政の触書では、むしろ上陸させて身柄を確保し、抵抗すれば武力行使もやむをえないとしている。

アルゴノート号はその後、朝鮮でも交易を求めたが失敗した。朝鮮も日本と同様、厳しい貿易管理体制を敷いており、中国と日本だけにしか交易を認めていなかったからである。しかし、一七七八年のイルクーツク商人シャバリンによるアッケシ来航以来、わずか一三年の間に、ロシア、イギリス、フランス、アメリカの探検隊や交易船がつぎつぎに来航したことになる。環太平洋に地歩を固めつつあった世界市場のシステムが、確実に日本をその射程に入れはじめていた。

列強による領土分割競争

ヌートカ湾協定は、すでに始まっていた北太平洋地域における領土獲得競争を加速化させることになった。では、列強はどうやって環太平洋の地域を自国領に組み込んでいったのだろうか。キャプテン・クックが太平洋探検に出発するにあたってイギリス海軍省が与えた命令書には、つぎのようにある。

「すでに他のヨーロッパ列強によって発見・訪問されていない土地を貴官が発見したなら、先住民の同意を得たうえ、適切な情況において大ブリテン国王の名により領有しなければならない。…しかし発見した土地に住民がいなければ、貴官は最初の発見者、領有者として、適切な目印か碑を設け、国王陛下のために領有しなくてはならない」

先住民がいればその同意を得て領有を宣言し、いなければ最初に上陸した証拠となるようなものを残してくることが指示されている。クックは探検中に、数か所で領有儀式を行なっている。たとえば一七七八年五月に現カナダのカヤック島で行なった領有宣言は、つぎのようなものだった。

「海岸からあまり離れていない小高い丘にそびえる木の根元に一本の壜《びん》を残し、その中に船の名前、日付を記したものと、二枚の銀貨と二枚のペニー銅貨を入れた。…この島に彼（銀貨をくれたイギリスの医師）の名前を付けた」

島の目立つところにある木の根元に、船の名前と日付を書きつけた紙と数枚のコインを入れた小さな壜を埋めただけだった。付近に誰もいなければ、たったこれだけで、この地はイギリスのものになったのである。先住民がいれば同意をとれと海軍省の指示にはあるが、これも武力で制圧すれば簡単なことだった。

フランスのラペルーズ隊では、アラスカのフランセ湾で先住民の族長から島を購入しないかと持ちかけられた話がある。この申し出を受けたラペルーズは、毛織物や斧《おの》、鉄棒・釘《くぎ》などを代価として支払い、壜の中に領有したことを示す文書とフランスのコインを入れて、岩の下に埋めさせている。日本海に面したタタール沿岸では、テルネー湾と名付けた入り江に、到着年月日を記した標識といくつかのメダルを入れた壜を残した。

キャプテン・クックはハワイ先住民とのトラブルで殺され、ラペルーズは海難と思われる事故で亡くなったが、航海記は数年後に公刊された。そのため、彼らがどこでどのような領有儀式をしたのかは、すぐに周知されることになる。航海記の出版は、未知の世界に関するヨーロッパ社会の興味をわきたたせるだけではなく、国家による新領土の獲得を他国に向けてアピールする意味合いをもっていたといえるかもしれない。もちろん、こうした領有儀式が実効性をもつのは、その後も継続的な支配を実現できた場合に限られることはいうまでもない。

このあたりの関係をうかがわせるのが、ロシアの動きである。ヌートカ湾事件より少し前の一七八六年、ロシアの有力な政治家である商業参議会議長ソイモノフと外務参議会議員ヴォロンツォフは、キャプテン・クックによる領有宣言に対抗する措置をとるよう、皇帝エカチェリーナ二世に上申している。クックがイギリス貨幣を埋めてイギリス国王の領有を宣言したアラスカ湾岸の島々は、クックよりも早く、ベーリングやその部下であるチリコフのアラスカ探検によってロシアの支配下に入っていたものであり、クックによる領有宣言の無効をヨーロッパの国々に向けて宣言し、これらの島々を奪還すべきだというものであった。その証拠としてロシアにはベーリングらの航海日誌がある、と述べている。彼は、イギリスの動きが、ロシア領土を侵犯するだけではなく、この地域の毛皮事業を開発してきたロシアの権益に大打撃を与えることを強く懸念していたのである。

この提言を受け入れたエカチェリーナ二世は、ただちに勅令を発して海軍大佐ムロフスキーを遠征隊長に任命し、軍艦を派遣してロシアの権利を守るよう指示した。四隻《せき》の軍艦をバルト海から喜《き》望峰《ぼうほう》経由で派遣する計画が立てられたが、あらためて領有宣言をするために、鉄で鋳造されたロシア帝国の紋章や女帝を描いたメダルなどを持参させることになっていた。

また新たに発見される有人・無人の土地での領有儀式についても細かな指示がなされている。まず祈禱《きとう》を行なってロシア国旗を掲揚すべし、高台に立てた十字架のそばにロシアの紋章を取り付け、金銀のメダルを入れた石の器と、領有を示すロシア語とラテン語の文書を入れた丈夫な壜を埋めるべし、等々。松前《まつまえ》からカムチャツカのロパトカ岬までの全千島列島を調査し、同様の領有儀式を行なってロシア国家の領土に加えるべし、とも強調されていた。

北太平洋におけるイギリスの動きに危機感をつのらせたロシアは、手当たり次第に領有宣言をしていくことを国家の目標とした。だがこの遠征計画は、ヨーロッパ情勢の不安定さが増したことから中止になった。もし実現していれば、北太平洋地域での緊張関係は一挙に高まったに違いない。

領土分割競争に参入した日本

松前藩による来航禁止通告

北海道南部の松前《まつまえ》を拠点とする松前藩は、ほかの藩とは異なり、石高《こくだか》で表わされる農地をほとんどもっていない。享保《きょうほう》元年（一七一六）には一万石の家格とされたが、蝦夷地《えぞち》は基本的には農民のいない地域であり、松前藩は米年貢制のない日本で唯一の藩だった。もちろん実際には松前の和人地にわずかの農地は存在したが、それが石高に換算されることはなく、菜園としての役割を果たすにすぎなかった。それにかわって藩財政を支えていたのが、アイヌとの交易からあがる利潤であった。

他藩のように石高をもたない松前藩主は、上級家臣には特定場所でのアイヌとの交易権を与え、それを禄《ろく》のかわりとした。これを商場知行制《あきないばちぎょうせい》というが、寛文《かんぶん》期（一六六〇年代）ではクスリ（釧路《くしろ》）とネモロ（根室《ねむろ》）の中間に位置するアッケシ（厚岸《あつけし》）が東蝦夷地における商場の終点であった。知行主は毎年、商場に交易船を派遣して、その地のアイヌと物々交換をした。領主が交易権をもつとはいえ、多くは商人船を利用していたと思われる。

享保期（一七一六〜三六）に入ると、運上金《うんじょうきん》納入を条件に商場での経営権を特定商人が請け負う場所請負制が徐々に展開しはじめる。元文《げんぶん》期（一七三六〜四一）には七六の商場が存在し、藩主が一〇場所、藩主一族が一九場所、それ以外の家臣が四七場所を保有しており、かなりの部分が商人の請負制に転換していた。元文四年（一七三九）の坂倉源治郎《さかくらげんじろう》『北海随筆《ほっかいずいひつ》』は、松前商船はキイタップ（霧多布《きりたっぷ》。北海道浜中《はまなか》町）まで来ていると記しており、アイヌとの交易場所もアッケシからさらに東に拡大している。

これが日本側の記録からわかる、一八世紀中葉までのアイヌ交易の概況である。だが、ロシア記録にみえるアイヌの証言では、一七〇〇年代の早い時期に、松前からクナシリ島やエトロフ島に日本人が来航し、アイヌの人たちと毛皮や鷲《わし》の羽などの交易をしていたとある。それだけではなく、さらに北上してライコケ島まで鉱石を求めてやってきた日本人がいたというから、日本側記録を超えた交易関係が、松前・蝦夷地・千島列島の間に展開していたといってよい。

とはいえ、一七五〇年代に入ると松前藩はクナシリ場所を開設してクナシリ島の実効支配を強め、安永《あんえい》三年（一七七四）には、近江《おうみ》商人の飛《ひ》驒屋《だや》久兵衛《きゅうべえ》がキイタップ場所とクナシリ場所を請け負うことになった。日本の制度としての場所請負制が、クナシリ島までは確実に及んだということである。

そうした状況のなかで、安永七年、ロシア商人のシャバリンらが通商を求めてアッケシに来航したのであった。これに対して松前藩は、外国との交易は長崎に限られていることを伝えて、当地での通商を拒否するとともに、クナシリ島やエトロフ島への来航禁止をも通告している。

8

●アイヌの交歓儀礼オムシャ
和人をもてなすオムシャは、やがて和人が法度《はっと》を読み聞かせる服属儀礼の場に変わった。

ロシア人の来航を幕府が知ったのは数年後のことであるから、この通告は松前藩による独自の判断であった。だが、ロシアが南下して領土拡張やアイヌの臣民化をはかっている状況を考えると、松前藩による来航禁止通告は、クナシリ島とエトロフ島は日本のものだとする領土宣言に等しい意味をもったことになる。実際、その後の経緯をみると、ロシアはウルップ島を南限とする入植活動を展開するが、エトロフ島やクナシリ島への接近には慎重になっている。

ベニョフスキーの警告

松前藩《まつまえ》は、ロシア商人のアッケシ来航を幕府に報告しなかった。紛議になることを恐れたのだろう。しかし、幕府は別な事件によってロシアの南下を知ることになった。明和《めいわ》八年（一七七一）、カムチャツカから脱走したベニョフスキーが、土佐国佐喜浜《とさのくにさきのはま》（高知県室戸《むろと》市）と阿波国日和佐《あわのくにひわさ》（徳島県美波《みなみ》町）に寄港した事件である。

ベニョフスキーはハンガリー人だが、ポーランドの反ロシア団体に身を投じ、一七六八年から始まったロシアとの戦闘に参加し、捕虜となってカムチャツカに流刑となった人物である。流刑といっても監獄に閉じこめられていたわけではない。だが、わずかな食料と大工道具などを渡されるだけで、住む家も自分で建てなければならなかった。流刑者には政治犯が多かったようだが、貧しい生活と飢えに苦しめられたようだ。ただベニョフスキーは、ラテン語を身につけていたほどの教養があったからだろうが、カムチャツカ司令長官の息子の家庭教師をしていた。流刑者のなかでは比較的恵まれていたのかもしれない。

しかしベニョフスキーは、この格子なき牢獄《ろうごく》から脱出する計画を立てた。周辺にひそかに声をかけたところ、流刑者以外にも労働者や水夫、兵士ら九六人が賛同した。このうち九人は女性であった。流刑者ならずとも、この極寒僻遠《へきえん》の地から脱出したかったようだ。この地に流されてから五か月後の一七七一年四月(ロシア暦)、ベニョフスキーは世話になったカムチャツカ長官を殺害して官船の聖ピョートル号を奪い、五月一二日にマカオに向かって出帆した。そこからヨーロッパに脱出する計画だった。途中、千島《ちしま》列島のシムシル島に寄港して薪水《しんすい》を補給し、日本の東岸沿いに南下したが、台風に遭遇して日本の沿岸に避難した。それが土佐国佐喜浜だったのである。

佐喜浜は大船の入れる港ではなかったために、ロシア船は停泊可能な港を探して出帆したが、つぎに行き着いたのが阿波国日和佐であった。日本側記録では六月八日に日和佐沖に現われたので徳島藩が食料薪水を与え、一二日には出帆したという程度しか事情はわからない。

長崎のオランダ商館長の日誌および日本側の記録によると、ベニョフスキーは阿波国日和佐と奄美大島《あまみおおしま》(鹿児島県)からオランダ商館長に書簡を出している。阿波国からの手紙は、暴風を避けて立ち寄ったので、許可された港に導いてくれるよう士官一名を派遣してほしいというものだった。それから四日後に同じ日和佐から出した書簡は、当地で必需品を提供してもらったのでマカオに向かって出帆するという内容だった。奄美大島からの書状には、島の住民から食料を提供してもらったことに対する感謝の言葉を記していたが、このほかに来年以降にはロシアが日本に進攻してくるだろうという警告も書かれていた。ロシア船三隻《せき》が日本沿岸を巡航し、松前以南の地を攻撃する計画をもっているので、オランダ商館長は巡航船を派遣したほうがよいという、驚くべき内容だった。

ロシアの南進を警告するベニョフスキー情報を入手したにもかかわらず、幕府がなんらかの対応をした形跡は確認できない。長崎のオランダ通詞《つうじ》から翻訳を依頼されたオランダ商館長は、当初、この書簡をフィリピンのマニラを基地にするスペイン船からのものではないかと推測し、ロシアが日本に進攻するという話は聞いたことがないと長崎奉行に報告している。また翌年、オランダ商館長が幕府に提出した「風説書《ふうせつがき》」では、オランダ東インド会社の本拠があるバタビア（インドネシアのジャカルタ）で確認した情報として、ベニョフスキーはカムチャツカに抑留されたポーランド人で、船を奪って逃走し、マカオからフィリピンのルソンへ渡りフランスに向かったと伝えている。こうした事情からみると、ロシアの進攻情報は、いかがわしい人物がもたらした、あやしい情報だと幕府が判断したのかもしれない。

なお、ベニョフスキーの書簡を翻訳したオランダ商館員は、ベニョフスキーの名前を「マウリツ・アラダル・ハン・ベンゴロウ」と、オランダ風にハンをつけて訳した。そのため日本では、この一連の事件はハンベンゴロウ事件と称されるようになった。

ベニョフスキー情報と学者たち

ベニョフスキー情報を幕府は秘匿《ひとく》したと指摘されることが多いが、あえて秘匿したかどうかには疑問がある。やがて長崎の関係者を通じて、巷間《こうかん》に流布していったからだ。たとえば、儒者の平沢《ひらさわ》旭山《きょくざん》（元愷《げんがい》）は、安永《あんえい》三年（一七七四）から四年にかけて長崎奉行桑原盛員に従って長崎に赴いているが、彼の長崎紀行である『瓊浦偶筆《けいほぐうひつ》』によると、オランダ通詞《つうじ》松村安之丞からロシア南進とベニョフスキーのことを聞いたとある。工藤平助《くどうへいすけ》の『赤蝦夷風説考《あかえぞふうせつこう》』にも、ロシア南進の話を長崎人やオランダ通詞から聞いたとあり、林子平《はやししへい》は『海国兵談《かいこくへいだん》』でオランダ商館長の「ヘイト」（フェイト）から聞いたと書いている。工藤平助は長崎には行っていないので、江戸で長崎関係者から耳にしたのだろう。幕府や長崎奉行がどの程度、ベニョフスキー情報の管理にあたったのかは不明だが、少なくとも長崎関係者には、すぐに知られた事実となったのである。

　ベニョフスキーの書状を翻訳したとき、オランダ商館長フェイトは幕府に対して、ロシア進攻の話など聞いたことはないと説明し、ベニョフスキーの警告に疑問を呈していた。だが四年後の安永四年、林子平に会ったときには、ロシアが蝦夷地をねらって南進しているので、早く蝦夷地を日本の分国、つまり日本の領土にすべきだと教諭している。こうしたフェイト発の情報がオランダ通詞に伝えられ、そこからさらに広まることによってロシアへの警戒心が急速に高まっていくことになったのである。

　だが、フェイトの言動について工藤平助は、ロシアの南進情報やロシ

9

●林子平
工藤平助は子平を、「大義を考え欲が少ない」と評した。子平は長崎を三度も訪れて海外の情報を収集した。墓所は仙台にある。

アの驚異を強調することはオランダの利害に関係する、と的確に指摘している。もしロシアと日本が交易をするようになれば外来品の値段が安くなり、長崎貿易を独占するオランダや中国は不利益をこうむることになる。オランダがロシアの脅威を言いたてるのは、日本がロシアと親しくならないようにするためだろう、というわけである。ベニョフスキー情報を得たにもかかわらず、幕府が対ロシア政策に積極的に取り組む姿勢を見せなかったのは、ベニョフスキー情報の信憑《しんぴょう》性を疑ったというだけではなく、ロシアの南進情報自体がオランダの陰謀であると疑ったからかもしれない。

だが工藤平助は、長崎からの情報だけではなく、独自に松前《まつまえ》関係者からもロシア情報を入手していた。工藤は江戸在住の仙台藩医だが、交際のあった元松前藩勘定奉行湊源左衛門《みなとげんざえもん》から北辺の事情をある程度聞き知っていた。そのなかには安永七年、アッケシに来航したロシア商人や抜け荷のことも含まれていた。オランダは打算的にロシアの脅威を言いたてたのかもしれないが、工藤は、長崎と松前の情報を重ね合わせ、これに「阿蘭陀《オランダ》書物《しょもつ》」によるロシア情報を突き合わせた結果、やはりしっかりとしたロシア対策を講じなければならないと考えた。天明《てんめい》三年（一七八三）、時の執政田《た》沼意次《ぬまおきつぐ》に建言した『赤蝦夷風説考』はこうして書かれた。

工藤平助の建言は、抜け荷の取り締まりに狂奔するより、ロシアとは表だって交易し、蝦夷地を開発することが富国の道だというものであった。もしこのまま蝦夷地を放置しておけば、アイヌもロシアに従属するようになると警告している。

これを受けた田沼は、翌天明四年一〇月、蝦夷地見分役《けんぶんやく》を選任し、ウルップ島やクナシリ島など

10

11

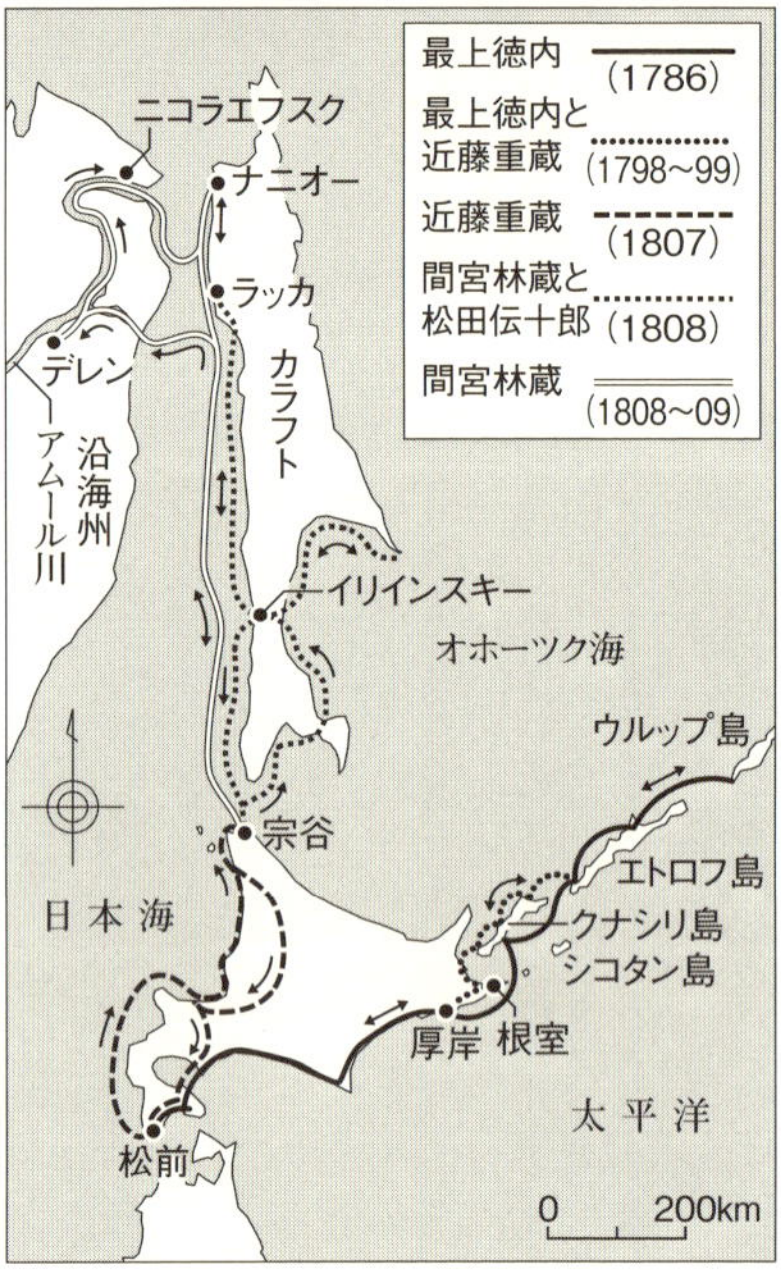

●最上徳内と間宮林蔵の北方探検

最上徳内（上右）は、出羽《でわ》国村山郡の百姓出身で、本多利明《ほんだとしあき》の門下に入り、天文や測量を学ぶ。間宮《まみや》林蔵《りんぞう》（上左）は、常陸《ひたち》国筑波郡の百姓出身で、伊能忠敬《いのうただたか》から測量技術を学んだ。近藤重蔵《こんどうじゅうぞう》は一七九八年の調査でエトロフ島に渡り、「大日本恵登呂府」の標柱を立てる。松田伝十郎《まつだでんじゅうろう》は蝦夷地御用掛《ごようがかり》となり、林蔵とカラフトを探検した。

の東蝦夷地探検隊と、ソウヤ（宗谷《そうや》。北海道稚内市《わっかないし》）やカラフト島などの西蝦夷地探検隊を派遣し、北方世界の実情を探ったのである。東蝦夷地探検隊には、最上徳内《もがみとくない》も加わっていた。ベニョフスキー情報あっての北方探検だったといってよい。

国境をめぐるつばぜり合い

天明《てんめい》五年（一七八五）の蝦夷地《えぞち》調査から戻った勘定所普請役《ふしんやく》佐藤玄六郎《さとうげんろくろう》が、翌年二月、勘定奉行の松本秀持《まつもとひでもち》に提出した報告書から、当時の蝦夷地の状況を確認しておきたい。

北海道のなかで和人地といわれたのは、松前《まつまえ》を起点にして西は熊石《くまいし》（北海道熊石町）、東は汐首《しおくび》岬近くの瀬田来《せたらい》（同戸井《とい》町）までである。この地域の約七〇か村に、百姓・猟師・商人など七〇〇〇軒、二万七〇〇〇〇人ほどが住んでいた。これ以外を蝦夷地と呼んだが、そこに居住するアイヌの人口は約一〇万人程度と見積もっている。和人地の百姓は、わずかな米のほかに粟《あわ》・蕎《そ》麦《ば》・大豆・大根・煙草《たばこ》などをつくっていたが、松前藩はアイヌには稲作を許していなかった。粟をつくる程度のことは認めていたようだが、石《いし》狩《かり》地方のアイヌが米をつくったところ、それを聞いた松前藩が種子を取り上げたほどである。米はアイヌがもたらす産物との交換品であったから、アイヌによる米の自給を抑えることによって、アイヌとの交易を有利に展開しようとする方策であった。

　こうした状況をみると、アイヌは和人と対等な交易関係を結んでいたというより、従属的な交易関係を強《し》いられていたといってよい。佐藤玄六郎を案内した松前藩の役人は、アイヌは強欲で乱暴無礼だから近づかないほうがよいといったが、接してみるといたって正直者で、慈恵・仁愛の心をもち礼儀にも篤《あつ》いと、佐藤は述べている。松前藩によるアイヌ支配の乱暴さを苦々しく受け止めたようだ。アイヌが米や煙草をつくりたいと佐藤に嘆願したので、上司に伝えようといったところ、喜んでい

●和人地の拡大
和人地は渡島《おしま》半島南部に限定されていたが、一九世紀の和人の活動範囲は北海道全域に及んだ。

たともある。

この調査によって幕府は、安永《あんえい》七年（一七七八）にロシア人がキイタップに来航したことをはじめて知った。松前藩では幕府に通報するかどうかについて親戚《しんせき》大名に相談したところ、ロシア人には交易不許可を通告したことでもあり、幕府への連絡は不要といわれたので届けなかったという。幕府はベニョフスキーによるロシア南進情報に疑いをもっていたが、この調査でロシア人来航の事実を知り、ベニョフスキー情報が間違いではなかったことを確認することになった。

幕府は天明六年にも第二次の蝦夷地調査を実施し、ついにエトロフ島でロシア人三人と遭遇することになる。最上徳内《もがみとくない》らがエトロフ島のアイヌから聞いた話では、ウルップ島にいたロシア人は、大勢のアイヌと日本人に襲撃されるという噂《うわさ》が聞こえてきたため、急いで帰国したという。この三人は内紛があってウルップ島に残留したようだが、その後、アイヌの船に同乗してエトロフ島に渡り、そこで最上徳内と出会ったのだった。ロシア人は、安永七年からウルップ島にたびたび来ていたという。

この時期には、イルクーツク商人のシャバリンが狩猟団を率いてウルップ島に来島し、同島を拠点にアッケシに来航しているので、そのメンバーであったのかもしれない。また天明四年には、イ

12

◉オットセイの進貢
生薬として貴重なオットセイを会所に納めたアイヌは、米・衣服・煙草を与えられた。（『蝦夷《えぞ》島奇観《しまきかん》』）

ルクーツクのシェリホフ・ゴリコフ商会のピョートル・カミロンの一行がウルップ島に来て越年したというから、ロシア人同士の内紛というのも、両グループの対立であった可能性がある。

そして、アイヌと日本人によるロシア人襲撃の噂というのは、幕府が派遣した探検隊のことが、アイヌによってウルップ島に伝えられたのではないだろうか。この噂のためにロシア人が逃げ出したということは、ロシアによるウルップ島支配がきわめて不安定であったことを示すものである。

日本の役人はロシア人に対して、異国人が「日本国境内」に入ることは禁止されているため、早々に本国へ立ち返ることを言い渡した。最上徳内はロシア人が残留したのは日本を内偵するためではないかと疑っているが、そのひとりイシユヨ（イショヨフか）と徳内との間で交わされた国境をめぐるエピソードも興味深い。

天明三年、カラフト島に着岸したロシア船の船員が交易のトラブルにより同島住人から殺害されたが、その船が流れてウルップ島に漂着した。ラッコ猟のために同島に来ていたエトロフ島のアイヌの一行が、その船を見つけて船中の荷物を奪った。そこに、やはりラッコ猟を目的にロシア船が近づいてきたため、アイヌは漂着ロシア船に火をつけて蝦夷船九艘《そう》で逃亡したところ、突風にあって一〇〇余人が溺死《できし》したという。

この話を紹介したイシユヨは、「ウルップ島は赤人（ロシア

13

◉最上徳内が出会ったロシア人
徳内は七年間も残留したイシユヨを、ロシアの密偵かと疑った。（『辺要分界図考《へんようぶんかいずこう》』）

人）と土人（アイヌ）との入り会いの稼ぎ場所であり、もし異変があれば相互に助け合うべきものを、かく不義不法を働くとは同島に国政なきがゆえなり。もし日本の属島にして支配する島々だというのなら、悪事を犯した者を処罰すべし、返答やいかん」と徳内に詰め寄った。徳内は遠国ゆえに国政の行き届かないこともあると答えたが、居丈高な責め方には閉口したと述懐している。最終的に両人は、ウルップ島はロシアと日本の入会地《いりあいち》（共有地）であることを確認したというが、国家の先兵として最前線で活動する狩猟者の面目躍如たるものがある。日本とロシアの国境は、先住民族であるアイヌをさしおいて、こうしたつばぜり合いを重ねるなかでつくりだされていくのであった。

田沼意次の蝦夷地開発構想と失脚

工藤平助《くどうへいすけ》の『赤蝦夷風説考《あかえぞふうせつこう》』を田沼意次《たぬまおきつぐ》に取り次いだのは、勘定奉行の松本秀持《ひでもち》であった。その松本は普請役《ふしんやく》佐藤玄六郎《とうげんろくろう》の調査報告書を受けて、蝦夷地一一六万六四〇〇〇町歩《ちょうぶ》、石高《こくだか》にして五八三万石にあたる新田開発を田沼意次に提案した。蝦夷地面積の一〇分の一を耕地にすることが可能と見立てた、途方もない数値である。

開発はアイヌだけではなく、諸国の「非人《ひにん》」およそ七万人を蝦夷地に植民させて実施する計画で、開発が進めば、カラフトや満州《まんしゅう》（中国東北部）、千島《ちしま》列島やカムチャツカあたりの者までも日本に服属するようになるだろうと壮語している。「非人」を移住させる件は江戸・浅草《あさくさ》（東京都台東《たいとう》区）の非人頭弾左衛門《だんざえもん》も乗り気になっているが、注目すべきは、開発に従事することによって百姓身分を与えてほしいと弾左衛門が佐藤玄六郎に要望している点である。新たな大地への移住を、差別からの解放のチャンスだととらえたのであった。蝦夷地の内国化は、対ロシア政策というだけではなく、身分制社会の内実を大きく変容させる可能性もはらむものだったのである。

田沼意次は、追加調査をして蝦夷地開発の具体化をはかりたいとする松本秀持の上申を承認した。田沼もまた蝦夷地を開発して領土を拡大し、北方を開放することによってロシアとの交易を夢想しはじめたといってよいだろう。それは、これまでの対外政策＝鎖国のあり方を大転換させる可能性をもつものであった。探検と同時に実施した「お試し交易」は、幕府による蝦夷地の直轄化と蝦夷地交易の可能性を探ろうとするものであった。

天明《てんめい》六年（一七八六）八月、蝦夷地の第二次探検が終わりにさしかかったころ、江戸では重大な政変が発生していた。幕府の公式発表では九月八日とされているが、それより先の八月二五日、将軍徳川家治《とくがわいえはる》が死去した。田沼意次は家治危篤の報に駆け付けたが、御三家《ごさんけ》（紀伊《きい》・尾張《おわり》・水戸《みと》）、御三卿《ごさんきょう》（田安《たやす》・一橋《ひとつばし》・清水《しみず》家）の意向により将軍寝所への入室を拒まれ、出仕差し止めを命じられた。八月二七日、田沼の老中《ろうじゅう》辞職願いが受理されたが、事実上の解任であった。

将軍家治を後ろ盾とした田沼の権勢は、将軍の死をもって瞬時に解体していったのである。田沼に工藤平助の提言を取り次いだ勘定奉行の松本秀持も失脚し、蝦夷地探検に従事した勘定所普請役の者たちも解職された。田沼が推進しようとした蝦夷地開発計画は、新たに発足した松平定信《まつだいらさだのぶ》政権では全否定されたのであった。

日本の領土宣言

寛政《かんせい》元年（一七八九）、クナシリ島およびメナシ（目梨《めなし》）地方のアイヌ民族が蜂起《ほうき》して和人を襲撃した。クナシリ島では二二人、メナシ地方では四九人、合計七一人が殺害された。松前《まつまえ》藩の足軽《あしがる》ひとりを除けば、すべてクナシリおよびキイタップ場所の請負人飛騨《ひだ》屋《や》久兵衛《きゅうべえ》の使用人たちである。飛騨屋はアイヌの人々を雇って、本土の肥料として需要の高い鰊《にしん》や鮭《さけ》・鱒《ます》の〆粕《しめかす》生産を行なっていたが、暴力で脅《おど》しながら低賃金で酷使したうえ、アイヌの女性たちを凌辱《りょうじょく》する和人の行為が頻発していた。抗議したアイヌが逆に償いを要求され、不審死も相次いでいたことから、ついに蜂起するに至ったのである。松前藩はすぐに軍勢を派遣して鎮圧にあたり、三〇〇人余のアイヌを捕縛して取り調べ、三七人のアイヌを死罪に処した。

田沼意次《たぬまおきつぐ》の北方政策を否定した松平定信《まつだいらさだのぶ》政権だったが、幕府が心配したのはアイヌの蜂起の背後にロシア人がいるのではないかということであった。幕府が派遣した探索方の報告ではロシア人の関与は否定されたが、対策として「異国境」の武備と変事の通報態勢を厳重にすることが松前藩に指示された。

この時期の幕府には、松前藩を所替えして蝦夷地《えぞち》を幕府の直轄地とし開発を進めるという、直轄・開発論が強かったが、松

14

◉アッケシのアイヌ首長イコトイ
『夷酋列像《いしゅうれつぞう》』は、松前藩に協力したアイヌ指導者一二人を松前藩家老の蠣崎波響《かきざきはきょう》が描いた。実像とは異なるとされている。

平定信はこうした意見を抑え、蝦夷地を不毛のままに放置して外国との緩衝地帯としておく松前藩委任・非開発論の立場をとったという。だが、その後も蝦夷地や南千《ち》島《しま》の調査は継続され、寛政三年には最上徳内《もがみとくない》がエトロフ島とウルップ島を探査し、翌年にはカラフト探査も実施した。幕府役人によるカラフト探検は、天明《てんめい》五年（一七八五）の庵原弥六、同六年の大石逸平らに続くものであった。

寛政八年、イギリス船プロヴィデンス号（ブロートン艦長）がエトモ（絵鞆《えとも》。北海道室蘭《むろらん》市）に来航して近海を測量したため、幕府は蝦夷地見分役人を派遣し、同一〇年から陸奥《むつ》国の弘《ひろ》前《さき》藩と盛岡《もりおか》藩の藩兵を隔年で松前に詰めさせ北方警備にあたらせた。この年、近藤重蔵《こんどうじゅうぞう》や最上徳内ら、幕府が派遣した探検隊がエトロフ島に「大日本恵登呂府《えとろふ》」の標柱を立て、寛政一二年には幕府がエトロフ島にアイヌとの商取引を行なう会所《かいしょ》を設置した。こうした一連の行為は、日本による同島の領有を内外に示したことにほかならない。

幕府が派遣した第二次探検隊は、享和《きょうわ》元年（一八〇一）、さらにウルップ島に渡海して、在島していたロシア人にアイヌとの交易禁止を通達し、同島に「天長地久大日本属島」の標柱を立てた。ウルップ島も日本の領地だと宣言したのである。西洋列強の北太平洋進出のなかで、日本も急速に北

◉松平定信自画像
八代将軍吉宗《よしむね》の孫。白河《しらかわ》藩主の養子となる。田沼意次の画策で将軍の座が遠のいたために、田沼を激しく憎んだという。

方の境界を意識化し、列強共通儀式としての領有宣言を取り入れたといってもよい。

また享和三年には、箱館《はこだて》奉行がアイヌのウルップ島渡海を禁止した。アイヌとの交易ができなくなれば、ロシア人もウルップ島を立ち去るだろうというねらいであった。その後、同島からロシア人が退去したことが確認されている。幕府の思惑《おもわく》どおり、ウルップ島の「空島」化が実現したのであった。最上徳内は、ウルップ島の実情を「日魯《にちろ》入会《いりあい》」の状態にあると書いている。日本とロシアの共有地のような場所だということである。一七七八年（安永《あんえい》七）にシャバリンがエトロフ・クナシリ両島で一五〇〇人をロシアの臣民にしたと豪語した段階に比べると、一八〇〇年代初頭のこうした状況は、日本側がロシアの南下を食い止め、ウルップ島まで押し返したと見なすことができる。

ただし、エトロフ島をもって日本の北の境界とするこうした措置は、千島列島におけるアイヌの自由な交易関係を遮断することになった。南千島のアイヌは、北千島やカムチャツカ半島の住人と蝦夷地のアイヌ・和人をつなぐ位置にあって、千島列島を中心にした交易ネットワークを存立基盤としていた。しかし、日本の国家による千島列島の国境確定の動きは、このネットワークを断ち切り、以後、この地域のアイヌを日本に従属させていく、大きな画期ともなったのである。

16 ◉「大日本地名アトイヤ」の標柱
エトロフ島東端のアトイヤに立てた「大日本恵登呂府」の標柱が傷んだために、エトロフ島警備の仙台藩士が立て替えたもの。

第二章

漂流民たちの見た世界

1

大黒屋光太夫とラクスマン

ロシアからの使節

寛政《かんせい》四年（一七九二）九月三日の昼過ぎ、根室《ねむろ》湾の沖合いに一隻《せき》の大きな船が現われた。それに気づいた松前藩《まつまえ》（福山藩《ふくやま》）の役人が、アイヌに小舟を出させて偵察しようとしたところ、突然、大砲を放ったのでアイヌは驚いて逃げ出してしまった。やがて大船から小舟が降ろされて数人が上陸してきたので、ふたたびアイヌを遣わしたところ、「赤人」（ロシア人）だとわかった。

これは、ネモロ（根室）のニシベツ（西別。北海道別海町《べっかい》）番屋《ばんや》にいた松前藩の役人から松前の藩庁に届いた第一報である。黒船でやってきたのは、ロシア皇帝エカチェリーナ二世によって派遣された、はじめての遣日使節アダム・ラクスマンの一行だった。同行したのはイルクーツク商人の代表団、それと三人の日本人漂流民である。上陸したラクスマンは松前藩の役人に、松前藩主に宛《あ》てた書簡を託した。それには、ロシアに漂流した日本人三人を江戸に行って直接引き渡したいので、よろしく取りはからってほしい、とあった。

ネモロからこの書簡が松前に届いたのは、翌月一〇月六日のことである。だが九月一二日に交替したばかりの新藩主松前勇之助《ゆうのすけ》は、江戸に出立した直後だった。そのため非常事態の指揮をとった

●漂流民の光太夫と磯吉
送還後、将軍徳川家斉《いえなり》の前で、松平定信らからロシア事情を質問されたときの二人。「まるで紅毛人《こうもうじん》のようであった」といわれた。（『奇観録《きかんろく》』）　前ページ図版

のは、幕府に隠居を命じられた前藩主の松前道広《みちひろ》である。そもそも松前道広の隠居は、表向きには彼の不行跡が理由だとされているが、寛政元年のアイヌ蜂起《ほうき》をはじめとする蝦夷地《えぞち》統治の不手際に責任をとらせたとも指摘されている。知らせを聞いた道広は、すぐに家臣をネモロに派遣するとともに、翌々日の八日には家臣を江戸に出立させ、幕府に指示を仰いだ。月番老中《つきばんろうじゅう》の松平乗定《まつだいらのりさだ》に知らせが届いたのは一〇月一九日のことだから、津軽《つがる》海峡を船で渡って奥州《おうしゅう》道中を早馬《はやうま》が駆け抜け、わずか一二日で江戸に着いたことになる。

松平乗定から報告を受けた老中首座の松平定信《さだのぶ》は、ただちに六名の老中を呼び寄せ、対策を協議した。三奉行（寺社奉行・江戸町奉行・勘定奉行）にも下問したが、意見は分かれた。送還された漂流民だけを受け取り江戸への来航は許さない、もしいうことをきかなければ厳しく対処すべし、という強硬論もあれば、外国との窓口になっている長崎へ回航させるべし、あるいは蝦夷地で日ロの通商を開いてもよいのではないか、という意見もあった。

松平定信は、相当に思い悩んだようだ。漂流民を送り返してきたロシアには「名」（名分）がある、もしネモロに長くとど

2

◉エカチェリーナ号

磯吉によれば、エカチェリーナ号は二本帆柱で八〇〇石積みほどだったという。漂流民三人を含めて四一人が乗船していた。

めて返事をしなければ、江戸へ行くとロシア人がいっても、彼らに「直《ちょく》」（正当性）がある。それを上陸もさせぬというのでは「曲《きょく》」（誤り）はわれにあり、と。はるばる千里を越えて日本人を送還してきたのに、長崎にまわれなどというのも非礼になり、ロシア人は不快に思うだろう、「されば、これまたいかがなり」と。

定信のメモで興味深いのは、ロシア船がネモロで指示を待つことにしたのは、同地が「日本地にあらざれば」、自分たちを追い払うことができないことを知っているからだと記した箇所である。ロシア側は蝦夷地本島（北海道）は日本の領地だと認識していたので、これは定信の誤解なのだが、大事なことは、定信にとって当時のネモロは、まだ日本の領土としては認識されていなかったという点にある。松前藩が領地として支配しているのは、道南の松前や箱館《はこだて》などの和人地であり、それ以外の広大な蝦夷地は、アイヌの住む地ではあっても日本の領地ではないという理解であった。

もちろん、これは蝦夷地に対する認識のひとつにすぎず、工藤平助《くどうへいすけ》や林子平《はやししへい》のように、蝦夷地を日本の領土として防衛すべきだという議論は以前から存在していた。しかし、筆頭老中ですらもが、このように認識

3

◉上陸したラクスマン一行
先頭がラクスマン。続いて船頭、通詞《つうじ》、船頭倅《せんどうせがれ》、商人などの肩書きがある。漂流民の光太夫は右から二人目、磯吉は三人目である。（『漂流人帰国松前堅之図幷異国人相形図《ひょうりゅうにんきこくまつまえかためのずならびにいこくにんそうぎょうず》』）

していたほどに、当時の蝦夷地は領域的にはグレーゾーンだったのである。

神昌丸のロシア漂流

ラクスマンが送還してきた日本人とは、大黒屋《だいこくや》光太夫《こうだゆう》、磯吉《いそきち》、小市《こいち》の三人であった。伊勢《いせ》白子《しろこ》（三重県鈴鹿《すずか》市）の千石船《せんごくぶね》神昌丸《しんしょうまる》の乗組員だった人たちである。和歌山藩（紀州《きしゅう》藩）の蔵米《くらまい》二五〇石《こく》と、瓦《かわら》や木綿製品などを大量に積み込んだ神昌丸が伊勢湾の白子を出帆したのは、さかのぼること一〇年前の天明《てんめい》二年（一七八二）一二月一三日であった。乗組員は総勢一七人、船頭は大黒屋光太夫であった。伊勢湾を出て遠州灘《えんしゅうなだ》に入ったとたん、天候が急変し大時化《しけ》となった。二日たっても嵐はおさまらず、船底まで浸水した神昌丸は風にあおられて船体はくるくるとまわり、このままでは転覆が避けられなかった。船頭光太夫は、船を少しでも安定させるために、長く伸びた帆柱を切り倒すことを決断する。大波で舵《かじ》をへし折られ、帆柱も失った神昌丸は、もはや自力では日本に戻ることが困難になった。あとは、元結《もとゆい》を切って伊勢の大神宮にひたすら祈るしかなかった。

大量に米を積み込んでいたので食料に不足はなかったが、野菜類がないためにビタミンが不足し鳥目《とりめ》（夜盲症《やもうしょう》）になったという。雨が降らず

4

●神昌丸の復元模型
神昌丸は一〇〇〇石積み。光太夫は帰国するまで、浦賀《うらが》番所の出港証明書の船切手《ふなぎって》を保管していた。

水が欠乏して苦しんだこともある。見えるのは遠い水平線ばかりとあっては、絶望して投げやりになったり、ささいなことから喧嘩《けんか》にもなった。

茫洋《ぼうよう》たる大海を漂うこと、およそ七か月余。この間にひとりが息を引き取ったが、ついに天明三年七月二〇日（ロシア暦一七八三年八月一七日。以下、ロシア滞在中の年号はロシア暦で示す）、神昌丸は北海の小島に流れ着いた。いまのアリューシャン列島の西部にあるアムチトカ島であった。海の藻屑《もくず》とならず、この島に漂着したことが、神昌丸乗組員の名前を歴史に残すことになったのである。

アムチトカ島のロシア人狩猟団

錨《いかり》を投げ込んで船を止め、小舟（伝馬船《てんません》）を降ろして上陸したところ、一〇数人の先住民アリュートが寄ってきた。はじめてみる先住民族の異様な姿に驚いたが、アリュートに案内されて行ったところには、ロシア人が待っていた。モスクワの豪商ワシーリイ・ジガレフが派遣した狩猟団で、アリューシャンの島々でラッコやオットセイを捕獲していた。この島には一一人のロシア人がいたようだ。もちろん、アリュートにもロシア人にも言葉は通じない。

身ぶり手ぶりの身体コミュニケーションだったが、寝食をともにするうちに、少しずつ意思疎通ができるようになってきた。ことに「エトチョワ」（エータ・チェヴァー〔これは何ですか〕）というロシア語に気づいてからは、語彙《ごい》が増えていった。大黒屋光太夫《だいこくやこうだゆう》も、狩猟団長のネヴァージモフからロシア文字を習いはじめた。

長い漂流生活で衰弱していたためか、上陸してほどなく二人が死んだ。九月に入るとアリューシャンには早い冬が訪れ、漂流民たちは寒さに震えあがった。この冬の間に四人がつぎつぎに亡くなっていった。生き延びた者たちも、はたして故国に戻ることができるのかどうか、見通しの立たない不安な日々を送らざるをえなかった。やがて狩猟団を迎えにくるというロシア船を心待ちにしながら、漂流民もまたアリュートやロシア人たちと一緒に猟をして過ごした。

彼らは恐ろしい体験もしている。島での生活が始まって九か月がたった一七八四年五月のことだ。数人がほかの島に渡って、アムチトカ島のロシア人が六人と少なくなったときだった。三〇〇艘《そう》ほどの皮舟で集結したアリュートたちが、ロシア人を襲撃してきたのである。ロシア人たちが鉄砲を撃ちかけたために退却したが、漂流民たちも槍《やり》を持たされて防戦せざるをえなかったという。磯吉《いそきち》は、ふだんは鉄砲で武装したロシア人を恐れて従っているが、アリュートたちをこき使って毛皮をまきあげ、島の女性たちを犯して憚《はばか》らないロシア人に対する恨み

5

◉アムチトカ島に漂着した光太夫一行
本船から伝馬船に米・鍋・釜・衣服などを移して上陸。島人からロシア人狩猟団のもとに案内された。（『魯《ロ》西《シ》亜《ア》国《こく》漂《ひょう》舶《はく》聞書《ききがき》』）

が、この襲撃の理由だろうと推測している。ロシア人はアリュートたちを激しく打ちたたいて服従させており、その「暴虐無道」なこと、言語を絶するほどだったというのが、日本人漂流民の受け止め方であった。

事態は、これだけではおさまらなかった。その日の夜半、物音に磯吉がふと目を覚ますと、近くに寝ていたアリュートの少女が、ロシア人に喉《のど》を突き刺されて殺される現場を目撃してしまったのだ。驚いた磯吉は飛び上がって反対側に寝ている仲間のところに潜り込んだが、ロシア人は磯吉に、死んだ少女の遺体を埋めることを命じた。少女はロシア人首領の慰《なぐさ》みものにされていたが、アリュートへ通じることを恐れて殺害されたのだった。

ロシア人の報復は、さらにエスカレートした。島の婦女子を人質に取ってアリュートの長たち四人を呼び出し、鉄砲と槍で殺害してしまったのである。その後、婦女子は解放されたが、ロシア人を恐れたアリュートたちは、この島を逃げ去り、一年半後にようやく戻ってきたという。

アムチトカ島では、こうして島民の反乱をかろうじて防ぐことができたが、ほかの島ではそうはいかなかった。別の島に渡っていたロシア人は、獲《と》った魚を届けにきたアリュートに喉を突き刺されて死んだ。遺体の口には、切り取られた陰茎が押し込まれていたという。ほかの島でも襲撃され

6

◉オンデレイツケ島の穴居《けっきょ》
寒さが厳しいアリューシャン地方の住居は、地下室になっていた。梯子《はしご》を使って地表面から出入りしていた。（『環海異聞《かんかいいぶん》』）

たロシア人がいたが、鉄砲で追い払い、九死に一生を得たという話もある。

磯吉は、「ヲロシヤ人よりは紙一枚にても価《あたい》を取らせず」と述べて、ロシア人とアリュートとの関係を交易ではなく、ロシア人による「無道」な収奪だと断じている。神昌丸《しんしょうまる》一行は、ロシア人による先住民虐殺と、力による占領支配の実態を間近に目撃し、貴重な証言を残してくれたのであった。ただし磯吉は、皇帝の役人がいる島では、かくも暴虐をふるうことはできなかったとも述べている。

民間業者に狩猟の権利を与えたのは国家である。狩猟団が得た毛皮の三分の一は皇帝へ献上され、三分の一がモスクワの主人ジガレフへ上納された。残りの三分の一が狩猟団の取り分となった。自分たちの取り分を増やそうと思えば、先住民から苛《か》酷《こく》に取り立てる以外になかったのである。磯吉の証言によるかぎり、役人がいれば、それなりに秩序ある支配が可能だったのかもしれないが、あくなき利益追求に励む民間狩猟団にとって、先住民は搾取すべき対象でしかなかったようだ。国家の統治が十分には及ばないフロンティアにおいて、国家という存在が果たす役割と限界が浮き彫りにされてくる。

これから一〇年後に、同じくアリューシャン列島に漂着した石巻《いしのまき》の若宮丸《わかみやまる》船員も、ロシア人狩猟団とアリュートの戦いを書きとめている。

「ロシア人狩猟者がこの地域に進出してきたときに、大挙した島人がロシア船に向かって数千本の銛《もり》をいっせいに投げかけた。毒を塗った銛が刺さると肉が腐りはじめるため、その部分をそぎ落として治療した」

若宮丸船員は、ナアツカでその傷跡をもったロシアの老人から、この話を聞いたという。

カムチャツカへ

待望の迎え船がやってきたのは、漂着してから二年半が過ぎた一七八五年の夏だった。毎日のように浜に出て船の姿を探していたが、失意の連続だった。それだけに、「沖の方より大船一艘《そう》見へしかば、皆々躍り上りて喜ぶこと限りなく」と磯吉《いそきち》が述懐するように、船が現われたときの喜びは途方もないものだった。だが、運命とは残酷なものだ。彼らが見ている前で、風波にあおられた船が岩礁に衝突して大破してしまったのである。もちろん、ロシア狩猟団も茫然《ぼうぜん》自失となった。今度はいつ船が来るのか、まったくわからなかったからだ。

それから一年余が過ぎたころ、近くの島から小舟で渡ってきたロシア人のなかに鍛冶《かじ》師がいた。それがきっかけとなってロシア人たちは元気を取り戻し、大破した船の残骸《ざんがい》をもとに、三か月かけて、元船の三分の一ほどの船をつくりあげた。もちろん、日本人漂流民も大いに働いた。

一七八七年七月一八日、ロシア狩猟団と日本人漂流民の合作となった修復新造船が、アムチトカ島を出帆した。漂着時に生存していた一六人は、四年後のこのとき、九人になっていた。八月下旬、彼らはカムチャツカ政庁のあるニジニ・カムチャツカに着いた。ロシア政府はすでに日本人漂流民の保護を命じていたので、当初、この地の長官は手厚く漂流民をもてなした。種々の美食が出されたというから、ようやくにして生きた心地を味わったのだろう。皇帝に願えば帰国もかなうだろうという長官の励ましも、彼らを元気づけた。

　ニジニ・カムチャツカには二〇〇軒ほどの人家があったが、食料をはじめ、あらゆる物資はオホーツクから船で運ばれてきた。しかしこの年は、悪天候のために輸送船がつぎつぎに難破して食料が途絶えてしまった。カムチャツカ政庁は、漂流民に牛肉と米一合を毎日支給していたが、食料が欠乏したため金銭に切り替えられた。現地で獲《と》れた鮭《さけ》の塩漬けを購入したが、これもなくなると、犬の餌《えさ》にしていたハラコと、桜の木の皮を削ったものを混ぜて搗《つ》き、蒸して食べたという。だが栄養不足のために体力が衰え、歩くのもやっとだった。極寒の冬を越せなかった三名が亡くなり、生存した漂流民は六名となった。

　待望の春がきて川に魚がのぼるようになると、ようやく命をつなぐことができた。保護された漂流民ですら飢えたのだから、現地の住民はなおさらであった。農地の少ないカムチャツカでは、つねに食料不足の危機を内包していたのである。ロシアが日本に通商を求めてきたのは、たんに毛皮の売り込み先としてだけではなく、食料を確保するためであった。辺境に版図《はんと》

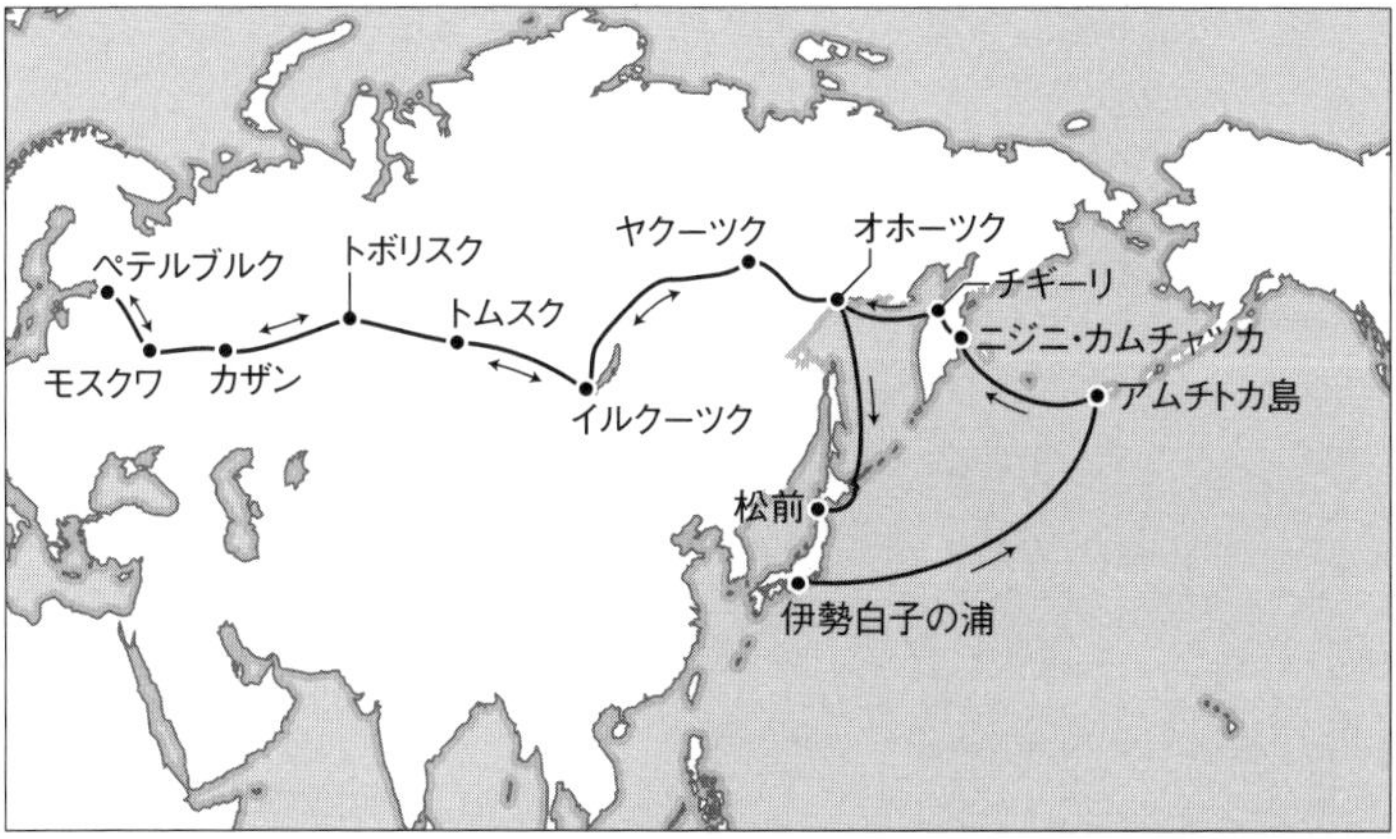

●光太夫の漂流・移動経路
イルクーツクまで漂流民は一緒に動いたが、皇帝への帰国嘆願のためにペテルブルクに行ったのは、光太夫だけであった。

を拡大しつづけるロシアにとって、日本との交易は、カムチャツカやアリューシャンにおける食料危機を構造的に解決する最高の手段だったのである。漂流民の体験談は、そのことを実感させるものとなった。

イルクーツクへ

ニジニ・カムチャツカで一〇か月ほどを過ごしたあとの一七八八年六月一五日、神昌丸《しんしょうまる》一行はイルクーツクに向けて出発した。カムチャツカ半島を西へ横断してオホーツク海に面したチギーリに山越えし、そこから船でオホーツクに向かった。九月一二日、毛皮を五〇〇頭近くの馬でペテルブルクに運ぶ輸送隊に身柄を託されてオホーツクを出発。野宿をしながら荒れ果てた道を馬に乗って進み、一一月九日にヤクーツクに到着。一か月ほど休養したあと、馬橇《うまぞり》で雪原を走り、翌一七八九年二月七日、ようやくにしてイルクーツクに着いた。

「人家三〇〇〇余」のイルクーツクは、シベリアの中心都市だ。南には清《しん》国との最大の交易地キャフタがあり、シベリアのパリといわれるほど瀟洒《しょうしゃ》な街であった。毛皮交易で財をなした商人が多く、日本への接近を早くから試みてきたのも、このイルクーツクの商人たちであった。

7

●イルクーツクの街並み
「シベリアのパリ」と呼ばれたイルクーツクの表通り。裏通りには古い木造住宅が軒を連ね、漂流民の見た風景がいまも残っている。

到着するとすぐに大黒屋《だいこくや》光太夫《こうだゆう》らは、イルクーツク総督に帰国嘆願書を提出した。だが、その年の八月にペテルブルクからきたという回答は、なんとロシアにとどまって役人になれ、あるいは商人になるのなら店を与えよう、というものだった。日本語教師も役人待遇であったので、ロシアはそれを期待したのかもしれない。神昌丸漂流民以前に、薩《さつ》摩《ま》のデンベエや盛岡《もりおか》藩領佐井《さい》村（青森県）漂流民らがペテルブルクやイルクーツクで日本語教師に取り立てられていたが、みな死亡して、この時期には日本人の教師がいなかったからだ。教師にならず商人としているだけでも、ロシアにとっては最新の日本情報の提供者として大きな価値があった。

　だが、なんとしても日本に帰国したいと願う光太夫らは、ロシア政府による帰化の要請を拒んだ。するとロシア側は、それまで漂流民に支給していた扶助費を打ち切ってしまった。生活費に差し支えれば心変わりするだろうと、ロシア側は考えていたようだが、漂流民たちは仕事を探して、なんとか糊口《ここう》をしのいだという。しかし、オホーツクからの移動中に凍傷にかかって片足を切り落とした庄蔵《しょうぞう》は、その年の冬、ロシア正教の洗礼を受けた。施療院《せりょういん》暮らしの庄蔵は、片足では帰国もできないと考えたのである。のちに大病を患った新蔵《しんぞう》も受洗し、土地の女性と結婚して帰化

8

◉漂流民が受洗したとされる教会
ロシア正教の洗礼を受けることは、帰国を断念し、ロシア人としての生き方を選ぶことだった。

することになった。残った六人のうち、二人が帰国をあきらめたのである。

見通しが立たない光太夫らに手をさしのべたのは、ロシア科学アカデミー会員の博物学者キリル・ラクスマンだった。イルクーツクにガラス工場をもつ経営者でもあったが、一七七五年にオランダ商館に医師として赴任したカール・ツンベルクとも親しかった。ツンベルクの『日本紀行』を読んでいたラクスマンは、桂川甫周《かつらがわほしゅう》や栗崎道巴《くりさきどうは》など、日本人学者の名前を知っていたほどの知日派であった。ラクスマンは一七九〇年四月二二日、外務大臣に宛《あ》てて、使節団を派遣して漂流民を送還するよう提案したのである。しかし政府から返事がこなかったため、一七九一年二月、ラクスマンは光太夫を連れてペテルブルクに向かい、政府に直接、帰国を嘆願させたのであった。

エカチェリーナ二世

そのかいあって、大黒屋《だいこくや》光太夫《こうだゆう》が皇帝エカチェリーナ二世に謁見を許されたのは、一七九一年五月二八日のことだった。大理石を敷き詰めた壮麗なる五階建ての王宮に入り、ラクスマンとともに三階にある謁見の間に案内された。女帝のまわりには六〇人ほどの侍女が取り囲み、部屋の左右には四〇〇人ほどの官人が居並んで光太夫を待ち受けていた。さすがの光太夫も気後れしたようだが、漂流の経緯を聞いた女帝は慰めの言葉をかけ、後日、帰国の許可を光太夫に伝えた。

これより先、同年二月二六日にラクスマンが商務大臣ヴォロンツォフに出した上申書では、つぎのことが提案されていた。すなわち、光太夫はオランダ船による祖国への帰還を期待しているが、わがロシアがこの日本人を松前《まつまえ》に送り届け、日本との通商関係を開くチャンスにしたらどうか、ということである。帰国後の光太夫によれば、オランダ船または朝鮮を経由して帰国できないかとラクスマンに相談したと語っているが、光太夫が日本と通交関係をもつ両国を介しての帰国を想定したのは当然であった。だがラクスマンは光太夫の話を聞くなかで、日ロ関係を切り開くビック・チャンスが舞い込んできたことを見逃さなかった。

ラクスマンは、イルクーツクからヤクーツクを経てオホーツクに至る現在のルートは、自然条件が厳しく輸送コストが高すぎるとして、イルクーツクからアムール川を経て太平洋に至る、新たなルートの開発を提案した。そのうえで、オランダのように出島《でじま》（長崎市）に閉じこめられないために、日本との交易拠点をアムール川河口または千島《ちしま》列島（クリル列島）南部あたりに設置することが望ましいと指摘している。通商関係を構築できたとしても、日本主導の交易関係にならないような戦略の提案であった。

エカチェリーナ二世は、アムール川航路の開発は中国を刺激しかねないとみて認めなかった。かつてアムール川流域をめぐって中国と激しい争いを起こし、一六八九年にネルチンスク条約を結んで、ようやく終息させた過去があったからだ。しかし

9

◉エカチェリーナ二世
光太夫らが拝謁したとき、女帝は六二歳。光太夫の話を聞いた女帝は、「なんとかわいそうな」と慰めたという。

漂流民送還には同意し、イルクーツク総督から松前藩主宛《あて》の親書を遣わして通商の可能性について打診すること、受洗した二人の日本人については、今後の日ロ関係に備えてイルクーツクで日本語教育に従事させることなどを命じた。

ロシア政府は当初、光太夫を含めた神昌丸《しんしょうまる》一行をロシアに残留させようとしていたが、受洗によって二人が帰化の道を選択したことにより、ロシア政府の期待をある程度満たすことになった。しかもそれは、残留を拒みつづけた光太夫らにも帰国の道を開くことになったのである。ロシア政府にとっても日本人漂流民にとっても、最良の選択となった。

日本への送還

日本への使節は、漂流民送還の実現に尽力したキリル・ラクスマンの次男で、シベリアのギジガで守備隊長をしていた二六歳のアダム・ラクスマンが選ばれた。船長はロシア人のオレーソフが任命されたが、エカチェリーナ二世はイルクーツク総督に対して、船長は生粋《きっすい》のロシア人を選び、もし適任者がおらず外国人を採用する場合もイギリス人とオランダ人だけは除外するようにと念を押していた。

ロシアの役人や軍人、船員などには、ヨーロッパ諸国の人材が多く登用されていたが、これまで日本との貿易を独占してきたオランダはロシアによる対日交渉を喜ばないし、イギリスもまた日本へのアプローチを

●ロシアの遣日使節団
アダム・ラクスマン（右）について、現地役人は「アダムは人品格別のようにみえる」と松平定信に報告している。通訳トゥゴルーコフ（中）は、トラベーズニコフ（左）の父久助に日本語を習い、通訳任命後は光太夫にも教わった。

強めつつあった。重要な国家の使命を帯びた遣日使節船の船長をライバル国から採用して、交渉に支障が出たり、秘密が漏洩《ろうえい》することを恐れたのだろう。こうしたところにも、対日戦略をめぐるヨーロッパ列強の思《おも》惑《わく》が現われていて興味深い。

通訳には、イルクーツクの日本語学校卒業生で軍曹になっていたトゥゴルーコフが任じられた。陸奥国《むつのくに》佐井《さい》村多賀丸《たがまる》の漂流民久助《きゅうすけ》の子で軍曹のトラベーズニコフも、地図作成の重要任務をもつ測量士として乗船している。彼も多少は日本語ができたようだ。ロシア政府は一八世紀初頭から、大坂のデンベエや多賀丸の漂流民などを日本語教師として登用し、来《きた》るべき対日交渉に備えていたのだが、その成果がこうしたかたちで現われたのだった。また使節船の水先案内人には、以前に松前《まつまえ》に来航したシャバリンが雇われた。シャバリンはみずから、アイヌ語ができて日本への航路を知っていることを売り込んだともいわれている。

このほかイルクーツクを代表するシェリホフ・ゴリコフ会社から二人の社員が同乗し、日本との交易品も積み込まれた。アリューシャン列島を越えて北アメリカ大陸のアラスカに進出する一方、千島《ちしま》列島を南下していたイルクーツク商人にとって、日本との安定した通商関係を開くこ

10

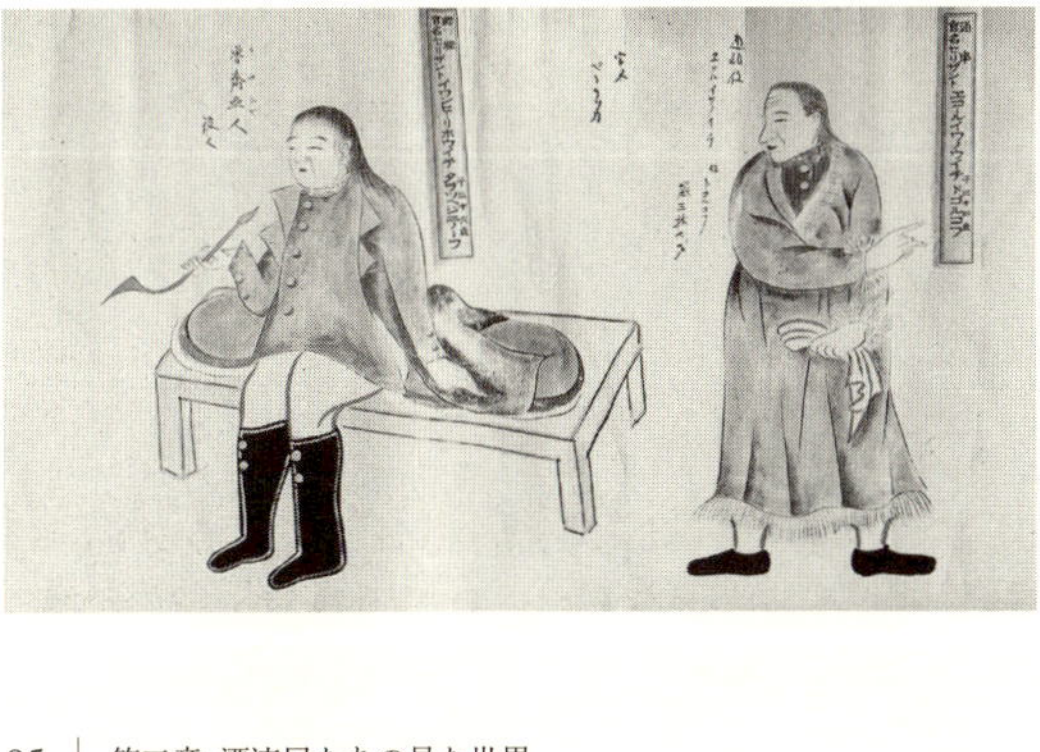

とは大きな望みであった。

イルクーツク商人は、バイカル湖の南にある都市キャフタを通じて中国に大量の毛皮を輸出していたが、一七八五年に中国からキャフタ交易を停止されて大打撃を受けていた。そのため日本を新たな市場としたかったし、海路を通じて南の広東《カントン》に毛皮を持ち込むことも構想していた。漂流民を送還して日本との交渉のチャンスを得ることは、またとない機会であった。

だがキリル・ラクスマンは、エカチェリーナ二世の秘書官ベズボロトコに宛《あ》てて、シェリホフは対日交易を独占しようとしており、自分はイルクーツクで憎悪と迫害の的になっている、と嘆いている。イルクーツク商人たちがイギリスやオランダの東インド会社のような国策会社をつくって競争を排除し、対日貿易を独占しようとしているのに対して、ラクスマンは自由競争派であったという。イルクーツク総督もシェリホフらの国策会社方式を支持し、女帝に提案したほどであった。

ところがエカチェリーナ二世は、一七六〇年代以降、商工業の自由化を促進し独占権を廃止する経済政策をとっていたし、冒険的商人たちをあまり信用していなかった。ラクスマンに日ロ交渉の主導権を与えたのは、そのためかもしれない。突然現われて日ロ交渉のお株を奪ったラクスマンに対して、イルクーツク商人が不快感をいだくのは当然であった。

イベントとしてのロシア行列

オホーツクから、大黒屋光太夫《だいこくやこうだゆう》・磯吉《いそきち》・小市《こいち》の三人を乗せたエカチェリーナ号が出帆したのは、一七九二年九月一三日のことだった。神昌丸《しんしょうまる》乗組員一七人のうち一二人は、この一〇年の間にロシアの土となり、生き延びた五人のうち二人はイルクーツクに残った。エカチェリーナ号は翌月の一〇月七日（寛政四年九月二三日）、ネモロに着いたが、同地で越冬したあとの寛政五年四月二日、壊血《かいけつ》病《びょう》を患っていた小市が死亡した。故郷を目前にしての無念であった。

ロシア使節の日本側との交渉が動きだしたのは、幕府の徒目《かちめ》付《つけ》・村田《むらた》兵左衛門《へいざえもん》が、小市の亡くなる前日の四月一日にネモロに着いてからである。ロシア使節に対する幕府方針の確定に手間どり、出迎え役の村田が江戸を発《た》ったのは寛政四年の一二月。松前《まつまえ》には翌年の二月上旬に入り、松前藩兵一三〇人を従えて、雪中の陸路をネモロに向かった。一方、幕府の特使（宣諭《せんゆ》使《し》）となった石川忠房《いしかわただふさ》と村上義礼《むらかみよしあや》の二人は、寛政五年一月二三日に江戸を出立して二月末に松前に入り、ロシア使節応接の準備に入った。

村田兵左衛門は、ラクスマンから江戸に直航しないという約束を取りつけると、順風を待ってエカチェリーナ号がエトモ（絵鞆《えとも》）に向かうことを許可した。エトモからラクスマンや漂

11

◉小市の遺品
ネモロで死亡した小市の地元・伊勢若松（三重県鈴鹿市）では、寛政六年に追善供養が営まれ、一〇〇点余の遺品も展覧された。現在、櫛《くし》・さじ・ナイフ・キセル・靴などが残されている。

流民だけを日本船に乗せて箱館《はこだて》に向かい、そこから陸路で松前に案内する計画だった。ロシア船が和人地にまで乗り込むことを避けたかったのだろう。だが六月四日にネモロを出帆したエカチェリーナ号は、風に流されて下北《しもきた》半島の尻屋崎《しりやざき》（青森県東通《ひがしどおり》村）まで南下したため、そのまま強引に箱館に入港した。日本側は船をエトモまで戻すよう求めたが、ラクスマンが拒否したため、やむなく箱館滞船を認めている。

箱館からは、光太夫と磯吉を含めて一四人のロシア人一行を、松前藩兵四〇〇人が駕籠《かご》で松前まで護送した。松前に入ったのは六月二〇日だが、住民は通りに紅白や紫の幕を張り巡らし、緋毛氈《ひもうせん》に金屏風《きんびょうぶ》仕立ての飾り付けで使節団を見物した。行列の先頭は騎馬で白衣をまとった幕府役人、それに長い柄《え》の先を金メッキで飾り付けた槍《やり》を持つ従者や漆《うるし》塗りの箱持ちが続き、ラクスマンは藩主用の駕籠で運ばれた。松前城下に入る前に行列は三倍に増員され、従者たちも町役人たちも晴れ着で飾ったというから、一大イベントであった。

将軍代替わりなどに際して派遣された朝鮮通信使や琉球《りゆうきゆう》使節などを、幕府は国家的威信を高める装置として利用したとされている。異国からやってきた慶賀使であるから、たしかに将軍の威徳を称揚する効果を発

12

◉『ラクスマン根室冬営の図』運上屋（右側中央）の隣にヲロシヤ人小屋（右端）が設けられた。氷結した海上をロシア船に向かう橇《そり》が描かれている。

揮したに違いない。だが一方で日本側は、これらの使節が通行する街々を飾り立てて迎えた。

たとえば明暦《めいれき》元年（一六五五）の朝鮮通信使を描いた『朝鮮通信使歓《かん》待図《たいず》屏風《びょうぶ》』を見ると、道筋の江戸の町屋を刺繡《ししゅう》布やビロードで飾っている様子がわかる。宝暦《ほうれき》一三年（一七六三）に朝鮮通信使が来日した際、江戸町年寄《まちどしより》は通信使の通る町は道路をきれいに修復・掃除して見苦しくないようにし、幕や屏風などで飾るように指示を出した。天保《てんぽう》三年（一八三二）に琉球使節が来たときも、松浦静山《まつらせいざん》の『甲子《かっし》夜《や》話《わ》』によると、京都の伏見《ふしみ》では家々に桟敷をかけ、赤い毛氈を敷いて紫の幕を張り、金屏風などを並べて壮観だった、と記している。異国からの使者に、美しい日本を見せるための仕掛けであった。

はじめて日本に来たロシアの使節に対しても、同じ仕掛けが極北の城下町松前で演出された。見物人は貴賤《きせん》にかかわらず「美服」を着し、道筋の見苦しい家々は幕府の手当《てあて》により修理を加えたという。警護には松前藩だけではなく、弘前《ひろさき》藩と盛岡《もりおか》藩が命じられたが、出《で》羽国《わのくに》の庄内《しょうない》や秋田からも噂《うわさ》を聞いて見物人がやってきたというから、イベント効果は絶大であった。北方史における儀礼的要素はアイヌとの関係で着目されて

13

◉朝鮮通信使を見物する人々
朝鮮通信使を迎えた江戸の町屋では、刺繡布や色鮮やかなビロードで通りを飾った。（『朝鮮通信使歓待図屏風』）

きたが、ラクスマン来航がもつ演劇的要素にも目を向けておきたい。

大黒屋光太夫もラクスマンと同様に駕籠で運ばれたが、磯吉やラクスマンの部下は馬に乗せられた。光太夫はロシアでも神昌丸のキャプテンとしてほかの乗組員より厚遇を受けたが、日本でも待遇の差があったことになる。とはいえ国内では庶民が乗馬することは禁じられているので、磯吉が馬に乗せられたことも異例であった。両人はまだ日本側に引き渡されていないため、日本の庶民としての扱いではなく、ロシア人一行として遇されたのだと思われる。馬に乗った磯吉の姿は、じつは異人としての姿だったといったほうがよい。

14

◉馬上の磯吉
美しく飾り立てた馬に乗って、磯吉らは見物人があふれる町なかを進んだ。（『魯西亜国漂船聞書《ロシアこくひょうはくききがき》』）

日ロ交渉の表と裏

寛政《かんせい》五年（一七九三）六月二一日の最初の日ロ会談は、松前《まつまえ》藩家老《かろう》である下国《しものくに》家の屋敷で行なわれた。この前日、幕府の役人がやってきて、双方の対面儀式について相談をしている。役人は日本式に靴を脱いで平伏の礼をとるよう求めたが、ラクスマンは、ロシアの服で靴を脱ぐことは礼儀に反し、国王に対してすら低頭平伏する習慣はないとして、いずれも拒否した。日本の役人は立ったままでいることは無礼なことだといったが、結局、ロシア側は立礼とし、日本側は畳に正座して対応することになった。身体儀礼に関する異文化の衝突だったが、双方の儀礼を尊重することで外交が成立することになった。
幕府役人がロシア使節に正座を要求したのは、オランダがその様式を受け入れていたからである。オランダ商館長は、寛政二年以降は四年に一度になったが、それまでは毎年、江戸に参府して将軍に謁見し、貿易の御礼を言上していた。安永《あんえい》五年（一七七六）、商館長に随行して江戸に参府した医師ツンベルクは、将軍に謁見した際、日本人と同様に、膝《ひざ》を曲げて両手を床につき、頭を畳につけてお辞儀をしたと書いている。だがラクスマンは、これを自国の文化習慣に反した卑屈な態度だとして拒否したのであった。

ロシア使節との対面にあたり、松平定信《まつだいらさだのぶ》は宣諭使《せんゆし》に対して、初日は「衣冠《いかん》」、その後は「布衣《ほい》」を着するよう命じた。ラクスマンの『日本来航記』には、「非常にみごとな衣服を着て、頭にはさまざまな漆《うるし》塗りの烏帽子《えぼし》をかぶり、赤と白の絹地のマントを羽織り、長くて幅の広い緞子《どんす》袴《ばかま》をはいていたが、その袴は歩くとき、足もとから半アルシン（約三五センチメートル）ほど引きずるのだった」と、日本式装束の特徴を細かく観察している。ロシア皇帝が派遣した使節に対して、日本側は相応の礼式をもって応接したということである。服装も外交儀礼の一端を表象するものであった。

◉衣冠と布衣
衣冠（右）は礼装、布衣（左）は略式の礼装。（『徳川盛世録《とくがわせいせいろく》』）

威儀麗容を正した日本側の対応にラクスマンは感動したのだが、宿舎から会談場所までの道筋にあふれ返っている多くの見物人と厳重な警護を見て、ロシア人一行は驚いている。警護には松前藩から九八三人、盛岡《もりおか》藩から六二五人、弘前《ひろさき》藩から四六〇人が動員されているので、二〇〇〇人を超える物々しさであった。ここを通り抜けて会談場所に着いたラクスマンは、緊張のあまり息切れがして数杯の水を請い、通訳のトゥゴルーコフも震えていたと、日本側の役人が書きとめている。海上でも、一〇〇艘《そう》を超える船が防備を固めた。

第一回目の会談では、日本側の宣諭使が国法書を読み上げてロシア使節に渡し、第二回会談では、ラクスマンが通商を願うイルクーツク総督の書簡を読み上げて、幕府側はこれを聞き置くというかたちをとった。国法書では、かねて通信のない異国の船が来たときには召し捕らえるか打ち払うのが古来の国法であり、漂流民を送り来たるといえども長崎以外での上陸は許していない、今回はわが国の法を知らなかったことでもあるのでこれを許すが、二度と当所に来航してはならぬと、松前での会

16

◉下国家屋敷へ向かうロシア使節団一行
会談場所への道筋には幕が張られ、火縄銃と弓を持った松前・弘前・盛岡の藩兵が物々しく警護した。(『魯西亜国漂船聞書』)

談が例外的措置であることを強調した。

幕府の特使を宣諭使といったのは、わが国の国法を宣じて諭すことが役割とされたからである。こうした名目を立てなければ、幕府としても松前でロシア使節に面会することはできなかった。また、国法に従えば長崎以外の地でイルクーツク総督からの書簡を公式に受け取ることもできなかったので、ロシア使節が読み上げたのを聞き流すかたちをとったのである。ただし後日、幕府役人はロシアの通訳トゥゴルーコフに対して内々に、イルクーツク総督の書簡の写しが欲しいと申し入れている。これを聞いたラクスマンは、公式と非公式をうまく使い分ける幕府の対応を理解し、すぐに許可した。

なお、幕府はこの日、漂流民送還への謝礼として米一〇〇俵を使節に贈った。長崎では漂流民を送還してきた中国船やオランダ船に糧米を与えており、これに準じた措置であった。これに関連して、国法書のなかに、ロシアに残留した二人の日本人をつぎに送還してくるのであれば長崎に向かうべし、だが長崎には入港許可証（「信牌《しんぱい》」）がなければ入れない、とある点に注意しておきたい。この文意は、もし希望するのであれば長崎港への入港許可証を出すこともありえるということを示唆したものである。これに続

17

◉箱館港のロシア船見物に押し寄せた日本人
ロシア人も船から遠眼鏡で日本人の群衆を見ていたが、小舟から見物人がつぎつぎにロシア船に乗り込んできたという。（『魯西亜国漂船聞書』）

けて、通信・通商は容易に許されるものではないが、望むのであれば長崎にて願い出るように、とも告げている。

これは相当に考えられたレトリックであった。ロシア船来航を聞いた松平定信がもっとも恐れたのは、松前での交渉に失敗して、防備の手薄な江戸湾に直接乗り入れられることであった。そのため、漂流民送還という人道的配慮を名目に、オランダ船と中国船しか認めていなかった長崎入港をロシア船に認め、長崎で正式に願書を提出すれば幕府として検討するという方法を提示したのである。入港許可証については口頭でもロシア使節に伝えられ、その要望にもとづいて、一隻の長崎入港を認める信牌が授与されることになった。ロシア側を刺激せず、しかも時間稼ぎをして、当面の難局を打開する方法であった。

幕府は、ロシアに対して通商の願いを受け入れることを正式に明言したわけではない。だが松平定信は宣諭使に対して、使節をもてなす宴会のときに、つぎのように発言するよう指示している。「身分の軽い自分ではよくわからないが、長崎で通商のことを願い出れば松前か長崎で交易が許されるかもしれない」と。ここまでいえば、さすがのラクスマンも大いに期待し、幕府役人のいうことを了解するのは当然だった。公式の場だけではなく、非公式な酒の場も活用した外交であった。

もしラクスマンが長崎に行っていたら

大黒屋《だいこくや》光太夫《こうだゆう》と磯吉《いそきち》が幕府役人に引き渡されたのは、寛政《かんせい》五年（一七九三）六月二四日に開かれた

第二回会談のあとである。アリューシャン列島のアムチトカ島に漂着してから、ちょうど一〇年が過ぎていた。生き延びて母国に帰ることができたのは、ひとえにロシア人の厚情のおかげだと、二人は涙にくれながら一行に別れを告げた。

六月二七日の第三回目の会談で宣諭使《せんゆし》からラクスマンに、長崎入港許可証である信牌《しんぱい》が渡された。冒頭には、「おろしや国の船一艘《そう》、長崎に至るためのしるしの事」と記され、本文ではわが国がキリシタン禁制を国是としていることを強調し、キリストの像や書物を持参してくれば必ずや罰せられるであろうと警告していた。

この信牌を渡した際に、宣諭使の石川忠房《いしかわただふさ》がラクスマンに言い渡した文言が、ラクスマン来航情報をまとめた大田南畝《おおたなんぽ》編の『沿海異聞《えんかいいぶん》』に収録されている。そこには、長崎に来れば「無事に交易等も相成り候《そうろう》」とあるだけではなく、「先《ま》ず試みの為《た》め一度交易致すべしとの切手《きって》とは申し渡し」ともある。信牌はたんなる入港許可証ではなく、試貿易のための切手でもある、と説明したというのであった。このメモについて大田は、「甚《はなは》だ秘するもの、由《よし》なれども、密《ひそ》かに承り、大略書写せる也《なり》」と注記している。

宣諭使の石川忠房と村上義礼《むらかみよしあや》から松平定信《まつだいらさだのぶ》へ上げた報告書には、「信牌下され、右御文、語り解き聞かせ、了知仕《りょうちつかまつ》らせ候」とあるだけだ。なんらかの説明はしているようだが、大田南畝の記録にあるような内容であったかどうかはわからない。しかし、このメモの発信者といい、書き写した大田南畝といい、宣諭使がこうした発言をしたということに疑問をいだいてはいない。

これまで幕府が中国船やオランダ船に発給してきた信牌とは、たんなる長崎入港許可証ではなく、貿易船として来航することの許可証であった。貿易許可証の意味をもつ信牌をロシアに発給したのだから、宣諭使がそうした説明をしたとしても不思議ではないし、関係者が疑問に思わないのも当然だった。もちろんロシア側も、そのように受け止めていた。

ラクスマンは、同行したロシア商人が持参した商品を少しでも取り引きしたいと求めた。だが幕府役人は、長崎以外での取り引きは禁じられているので、それを許したらわれわれの命にかかわるといって拒否している。そのためだろうか、信牌を渡されたあと、ロシア側の通訳は、これからすぐにでも長崎に行きたいといった。しかし幕府役人は、一度本国に戻って日本の国法を上達し、指図を得たうえであらためて来航すべしと注意したという。

前に述べたように、ロシア船がつぎに長崎に来航したときには通商もありえる、というのが松平定信の対ロシア姿勢であった。もしロシア船がそのまま長崎に直航していたとすれば、取り引きに応じざるをえなかったのではないか。そうなっていれば、日ロ関係だけではなく、日本の外交体制そのものが大きく変わっていたことだろう。幕府役人の咄嗟《とっさ》の返事が、その後の日本の運命を変えたかもしれない。

ラクスマンを乗せたエカチェリーナ号が箱館《はこだて》を出航したのは、七月四日のことだった。ちょうど一〇か月の日本滞在であった。

光太夫送還をめぐる列強の思惑

大黒屋《だいこくや》光太夫《こうだゆう》がロシアから送還されてきたのは当たり前のようにみえるが、その背後には、ロシア、オランダ、イギリスの駆け引きがあった。

光太夫は当初、ロシアによる送還ではなく、オランダ船による帰国を考えていた。キリル・ラクスマンは、イルクーツクでそのことを光太夫から直接聞いている。光太夫とすれば、ペテルブルクに行って、唯一、日本との貿易を許されたオランダ人に頼み込めば、ヨーロッパ経由でなんとか長崎にたどり着けるのではないかと考えていた。それなりに可能性をもつ、賢明な判断であった。

だが、この話を聞いたラクスマンは、光太夫の帰国願望をロシアが実現させることによって、日本との通商を開く手がかりにしたいと考え、光太夫らの日本送還を外務大臣に提案したのである。ラクスマンは、光太夫をしてロシア政府に直接訴えさせるために、イルクーツクからペテルブルクに伴った。だが、ラクスマンが病気になったこともあって、なかなか帰国の話が進展しなかった。業を煮やした光太夫はペテルブルク駐在のオランダ公使に接触し、オランダ船による送還を打診している。公使は光太夫がロシア政府への送還願いを撤回し、オランダ船による帰国をキリルが了解するなら引き受ける、と答えている。

ラクスマンがオランダより警戒したのはイギリスであった。漂流日本人がペテルブルクに連れてこられたと知ったイギリス商人やイギリス公使は、すぐにラクスマンに接触し、自分たちが日本人を祖国に送り届けたいと申し出たという。ラクスマンは、イギリスのこの行動はヌートカ湾に毛皮交易の拠点を築いたことと関係があると的確に認識している。イギリスは光太夫を日本に送還することによって、北アメリカ産毛皮の取引交渉に持ち込むことをねらっている、とにらんだのである。

前に述べたように、ヌートカ湾事件でスペインによる北アメリカ沿岸の排他的領有権を廃棄させることに成功したイギリスは、早くも同湾に入植地を築いたようだが、その事件にかかわったイギリス船アルゴノート号が対馬《つしま》海域に出現して日本船に毛皮取引を求めたのは、寛政《かんせい》三年（一七九一）のことである。その同じ年に、遠く離れたペテルブルクでイギリス商人たちは、光太夫を獲得しようと画策していた。これは偶然の出来事ではない。光太夫送還について、ラクスマンはイギリス公使からも提案を受けたというから、イギリス政府とイギリス商人は、日本へ接近して交易を開くためのあらゆるチャンスを探っていたと見なしてよい。

イギリスの対日接近の動きが、ヌートカ湾事件での勝利を契機に加速されていくことがよくわかる。だからこそラクスマンは早急に日本に使節を派遣し、イギリスに先駆けて日本との交易交渉をしなければならないと考えたのである。息子のアダム・ラクスマンが最初の使節として日本に派遣されたのは、たんにロシアの南進政策の延長上にあるのではなかった。ヌートカ湾事件を画期として活発化した環太平洋世界の形成、すなわち日本をめぐる市場競争の激化の現われとして理解したほうがよいだろう。

若宮丸のロシア漂流

ラクスマン以後

ラクスマンがオホーツクに帰還したのは、一七九三年（寛政《かんせい》五）九月八日（ロシア暦）のことだ。日ロ交渉が成功したと理解したイルクーツク商人のシェリホフは、来《きた》るべき日ロ貿易に備えて、ウルップ島にロシア人を入植させる提案をエカチェリーナ二世に行なった。皇帝から許可を得たシェリホフは一七九五年の夏に、約四〇人の入植団を同島に送り込んだ。

イルクーツク知事のピーリもまた皇帝に対して、一七九四年二月、今度は皇帝の名による正使の日本派遣を進言したが、皇帝からは音沙汰《おとさた》がなかったという。皇帝はシェリホフらによる対日貿易の独占計画を快く思っていなかった、あるいはトルコやスウェーデンとの戦争や、フランス革命によるヨーロッパ情勢の不安定さが原因だともいわれている。

だが、事態が動きだしたのは、またしても日本人の漂流事件がきっかけだった。寛政六年五月一〇日、アリューシャン列島の小島に、仙台藩領石巻《いしのまき》の若宮丸《わかみやまる》が漂着したのである。若宮丸はこの前年の一一月末に、仙台藩の米や材木などを積み込んで江戸に向かったが、磐城《いわき》沖で暴風雨に遭遇し、半年近く漂流して流れ着いたのであった。乗組員は一六人。漂流中の死者はなかったが、現地のアリュートに保護された三日後、船頭の平兵衛《へいべえ》が死んだ。その数日後、この島にいたロシア人がやってきて漂流民を保護した。さらに一年後の一七九五年五月一〇日（ロシア暦。寛政七年四月三日。以下、ロシア滞在中はロシア暦で示す）、一五人はロシア船に乗せられてオホーツクへと出航した。

漂流民を保護したロシア人とは、イルクーツクに本社を置くシェリホフ・ゴリコフ会社の支配人デラロフであった。シェリホフはラクスマンにも社員を同行させて日本との通商のチャンスをつかもうとし、前述のようにウルップ島に入植者を送り込み、対日交易の拠点づくりに力を入れていた。そのようなときに日本人漂流民が、彼らの懐に飛び込んできたことになる。デラロフもラクスマンによる漂流民送還を知っていたから、予定よりも早く猟場を引き揚げて、若宮丸漂流民をイルクーツクに伴ったのである。乗組員のひとり、津太夫《つだゆう》は、自分たちを助けるために猟なかばにして出航したロシア人に対して、神か仏かと涙を流して感謝したという。

オホーツクに着いたとき、漂流民たちは、ウルップ島への入植準備をしていた一団と会い、故国への手紙を託した。その手紙は入植団からアイヌへ渡され、寛政八年にアイヌからアッケシ（厚岸）の松前《まつまえ》藩役人に届けられたが、受け取りを拒否されたという。のち寛政一〇年にエトロフ島探検を行なった近藤重蔵《こんどうじゅうぞう》は、この手紙のことや、近いうちにロシア人が漂流日本人を送還してくるという情報をアイヌから入手している。ということは、若宮丸漂流民をオホーツクまで送り届けたデラロフが、その時点で日本送還の話をしていたからこそ伝わってきた情報だろう。シェリホフ・ゴリコフ会社の社員にとって日本人漂流民は、待ち望んでいた窮鳥だったということである。

後日談になるが、享和《きょうわ》元年（一八〇一）にウルップ島に調査に入った幕府役人の富山元十郎《とやまもとじゅうろう》らが、ロシア人入植団の統領ズヴェズドチェトフと会い、若宮丸漂流民の手紙を受け取った。残念ながらその手紙は残されていないが、先に松前藩役人が漂流民からの手紙を無断で返したことは幕府の不審をかい、蝦夷地《えぞち》を幕府直轄とする一因ともなった。漂流日本人がロシアから出した一通の手紙が、日本の政治を波立たせたのであった。

漂流民たちはオホーツク滞在中、日本から渡ってきたという米俵を見かけている。俵は間違いなく日本製だったというから、おそらくアイヌ交易を介してもたらされたのだろう。これまでの研究では、千島《ちしま》アイヌを介したカムチャツカ半島南部との交易関係、樺太《からふと》アイヌとアムール川下流の先住民サンタン（山丹〔ウリチ人の祖先〕）との交易関係が明らかにされているが、オホーツクにまで日本の産物が到達していたことは知られていなかった。米の到来ルートは不明ながら、北の交易世界の広がりを示す、漂流民の貴重な証言である。

競合する対日戦略

オホーツクにいた漂流民たちは、一七九五年九月から翌年七月の間に、三班に分けてイルクーツクに順次送致された。この少し前、一七九五年七月に、正使の日本派遣を申請していたシェリホフが

18

◉山丹人の進貢・交易　デレンにある満州仮府《まんしゅうかりふ》の進貢風景。山丹人が清《しん》国の役人に貂《てん》皮を献上すると、かわりに絹織物などが与えられた。（『東韃地方紀行《とうだっちほうきこう》』）

死去し、彼にかわってイルクーツク商人団の主導権を握ったステファン・キセリョフがキリル・ラクスマンに働きかけて、一二月、エカチェリーナ二世に漂流日本人の送還を上申させている。キリル・ラクスマンは女帝に、貿易品を積んだ船で日本人漂流民を送還するために、彼の息子アダム・ラクスマンが日本からもらってきた長崎入港許可証をキセリョフらに与えるよう要請したのである。

新たに着任したイルクーツク知事ナゲリも、キセリョフの要請を受けて国家会議に宛《あ》てて対日使節派遣を上申し、同会議は一七九六年五月、それを認めた答申をエカチェリーナ二世に提出した。その結果、女帝は七月、シベリア総督セリフォント中将に漂流民を日本に送還して通商関係を開くように命じたのであった。前に述べたように、シェリホフによる正使の日本派遣の申請に対して、女帝はすぐに許可を与えなかった。しかし知事の申請を認めたのは、やはり日本人漂流民を手中にし、通商交渉の可能性が高まったと判断したからだろう。

このまま順調に進めば、若宮丸漂流民も翌年には日本に帰還できていたかもしれない。ところが、一七九六年一一月六日にエカチェリーナ二世が没したあと、イルクーツクをはじめとするシベリアの商人団から四種類の送還計画が提案された。その対立がロシア政府上層を巻き込んで激化したことから、送還事業も混迷を見せるようになってしまった。

送還計画のひとつはシェリホフ未亡人らのグループから出されたもので、イルクーツクの群小資本を糾合《きゅうごう》した露米会社（ロシア・アメリカ会社）の設立をめざし、同社に広東《カントン》・廈門《アモイ》・バタビア・フィリピン・日本との交易権を付与するよう政府に請願した。二つ目は、ステファン・キセリョフや、一七七九年にアッケシにシャバリンを送り込んで松前《まつまえ》藩に通商を求めたラストチキンらによるもので、独自の日本会社設立を提案している。三つ目はイルクーツクの中小商人たちのグループで、国有船による送還と乗員の均等配分などを主張した。ヤクーツクなどの商人からなる四つ目のグループは、キセリョフ派の日本会社に合流するとしている。

だが、一七九九年七月に露米会社の設立が認可され、対日交易の主導権をめぐるイルクーツク商人団の争いは、シェリホフ派に有利に展開した。同派の優位に決定的影響を与えたのが、ニコライ・レザーノフである。彼の父がイルクーツク地方裁判所の所長であったことから、シベリアとも縁が深く、レザーノフはシェリホフの娘アンナと結婚した。一七九五年にシェリホフが亡くなったあとは、シェリホフ未亡人を助けて露米会社の設立に尽力した。ペテルブルクに戻ってからは、元《げん》老院《ろういん》書記官長で正侍従の要職に就いている。

露米会社に二〇年間の北太平洋地域の独占的開発権と陸海軍による支援が与えられたのは、レザーノフのロビー活動によるところが大きい。かくして露米会社は、皇帝をはじめ政府高官や大商人らを大株主とする国策会社として発足することになった。

ただし、日本との通商や漂流民の送還については、シベリア商人だけではなく、ほかの関係者からも独

19

◉レザーノフ
日本との通商に失敗した彼は、露米会社支配下のアラスカの食料調達のため、スペイン領カリフォルニアとの交易を図る。

自の提案がなされていた。

たとえば一八〇二年一月、世界各地へ航海した経験をもつクルーゼンシュテルンは、バルト海から北太平洋のロシア植民地に物資を運び、同地の毛皮を広東に輸出して中国や東南アジアの産物をロシアに輸入する会社の設立と、この交易ルートを開発するための世界周航をモルノヴィドフ海軍大臣に提案した。同年二月には海軍准将サルィチェフも、太平洋岸のオホーツクやカムチャツカに陸のヤクーツクから高い輸送費をかけて物資を運ぶよりも、喜望峰《きぼうほう》経由で輸送船を派遣し、また長崎入港許可証を活用して隣国日本と交易することが望ましいと提言している。露米会社の総支配人レザーノフもまた、同社による世界周航と対日貿易の開始を提案していた。

こうして、カムチャツカ、アリューシャン、アラスカなど、北太平洋におけるロシアの新領土と、中国や日本とを海運によって連接し市場化するための壮大な構想が、シベリア商人や政府筋から盛り上がってきた。同年七月、アレクサンドル一世は世界周航探検を許可し、翌一八〇三年一月にはレザーノフが遣日使節に、クルーゼンシュテルンが船長に指名され、この構想の実現に向かって踏み出すことになった。

20

●出まわったロシア使節の木版画
文化元年（一八〇四）にロシア使節団が入港すると、長崎ではレザーノフやロシア船などを描いた木版画などが多数つくられ、全国に流れた。（『魯西亜《ロシア》船幷人物之図《せんならびにじんぶつのず》』）

漂流民送還とロシアの意図

若宮丸《わかみやまる》漂流民の日本送還が決まり、当時生存していた一三人がイルクーツクを発《た》ってペテルブルクに向かったのは、一八〇三年四月一六日のことだった。イルクーツクに到着してから、足かけ八年もの時間がたっていた。しかし悪路の長旅のために、体調を崩した三人が脱落し、帝都ペテルブルクに入ったときには一〇人になっていた。宿泊所は、商務大臣ルミャンツェフ邸である。日本との通商を開く、賓客としての待遇であった。

漂流民たちをさらに驚かせたのは、皇帝アレクサンドル一世に引見されたことである。大黒屋光《だいこくやこう》太夫《だゆう》もエカチェリーナ二世に謁見したとき、相当に緊張したというが、若宮丸漂流民も同様だっただろう。だが、皇帝に帰国の意思を表明したのは、津太夫《つだゆう》、儀兵衛《ぎへえ》、太十郎《たじゆうろう》、左平《さへい》の四人にすぎなかった。残りの六人は長い航海への不安を理由に、ロシアにとどまると返答した。九年に及ぶロシア生活のなかでロシア正教の洗礼を受けていたり、ロシア人女性と結婚するなど、残留を選択せざるをえない、それぞれの理由があったのだろう。

出航に先立ち、ルミャンツェフ商務大臣がレザーノフに与えた訓令をみると、日本では使節としていかにふるまうべきか、予想される質問にどう答えるかといったことをはじめ、もし希望どおりの待遇を受けないとしても、いかなる不満をも表明してはならないと、自制的な態度を求めている。ロシアの宗教について問われたならば、ローマ教皇には従属していないと答えよ、ともある。これはカトリックを禁教とする日本の国是を意識したものであった。ロシアは幕府が忌み嫌うカトリックではないから、通商の資格があるというメッセージである。

高貴な人物の前では日本の慣習に従うべし、皇帝への謁見が許されたなら剣をはずし脱帽すべし、等々、細かな指示が連ねられていた。宗教的皇帝（天皇）は豪華かつ威厳のある生活を送っているが、人々の間では忘れられているので、彼との接見を決して懇請してはならないという指示もある。ラクスマンの経験も活《い》かされているのだろうが、オランダ経由の情報をもとに、日本の政情や儀礼などのあり方が、かなり詳しく分析されている。

対日交渉の内容で注目しておきたいのは、バタビアにあるオランダ東インド会社が崩壊したので競争相手としてオランダが脱落し、日本と通商を開くことになるであろうと、楽観的観測が述べられていることである。オランダ本国は一七九五年にフランス軍に占領されて属国となり、一七九九年にはバタビアのオランダ東インド会社も解散を余儀なくされた。この混乱のなかでオランダの海外植民地の多くは、フランスと対抗するイギリスに接収されてしまった。ルミャンツェフ商務大臣はこうした世界情勢をふまえて、いまこそオランダにかわってロシアが日本との通商を可能にするチャンスだと認識していたのである。

交渉の具体的目標としては、ロシア船の長崎入港は一隻《せき》以上の許可を得るように努力し、もし一隻のみであれば交易地は松前《まつまえ》とすること、とある。地理的には長崎よりも松前のほうが望ましいからだが、おそらく長崎でのオランダとの競合を避ける意図もあったに違いない。もし松前での交易が許されない場合には、ウルップ島でアイヌを介して交易する方法があるとも指摘されている。アイヌ仲介貿易になれば直接貿易よりも不利だろうが、それでも何かと制約の多い長崎よりは望ましいと考えていたようだ。カラフトや琉球《りゅうきゅう》の所属はどうなっているのか、日本人はアムール川に関心をもっているかどうかなど、領土的な調査もレザーノフの課題とされていた。

レザーノフは、たんに日本に通商を求めるためだけにやってきたのではなく、東アジア情報を広範に収集することも、重要な任務としていたのである。レザーノフの遣日使節任命とほぼ同時期に、ユーリー・ゴロフキン伯爵が中国使節に任命され、ロシア船の広東《カントン》入港やアムール川河口における交易地開設などの交渉のために陸路中国に向かった。この交渉は失敗するが、こうしたロシアの動きをみると、一七世紀末から本格化した北太平洋進出の段階を超えて、壮大な環太平洋交易構想の実現に向けた動きが本格化していることがわかる。日本へのアプローチは、その一環であった。

21

◉デレンでの交易風景
間宮林蔵《まみやりんぞう》によると、アムール川下流にあるデレンには、朝鮮やロシアの境界地域からも交易にやってきたとある。（『東韃地方紀行《とうだっちほうきこう》』）

世界一周の旅へ

帰国組四人を乗せたナジェジダ号と僚船ネヴァ号が、ペテルブルクの外港クロンシュタットを出航したのは、一八〇三年七月二二日のことであった。残留組だが、すでに日本語通訳になっていた善六《ぜんろく》も、長崎での日ロ交渉に備えてナジェジダ号に乗り込んだ。その行程は、出航してから長崎に入港するまで一年二か月の長旅となった。石巻《いしのまき》港を出帆してからアリューシャン列島に漂着し、オホーツク、イルクーツク、ペテルブルクへと、ユーラシア大陸を横断してきた。皇帝の許しを得たペテルブルクからは、大西洋と太平洋を越えて日本に向かうことになった。若宮丸《わかみやまる》漂流民は期せずして、世界を一周することになったのである。

　漂流民たちは、航海の途上、世界史の流れと確実にクロスした。ナジェジダ号がコペンハーゲンを出帆したのは九月三日だが、ドーバー海峡にさしかかった九月一一日の夜、突然イギリス軍艦から砲撃を受けた。幸い砲弾はそれたが、フランス船と間違えて砲撃されたのだ。

　一七八九年のフランス革命後、フランスは周辺諸国と戦争状態に入るが、一八〇三年に始まったナポレオン戦争では、イギリス、オーストリア、ロシア、プロイセンなどが対仏大同盟を結んでフランスに対抗した。そうした緊張関係のなかでの誤爆

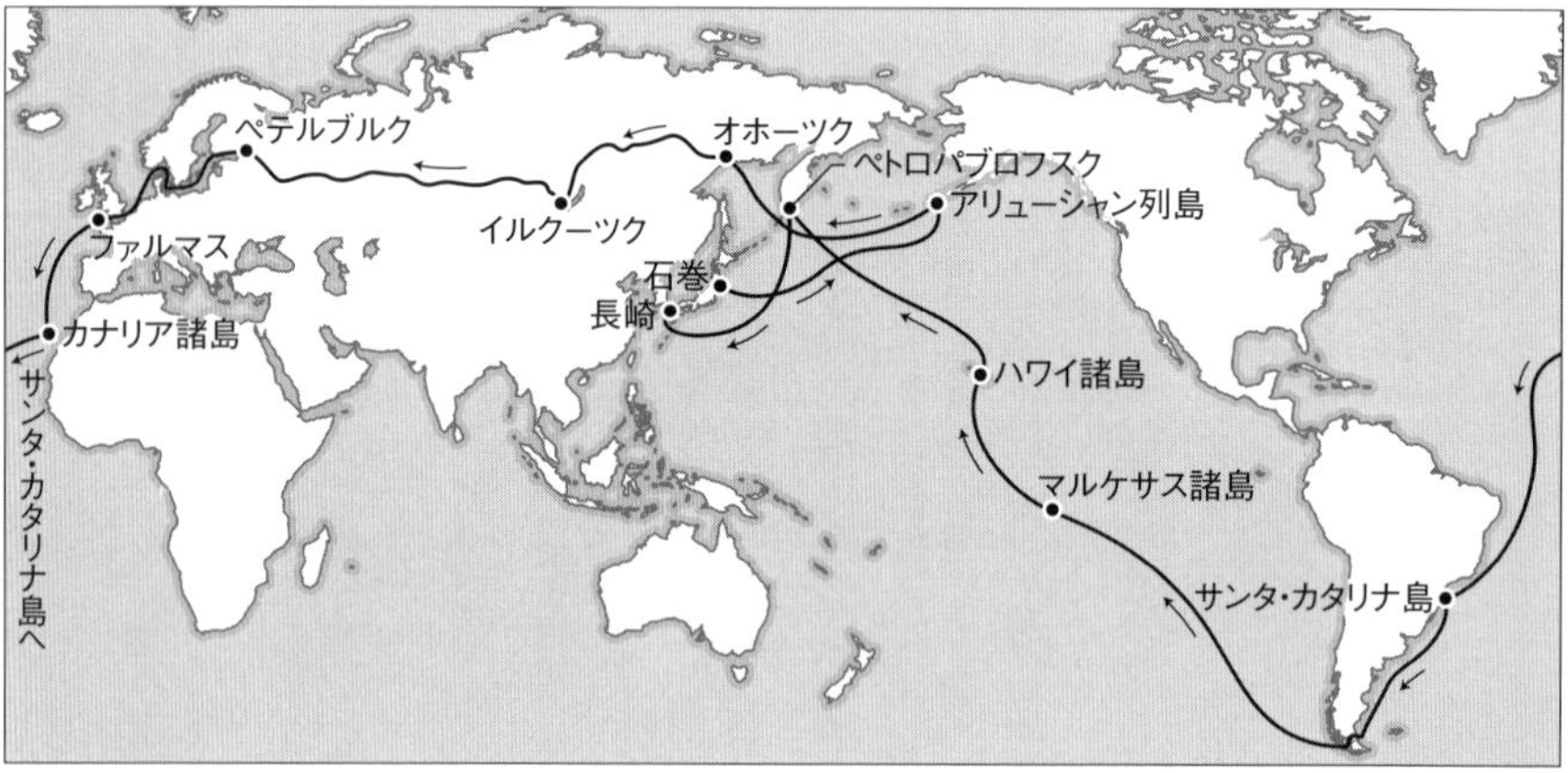

であった。イギリス側はひたすら謝罪したというが、命中していれば沈没していただろう。危機一髪であった。レザーノフは抗議のためにイギリス船に乗り込んで、そのままロンドンに向かい、数日後に帰船した。

のちに漂流民からこの話を聞いた蘭学者《らんがくしゃ》の大槻玄沢《おおつきげんたく》は、レザーノフがロンドンに出向いて厳重に抗議したと理解したようだ。イギリスを屈服させるほどの大国ロシアとは和親したほうがよい、という玄沢の主張は、ここから生まれることになった。レザーノフがロンドンで名所を見学したことはわかっているが、残念ながら政治的な活動については不明である。とはいえ、漂流民のもたらした情報が、蘭学第一人者の対外観に大きな影響を与えたことは間違いない。

イギリス南部のファルマスを出航したナジェジダ号は大西洋へと乗りだし、一二月九日にブラジルのサンタ・カタリナ港に入った。ここを翌年一月二三日に出ると、南アメリカ大陸の最南端ホーン岬を回航して太平洋に乗り入れ、四月二四日にマルケサス諸島のヌクヒヴァ島に着いた。ここで全身に入れ墨を彫り込んだ、裸体の男女を見る。次ページの図はナジェジダ号に乗り組んだ博物学者ラングスドルフが描いたマルケサスの男性と、『環海異聞《かんかいいぶん》』に掲載されたマルケサス人男女の図である。男性は頭上の二か所で髪を束ねて角《つの》のように見せかけ、額からつま先まで入れ墨をしている。これを見た漂流民は、まるで鬼のようだと評した。だが、女性は手の部分にしか入れ墨をしていない。同島の女性の入れ墨の特徴をとらえており、若宮丸漂流民らの観察が正確だったことを示して

◉若宮丸乗組員の世界一周
ロシアを出航してから長崎に入港するまで一四か月。四人の日本人は、イギリスやブラジルを見、南洋の世界を体験して帰国した。

いる。
『環海異聞』は、ヌクヒヴァ島の女性たちを船にあげて船員たちが同衾《どうきん》し、鉄片などを渡すと島の男女が協力的になったと書いている。訪問者に女性を提供する、ポリネシアの「女貸し」あるいは売春交易といわれる習俗であった。島の男性たちが平然としていたのは、これによって、貴重な物品を手に入れることができるからだという。『環海異聞』は食人の習慣も書きとめているが、クルーゼンシュテルンによると、島民は毎日のように頭蓋骨《ずがいこつ》を持ってきて物品との交換を求めたという。漂流民の観察もまた、民族誌として南洋の過去を照らしている。

ハワイに向かう途中、赤道を通過するときに、船中では「世界の真ん中だ」と祝杯をあげたという。イギリスから大西洋を南下したときも、赤道下で祝宴を開いている。大槻玄沢の依頼を受けて『環海異聞』の編纂《へんさん》を手伝った天文学者の間重富《はざましげとみ》は、「我が東方の人」である日本人が二度も赤道を通過したのは、「開闢千古《かいびやくせんこ》、未曾有《みぞう》の事なり」と感嘆した。

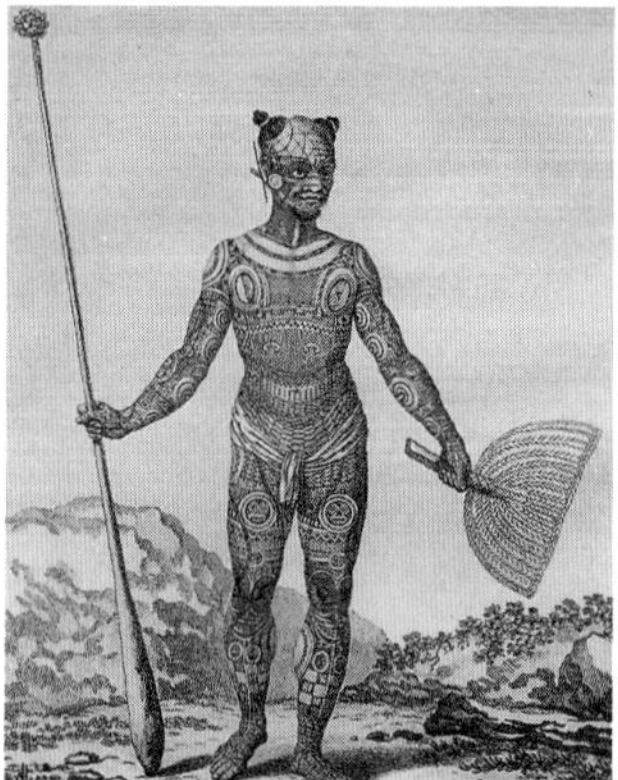
22

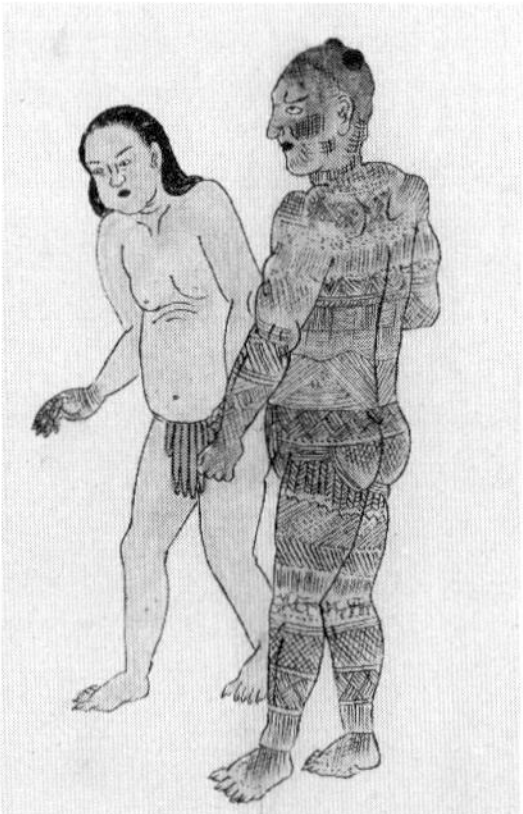
23

◉マルケサス諸島の人物図
右はラングスドルフ画、左は『環海異聞』の挿絵。漂流民の話と長崎に入ってきた「万国人物図」などを突き合わせて作成したと思われる。『環海異聞』の絵師は松原右仲《まつばらうちゅう》。

ナジェジダ号と金銀島探索

北太平洋を航行するにあたり、船長のクルーゼンシュテルンには商務大臣ルミャンツェフから、もうひとつの使命が与えられていた。日本の東方沖にあるとされている金銀島の探索である。マルコ・ポーロの黄金の島ジパング伝説に由来するが、慶長《けいちょう》一七年（一六一二）に来日したスペインの探検家ビスカイノは徳川家康《とくがわいえやす》の許しを得て、日本の東海、北緯四〇度付近で金銀島の探索を行なっている。その後も寛永《かんえい》一六年（一六三九）と二〇年に、オランダ船が北緯三七度付近を探検したが発見できなかった。

　じつは一七八七年に日本海を北上したフランスのラペルーズも、北太平洋探検の目的のひとつに、この金銀島の探索があった。彼の「探検遠征企画書」には、北緯三七度二分の一、日本から東に二八度ほどの海域に金銀島があるはずだと記されていた。ラペルーズは日本海を抜けてカムチャツカに進み、そこから太平洋を南下して、北緯三七度三〇分に到達した。この緯度を維持しながら東に経度一八〇度二〇分まで進んだが、何も発見することはできなかった。

　商務大臣ルミャンツェフはクルーゼンシュテルンに対し、過去の探検の成果をよく分析して北緯三〇度から四〇度の航路を

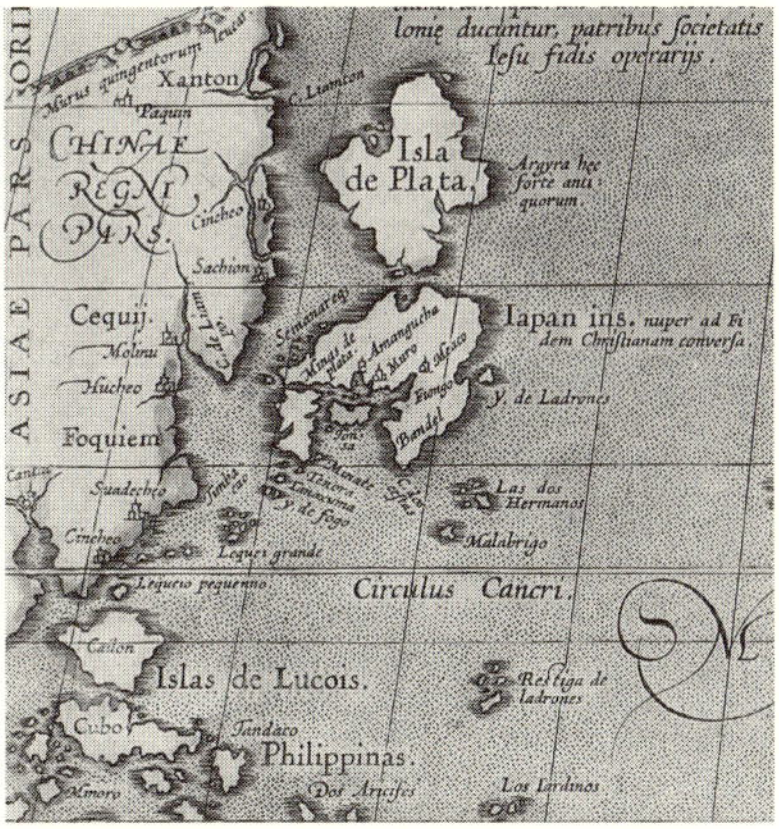

24

●ヨーロッパの地図に描かれた「ジパング」
オルテリウス編『世界の舞台』（一五八九年版）の「太平洋図」には、北海道と思われる島にスペイン語で「銀島」と書かれている。

進み、金銀島発見の栄誉を彼が得るように鼓舞している。五月二九日にハワイを発ち、北緯三六度に至ったナジェジダ号は、ここから西に舵《かじ》をきったが、濃霧に眺望を阻まれて何も発見することができないまま、七月一四日、カムチャツカのペトロパブロフスク港に入った。

金銀島は、太平洋に進出した国々や探検家が執着しつづけた幻の島であった。日本への使節と日本人漂流民を乗せたナジェジダ号が、その夢を求めて日本の東方沖を走りつづけたことは、これまでほとんど知られていない。

カムチャツカから長崎へ

ペトロパブロフスク港をナジェジダ号が出発したのは、一八〇四年八月二五日であった。だが、ここまで乗船してきた残留組の善六《ぜんろく》はレザーノフに下船を命じられた。日本人がロシア側の通訳として長崎に行った場合、キリスト教に入信した日本人ということで幕府に罰せられ、通商交渉に支障が出ることを恐れたからだ。

日本列島の太平洋側を南下し、薩摩《さつま》沖を迂回《うかい》して長崎湾に入ったのは一八〇四年一〇月九日（文化《ぶんか》元年九月六日）だった。

25

幕府は、ただちに警備船数百艘《そう》を出してナジェジダ号を包囲した。ロシア人たちは警備の厳重さに驚いていたと、のちに漂流民が語っている。

ロシアを出発するにあたってレザーノフは、ペテルブルク駐在のオランダ公使に長崎オランダ商館長宛《あて》の紹介状をもらっていたので、来航情報はオランダ東インド総督を経て長崎オランダ商館長に届いていた。商館長は海外情報を幕府に知らせる「風説書《ふうせつがき》」にこのことを記載してロシア船来航を予告していたから、幕府は警備態勢を敷いて待ち構えていたのである。長崎奉行所役人の臨検《りんけん》を受けたロシア船は、ただちに武装解除され、鉄砲や刀剣、焰硝《えんしょう》（火薬）などの武器類が長崎奉行に預けられた。

ロシア使節一行は厳重な監視下に置かれ、与えられた宿舎から街なかへは一歩も出ることができなかった。しかもロシア皇帝からの国書奉呈に対する江戸からの指示が、なかなかこなかったために、レザーノフは苛立《いらだ》ちをつのらせた。ルミャンツェフ商務大臣からは何事があっても隠忍自重せよとの指示を受け

26

◉ナジェジダ号とレザーノフ使節団一行
長崎に来航したナジェジダ号（右）のロシア人一行は、使節や通訳・学者・画家・商人など一九人、武卒八人、船員五四人の合計八一人であった。（『ロシア使節レザノフ来航絵巻』）

ていたので、レザーノフはひたすら待ちつづけるしかなかった。

日本の地を目の前にして上陸が許されない漂流民にとっても、苦痛の日々となった。長崎奉行所が引き渡しを求めたにもかかわらず、レザーノフは幕府交渉の大事な手駒を失うことを恐れ、漂流民を解放しなかったのである。

長崎通詞《つうじ》から、先に帰国した大黒屋《だいこくや》光太夫《こうだゆう》は幽閉されていると聞いた漂流民たちは、歓迎されざる身であることを悲嘆しはじめた。この苦しみに耐えられなくなった太十郎《たじゅうろう》が、ついに一二月一七日、小刀で喉《のど》を突き、自殺をはかった。一命はとりとめたものの、以後彼は声を発することができなくなった。動転したレザーノフは漂流民の引き渡しを伝えるが、今度は奉行所が江戸からの指示がないので受け取れないと断わっている。漂流民は、両国の駆け引きに翻弄《ほんろう》された。

光太夫幽閉という情報は、彼が生国の伊勢《いせ》には戻されず、江戸の番《ばん》町《ちょう》（東京都千代田《ちよだ》区）にある薬園内に住居を与えられたことが誤って伝えられたのだろう。幕府は光太夫と磯吉《いそきち》に、報奨金として金三〇両のほか、養い金として光太夫には毎月三両、磯吉には二両を与えている。こうした破格の待遇を与えたのは、貴重なロシア情報をもつ両人を幕府の膝下《ひざもと》に置いておくためであった。光太夫が蘭学《らんがく》者たちと自由に交際し、

27

28

◉大黒屋光太夫と磯吉
光太夫（右）は六五歳のときの肖像。磯吉（左）が帰国後も総髪のままだったのは、ロシア装束に合わせるためだったのかもしれない。

磯吉もあちこちでロシア話を披露しているように、彼らは幽閉されてはいなかったのである。

幕府からの使者が長崎に到着し、レザーノフと対面したのは文化二年三月六日のことである。長崎に入港して、足かけ半年が過ぎていた。幕府の使者は通商の不可なることを伝え、漂流民送還の謝礼として米一〇〇俵と塩二〇〇〇俵、船員への慰労として真綿二〇〇〇斤《きん》を与えた。漂流民四人を奉行所に引き渡し、ナジェジダ号が長崎を去ったのは三月一六日のことであった。レザーノフの『日本滞在日記』では、淡々と事の経緯が記されているが、彼のはらわたは煮えくり返る思いに満ちていた。それがのちのフヴォストフによる北方襲撃事件につながっていくのである。

29

◉新年会に招かれた光太夫と磯吉
大槻玄沢《おおつきげんたく》が開いた蘭学塾芝蘭堂《しらんどう》の新元会（オランダ正月）。ロシア服姿で椅子に座っているのが磯吉。ロシア文字で「一月」と書いた紙を持った左端の人物が光太夫。

通商拒否に落胆した人々

幕府の特使から通商拒否を通告されたあと、レザーノフの『日本滞在日記』には、彼のまわりにいた日本人の反応が記されている。ロシア使節一行が滞在した長崎梅ヶ《うめが》崎《さき》の宿舎は、佐賀藩と福岡藩が警備にあたっていたが、顔なじみになった藩士は、「幕府はいったい全体、なんということをしたのだ」と大きな不満をもったという。毎日顔を合わせて親しみをもつようになったロシア人が、すげなく追い返されることになったのだから、同情を禁じえなかったに違いない。レザーノフの記事で興味深いのは、長崎の住民や、貿易を目当てに長崎以外からやってきたたくさんの商人たちにも不満が広がったとある点だ。のちにロシアに拉致《らち》されてカムチャツカに連行された高田《たかだ》屋嘉兵衛《やかへえ》もまた、ロシア士官リコルドに、レザーノフに対する幕府の拒否回答には多くの日本人が落胆したと証言している。

この時期はヨーロッパにおいて、フランス、オランダ、イギリスが交戦状態にあった。アジアでも、オランダの拠点であるバタビアがイギリス艦隊の攻撃を受けたことから、オランダ船の長崎入港が途絶えがちであった。そのため日本の商人たちは、レザーノフの来航によって、新たにロシアとの交易が開かれるかもしれないと期待したのだろう。レザーノフとの交渉にあたった通詞《つうじ》たちも、ラクスマンに与えた信牌《しんぱい》は貿易許可証であると考えていただけに、「こんな決定になるとは思ってもいなかった」と憤懣《ふんまん》を口にした。

長崎通詞が語った通商拒否の理由

長崎通詞《つうじ》はレザーノフに対して、通商拒否の理由を、通商派である有力老中《ろうじゅう》の死去と通商反対派

30

●使節の宿舎、梅ヶ崎仮屋敷
ロシア人の宿舎は、海陸から見張られていたが、レザーノフの日記には見物人としばしば会話した記事がある。(『ロシア使節レザノフ来航絵巻』)

である老中戸田氏教《とだうじのり》の台頭、さらに天皇による介入があったためだと説明した。しかも通商を容認しようとしていた将軍に対して、戸田が天皇と通じて巻き返しをはかったというのである。通詞は、レザーノフの来航に伴って、幕府内および将軍と天皇との間に対立が発生したという驚くべき内容を、ロシア側に伝えたのであった。

通商派である有力老中とは松平定信《まつだいらさだのぶ》のことだろうが、彼は死去したのではなく退任したのであった。一方、戸田氏教が通商拒否を主張したというのは間違いではない。しかし、この時期に天皇が幕府の対外政策に容喙《ようかい》したという重大な事実は、現段階では確認されていない。

では、これは通詞の出まかせだったのだろうか。そうではない。レザーノフと顔なじみになった長崎の警備兵も通詞と同様、天皇の許可がなければロシアとの通商はできないと、レザーノフに語っていた。江戸の情報屋こと藤岡屋由蔵《ふじおかやよしぞう》が書き残した『藤岡屋日記』の文化《ぶんか》二年（一八〇五）三月条にも、通商拒否に天皇が同意したかのような記事がある。長崎から遠く離れた江戸でも、天皇の関与が広く噂《うわさ》されていたのであった。

これまで、文化露寇《ろこう》事件を幕府が朝廷に報告したことが天皇権威浮上のきっかけとされているが、外交問題への具体的介入は、弘化《こうか》三年（一八四六）に朝廷が幕府に海防強化の勅書を出したことに始まるとされてきた。文化露寇事件とは、後述するが、一八〇六年と〇七年に発生したロシアによるカラフト・エトロフなどの日本人入植地襲撃事件のことである。ところが『藤岡屋日記』などによれば、それよりも早く、レザーノフが来航した文化元年段階で、天皇が幕府の外交政策に介入し、しかも天皇こそが外交権の最終権限をもつと認識されていたのであった。これは、従来の研究では十分にとらえられていなかった政治状況であり、社会認識である。

徳川家康《とくがわいえやす》以来、朝廷は幕府に封じ込められていた。だが天明期《てんめい》（一七八〇年代）以降、朝廷が朝儀《ちょうぎ》再興などの能動的な動きを見せ、儒学や国学からも尊王論が高まってきたことから、天皇権威が徐々に浮上しはじめていた。幕府は朝廷から政務を委任されているという大政委任論を老中松平定信がとなえたのは、こうした動きへの巻き返しだったというのが、従来の有力な見解であった。

幕府は、この大政委任論によって政務担当の正当性を確保したことになるが、通詞や警備兵の発言からみると、定信の思惑《おもわく》とは異なって、天皇が外交権を含めた最高決定権をもつという認識が根強く存在していたことがわかる。文化露寇事件の際、ロシア海軍士官フヴォストフが捕縛した日本人商人ですら、将軍と天皇の間で不和が増大し、日本には内紛があると語ったといわれており、こうした認識は当時の日本社会に相当広まっていたとみてよいだろう。

松平定信があえて大政委任論を主張したのは、朝廷や尊王論者を牽制《けんせい》するためだけではなく、社会に広がるこうした「天皇―将軍」認識に対抗するという要素があったのかもしれない。

尊号事件とレザーノフ来航

それにしても、天皇によるロシア通商反対という言動は、いまのところ史実としては確認することができない。にもかかわらず、ではなぜ、そうした噂や情報が飛び交うことになったのだろうか。

意外なことにみえるかもしれないが、これより少し前に朝廷と幕府との間に発生した尊号《そんごう》事件が、これに関係している可能性がある。

寛政《かんせい》元年（一七八九）のことだが、時の光格《こうかく》天皇は生父の閑院宮典仁《かんいんのみやすけひと》親王に太上《だじょう》天皇の尊号を贈りたいという希望を幕府に伝えた。だが老中《ろうじゅう》松平定信《まつだいらさだのぶ》は、皇位にも就かず皇統を継がなかった者が太上天皇になった前例はないという理由で、これに反対した。しかし天皇は寛政四年、公卿《くぎょう》の多数が賛成しているとして尊号宣下を強行しようとしたため、定信は武家《ぶけ》伝奏《でんそう》正親町公明《おおぎまちきんあきら》と議奏《ぎそう》中山愛親《なかやまなるちか》らを江戸に召喚して糾弾した。これに押された光格天皇は、ついに尊号宣下を断念せざるをえなかった。これが世にいう尊号事件である。

ところが、この事件を題材にした『中山夢物語《なかやまゆめものがたり》』や『中山亜相東下《なかやまあしょうあずまくだり》記《のき》』など、実録物の筋立ては、史実とは逆に、中山愛親が松平定信を論破し意気揚々と京都に帰ることになっていた。尊号事件に関する実録物は数種類が出版され、貸本屋などを通じて全国的に流布したが、享和《きょうわ》期（一八〇一〜〇四）に幕府は『中山物語』を禁書にし、文化《ぶんか》一三年（一八一六）にはこれを演じた講談師を逮捕したという。とはいえ、この物語を見聞きした人々は、幕府を圧倒する朝廷の姿を真実のものと理解したに違いない。

尊号事件でもうひとつ重要だと思われるのは、幕閣《ばっかく》内部の対立であ

31

◉光格天皇
途絶えたり簡素化されていた朝廷の神事・朝儀の再興と復古に取り組み、天皇権威の復権に努めた。

る。公家《くげ》の処分をめぐって老中首座の松平定信は、朝廷に事前通告することなく、幕府が公家の処分をすべきだと主張した。これに対し老中の松平信明《のぶあきら》らは、朝廷との「公武《こうぶ》融和」に配慮して事前に通告すべきだと主張し、対立したという。

　こうしてみると、尊号事件をめぐっては、実録物を通して、朝廷・天皇の意志の貫徹、すなわち朝廷は幕府に優越しているという情報が流れ、事実関係では天皇への事前報告をめぐって幕閣内部に対立があったということになる。注目しておきたいのは、この関係が、レザーノフ来航をめぐる幕府の対応としてロシア史料が描く構図と類似している点である。

　レザーノフの『日本滞在日記』によれば、ラクスマン来航時に将軍の側近である「デワサマ」（出羽様）は、ラクスマンに与える長崎入港許可証（信牌《しんぱい》）について、天皇に知らせる必要はないとしたのに対して、レザーノフ来航時には主要幕閣である「デワサマの敵」が天皇の同意が必要だと主張して朝廷に連絡したことになっている。連絡を受けた天皇は激怒してロシアとの通商に反対し、将軍は通商方針の撤回を余儀なくされた、

32

●光格天皇の即位式
光格天皇はわずか九歳で即位。一七歳のとき、天明《てんめい》の飢饉《ききん》に苦しむ窮民救済を幕府に申し入れるなど、君主意識が強かった。

というものであった。ここにいう「デワサマ」は仮称だが、松平定信に比定される。

かくしてレザーノフ日記のポイントは、第一に天皇への事前報告をめぐって幕府内部に対立があったこと、第二に天皇の意志が将軍の意志に優越した、という点にある。もちろんこれらの情報は、長崎通詞《つうじ》からレザーノフにもたらされたものである。

このようにみてくると、尊号事件とレザーノフ来航をめぐっては、幕府内部の対立および天皇と将軍の関係について、類似した構図の情報が社会に流れていたことになる。いずれも天皇・朝廷側が将軍・幕府側を圧倒し翻弄《ほんろう》したという情報であった。すなわち、尊号事件をめぐって実録物が流した朝廷優越の構図がレザーノフへの対応へと投影され、天皇の反対によって通商方針が逆転してしまったという話になったのではないかと推定されるのである。その理由は不明だが、松平定信政権で方向づけられていた通商開始が、レザーノフを半年も待たせたあげく通商拒否に大転換したため、その背後に、何か大きな力が働いたと世間では見なしたのではないだろうか。その力こそ天皇だと、当時の人々は考えたのだと思われる。

だとするならば、当時の社会において、幕府と朝廷は緊張関係を強めており、なおかつ天皇は権威的にも政治的にも将軍を超える存在として認識されていたということになる。レザーノフ来航は、たんなる外交問題として人々に認識されたのではなく、尊号事件と響きあうことによって、天皇と将軍の位置関係を見定める格好の対象として噂《うわさ》されたのであった。江戸時代後期に、なぜ天皇権威が浮上してくるのか。要素は複雑だといわなければならない。

「帝国」としての近世日本

日本は「世界七帝国」のひとつだった

大黒屋《だいこくや》光太夫《こうだゆう》の異国体験は、光太夫自身に日本を外から見つめ直させることになったが、歴史研究者にとっても、江戸時代の日本が世界史的にはどのような位置にあったのかを見直させる、いくつもの要素を提供している。

その最大のものは、ヨーロッパでは日本を世界「七帝国」のひとつだと認識していたということである。大黒屋光太夫の漂流記である『北槎聞略《ほくさぶんりゃく》』（寛政《かんせい》六年〔一七九四〕）には、「世界には四大州あり（アジア州、ヨーロッパ州、アフリカ州、アメリカ州）、そのうち『帝号』を称する国はわずかに七国にて、『皇朝』（日本）はそのひとつだ」とある。これは光太夫の自尊意識のなせるものではなく、光太夫がペテルブルク滞在中に知った、ロシアおよびヨーロッパがもつ日本認識であった。外国との交わりも極小に制限して、ひたすら閉じこもっているかにみえるわが日本が、世界「七帝国」のひとつだと聞いた光太夫は、さぞかし驚いたことだろう。

では、その「七帝国」とはどこか。

光太夫からロシア漂流譚《たん》を聞き取り、その情報を当時の海外知識と照合して完成させたのが『北槎聞略』だが、その著者桂川甫周《かつらがわほしゅう》は、ドイツ人であるヨハン・ヒュブネルが著わし、日本の蘭学者《らんがく》の西洋認識に大きな影響を与えた『ゼオガラヒ』（一七六九年、アムステルダム刊）やその他の地理書を参照しながら、四大州における帝国と王国を書き分けている。

ヨーロッパでは、ロシア、ゲルマニア（ドイツ、神聖ローマ帝国）、トルコの三か国が「皇帝統御の国」、すなわち帝国とされていた。このほかのポルトガルやイスパニア（スペイン）やイギリス、フランスなどは「王侯所理の国」、すなわち王国にすぎなかった。一方アジアでは、支那《しな》（清《しん》国）、ペルシャ、インド（ムガール王朝）のほかに、なんと日本を加えた四か国が帝国とされていたのである。アフリカとアメリカに帝国はない。

光太夫は、こう説明している。「帝号を称する国をイムペラトルスコイ（帝国）といひ、王爵の国をコロレプスツワ（王国）といふ」と。国家の格としては、もちろん帝国が上であった。桂川甫周を驚かせた光太夫の話を、もう少し紹介しておこう。

キリル・ラクスマンと一緒にペテルブルクに行った光太夫は、滞在中に七回もエカチェリーナ二世に召し出されたという。これだけでも異例なことだが、ある日、皇太子に招待され

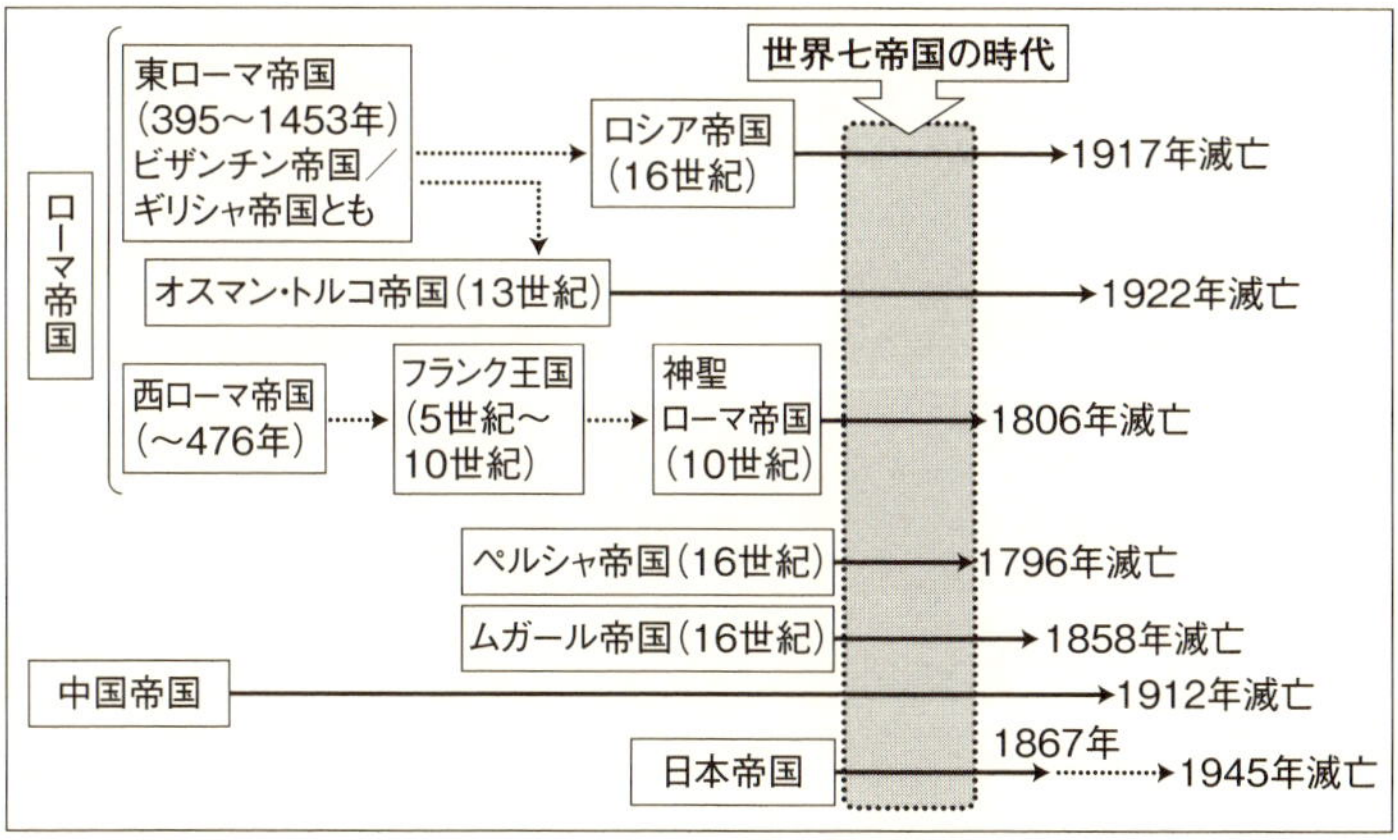

◉七帝国の系譜
七帝国のうち、日本が最後まで残った帝国となった。現代は新たな「帝国」が世界を跋扈《ばっこ》している。

たときに、馬八頭びきで総金箔《きんぱく》の馬車で送られた。宿舎の者は皇太子の行啓かと大あわてになったが、馬車から出てきたのが光太夫だったので仰天したという。

ほかにも貴族や高官の邸宅にしばしば招かれて接待を受け、諸侯と馬車に同乗して名所見物にも行ったとある。日本人へのものめずらしさや漂流譚に対する関心もあったのだろうが、歓待の理由はつぎの逸話のなかに見いだせるかもしれない。

「ペテルブルクで他国の者と会ったとき、互いに、そこもとは『何爵の国か』と尋ね合う。『コロレプスツワ』（王国）なりといえば、どうということもないが、『イムペラトルスコイ』（帝国）だといえば、すぐに威儀を正して上座を譲ってくれた」

この話を聞いた桂川甫周は、「皇朝」日本が「七帝国」のひとつだからこそ、光太夫はどこに行っても粗略にされなかったのだと納得した。漂流民光太夫はペテルブルクで、「帝国日本」を体現する存在となっていたのである。

なお、桂川のいう「皇朝」とは、天皇の王朝のことである。彼は、日本の皇帝は将軍ではなく天皇だという認識をもっていたことになる。これは知識人特有の認識ではなく、当時の日本人の一般的な認識だった。レザーノフが来航したときに、通詞《つうじ》や長崎警備にあたっていた福岡藩や佐賀藩の藩士たちは、外交の最終決定権は将軍ではなく天皇にあると認識していたからである。

若宮丸漂流民が持ち帰った「帝国」情報

「七帝国」情報を日本にもたらしたのは、大黒屋《だいこくや》光太夫《こうだゆう》だけではなかった。松前《まつまえ》でロシア使節に応対した幕府の小人目付《こびとめつけ》富山元十郎《とやまもとじゅうろう》（保高《やすたか》）も、ロシア人一行から得た情報を書き残しているが、そのメモのなかに、やはり「七帝国」の情報があった。国名の発音標記が『北槎《ほくさ》聞略《ぶんりゃく》』とは異なるので、この「七帝国」情報は大黒屋光太夫や桂川《かつらがわ》甫周《ほしゅう》とは別なルートから入手したものだと見なしてよい。富山もやはり、日本は「七帝国」のひとつだと聞いたのだった。

驚いたことに、大黒屋光太夫の帰国から一一年後、ロシアから送還された若宮丸《わかみやまる》漂流民も、日本に「帝国」情報を持ち帰っていた。仙台の藩医であり当代一流の蘭学者であった大槻玄沢《おおつきげんたく》が、帰国した若宮丸漂流民から異国情報を聞き取り、文化《ぶんか》四年（一八〇七）に『環海異聞《かんかいいぶん》』を編纂《へんさん》したのだが、そのなかに、「インペラトリ　帝爵　帝号の国」は世界に四か国あり、と記してあった。漂流民は、そのうちのひとつを失念したとして、ロシア、支那《しな》、日本の三か国の名前をあげたのである。

大槻玄沢は、漂流民が忘れた国は「ゼルマニア」（神聖ローマ帝国）だろうとしているが、さらにトルコとインド（ムガール）も「帝号なりと聞けり」と、長崎経由の西洋情報をもとに二か国を追加した。桂川甫周

33

●『漂民御覧の図』将軍徳川家斉《とくがわいえなり》は右上の御簾《みす》から、桂川甫周らが光太夫と磯吉に質問する様子を見ていた。休憩時にロシア服の衣装替えもした。

が入れたペルシャが抜けているが、ペルシャはすでに一七九八年に滅亡しており、大槻が『環海異聞』を編纂した時期には存在していなかった。そのために大槻は、六か国を「帝号」を称する国として認識することになった。

もちろん、日本は「六帝国」のひとつであった。若宮丸漂流民がしばしばロシア人から、「貴国は土地狭小なれども、インペラトリの国なり」と称賛されたことを聞いた大槻は、「わが日本は土壌狭小なりといえども、皇統一世、万古不易。帝爵の国号にして、他の諸邦に優れるもの、外域のもっとも尊重畏服《いふく》する所以《ゆえん》なり」と述べている。

大槻玄沢は、大黒屋光太夫が「七帝国」情報をもたらしたことを知っていたが、若宮丸漂流民からも、ロシアではわが日本が「インペラトリの国」として評価されていることを聞いて、世界における日本の位置づけを見直す、大きなきっかけにしたのだった。

34

◉大槻玄沢

『環海異聞』の作成には、間重富《はざましげとみ》（天文学者）、山村才助《やまむらさいすけ》（蘭学者）、松原右仲《まつばらうちゅう》（地理学者・絵師）ら、当代一流の学者が協力した。

「帝国」という訳語の誕生

日本が「帝国」であるという認識は、それまで日本にはなかったのだろうか。

日本におけるヨーロッパの体系的地理書としてもっとも古い新井白石《あらいはくせき》の『采覧異言《さいらんいげん》』（正徳《しょうとく》三年

（一七一三）成立）には、「インペラトル」をヨーロッパの「一総王」や「帝」と表記している。ローマ教皇も、「教化王」であった。同書の二年後に成稿した『西洋紀聞《せいようきぶん》』（正徳五年成立）では、「ゼルマニア」のことをヨーロッパの「大国」とし、「その君をインペラドールと称す」とある。これをみると、新井白石段階では、まだ「インペラトル」を「皇帝」とする訳語や「帝国」という語も使われていなかったことがわかる。「帝」であり「大国」という表現にとどまっていたのである。また、ロシアやトルコも「インペラトル」として把握されているわけではない。

　しかし、蘭学《らんがく》大名で有名な丹波国福知山《たんばのくにふくちやま》藩主の朽木昌綱《くつきまさつな》が著わした『泰西輿地図説《たいせいよちずせつ》』（寛政《かんせい》元年（一七八九）成立）をみると、ヨーロッパ州に「三つの帝国あり」として、イタリア（のちにウィーンに遷都した神聖ローマ帝国）、リュスラント（ロシア）、トルコをあげている。「ケイセル」は「王」、「モナルク」は「覇王」、「コヲニンキ」は「王」といった訳語もみえる。朽木段階（一七八〇年代）では、オランダ語の「Keizerdom」とい

文献名 / 帝国名	桂川甫周『北槎聞略』	「富山保高聞書」	大槻玄沢（漂流民情報）	大槻玄沢『環海異聞』
ロシア	ロシスコイ	ヲロシイスカヤ	オロシイスコイ	オロシイスコイ
神聖ローマ帝国	ゼルマニスコイ	ゲルマニア・リムスコヤ		ゼルマニア
トルコ	ヲトマニスコイ	ヲトマンスコヤ		ツルウエ
中国	キタイスコイ、支那	キイタイスカヤ、支那	ケタイスコイ、支那	ケタイスコイ、支那
ペルシャ	ペルシスコイ	ベルスダスカヤ		
ムガール	ウェリコイ・モギリスコイ	ウェリカヤ・モガリヤ		インデア
日本	ヤポンスコイ	ヤポンスカヤ	ヤツポンスコイ	ヤツポンスコイ

●文献にみる帝国とその表現
ヨーロッパの情報がオランダ以外からも伝わることによって、日本の世界認識は大きく飛躍していった。

う言葉に「帝国」という訳語も出現した。朽木は桂川甫周《かつらがわほしゅう》や大槻玄沢《おおつきげんたく》、中川順庵《なかがわじゅんあん》、司馬《しば》江漢《こうかん》など、当代一流の人材が集う蘭学サークルに属していたから、こうした訳語もこの蘭学サークルから生み出されてきたのではないだろうか。

新井白石段階との比較を可能にするのは、新たな世界地理情報をもとに新井白石の『采覧異言』を改訂した、山村才助《やまむらさいすけ》の『訂正増訳采覧異言』（享和《きょうわ》三年（一八〇三）刊）である。同書では、ラテン語で「イムペラトヲル」、オランダ語では「ケイゼル」にあたる存在を「帝者」と表現している。その「帝者」の支配する「大国」こそ「帝国」であった。ヨーロッパでは、神聖ローマ帝国、ロシア、トルコの三か国、アジアでは、支那《しな》とムガールの二か国を「帝国」としてあげている。「威徳隆盛」にして「諸邦を臣服」させる「帝国」は世界で五か国だということで、ここに日本は含まれていない。だが、この五か国のほかにも、諸種の西洋書のなかで「西人、また呼びて帝国とす」る国があるとしてあげたのが、つぎの六か国だった。中東・アフリカではペルシャ、エチオピア、モロッコ、アジアではシャム、日本、マタラム（ジャワ）である。

エンゲルベルト・ケンペルの『日本誌《にほんし》』を『鎖国論《さこくろん》』と訳して、その

国の勢力	国　名
諸邦を臣服させる大国	（ヨーロッパ）ゼルマニア、ムスコビア、トルコ （アジア）支那、ムガール
諸大邦	ペルシャ、エチオピア、モロッコ
自立した雄	シャム、日本、マタラム（ジャワ）

◉『訂正増訳采覧異言《さいらんいげん》』の「帝国」
ヨーロッパから伝わる諸種の情報を整理し体系化していくことで、日本に新しい学問が生み出されていった。

後の鎖国観形成に重大な役割を果たした志筑忠雄《しづきただお》の論も紹介しておこう。彼は『鎖国論』の注解のなかで、オランダ語で「ケイヅル」という「帝号」と称する存在を六つあげている。日本の「天子・公方《くぼう》」、支那の「帝」、都児格《トルコ》の「ミュルタン」、魯西亜《ロシア》の「カサル」、印度私当《インドスタン》の「莫臥児《モコル》」、熱《ゼ》爾馬泥亜《ルマニア》の「ケイツル」である。訳書『鎖国論』は享和元年の成立であるから、大槻玄沢とほぼ同時期になる。ここでは日本の天皇と将軍はいずれも「帝号」に該当する存在だと見なされていた。

以上のように、ヨーロッパの人士や地理書などにもとづいて日本に移入された「帝国」情報をみると、新井白石の『采覧異言』段階では「帝国」概念は未成熟な段階にあったといってよい。しかし、朽木昌綱の『泰西輿地図説』の段階では、「帝国」という表現が登場した。

そもそも「帝国」という用語は、隋《ずい》の王通《おうとう》が著わした『文中子《ぶんちゅうし》』にみることができるという。中国では、皇—帝—王—公を尊号の基本序列としていたが、『文中子』ではこれにもとづいて「強国は兵をもって戦い、覇国は智をもって戦い、王国は義をもって戦い、帝国は徳をもって戦い、皇国は無為をもって戦う」と、国をランク付けしている。天子が徳治《とくち》する国はまさに「帝国」なのだが、「皇国」は、なかば人間界を超越した霊界の神格としての「皇」によって、何をなさずともおのずから治められる国とされていた。

その『文中子』の和刻本が江戸時代中期に出版されていることから、「帝国」という語が日本の蘭学者にも知られるようになった可能性が高い。中国や日本の天子をエンペラーに比定し、天子の治める国を「帝国」と表現するに至ったのは、西洋と東洋の尊号と位階秩序に類似性があり、訳語として違和感なく適用することが可能だったからだろう。

「帝国」としての自己認識

「帝国」概念の成立とともに興味深いのは、どの国を帝国とするかについても、いくつかの考え方があったということである。桂川甫周《かつらがわほしゅう》の「七帝国」説、大槻玄沢《おおつきげんたく》の「六帝国」説のほかに、山村才助《やまむらさいすけ》はヨーロッパに「五帝国」説と「一一帝国」説があると紹介していた。「帝国」認識とはいっても、いくつかのパターンがあったのだ。そのなかで、「一一帝国」説と「七帝国」説、「六帝国」説には、明らかに日本が含まれていた。日本を「帝国」とする認識は、西洋において、ほぼ定着していたといってよい。

しかも、ここで注目しておきたいのは、「七帝国」情報は大黒屋《だいこくや》光《こう》太夫《だゆう》がロシアからの最新知見としてはじめて日本にもたらしたものであり、そのことが日本の蘭学《らんがく》者に「帝国」としての自己認識を醸成させていったと思われる点である。漂流民の異国体験や異国情報から、近年、日本人としての自己認識や異国認識のあり方に着目した研究が行なわれるようになってきたが、この「帝国」情報は、さすがに蘭学者も驚いたのではないだろうか。だからこそ、桂川甫周や大槻玄沢は西洋の諸書を

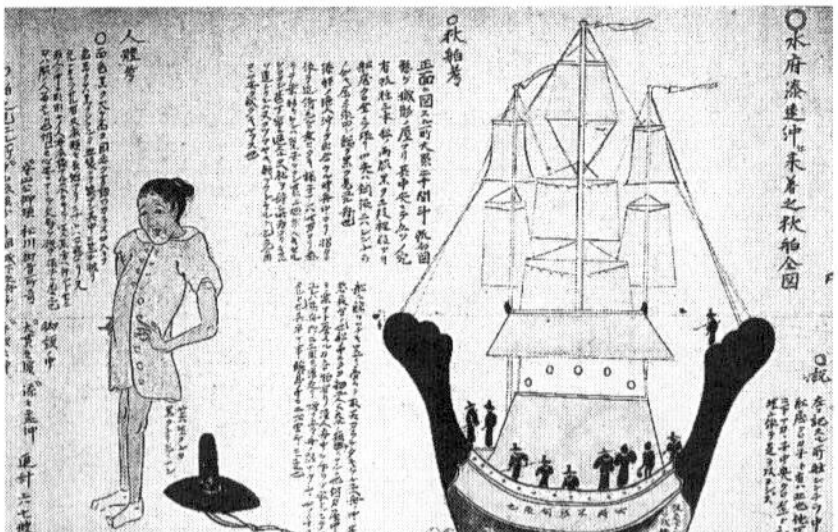

35

●大津浜に漂着したイギリス船
沖合いの本船は空砲をとどろかせて威嚇《いかく》し、船員の釈放を要求。食料補給のための上陸とわかり、イギリス人は釈放された。

調べて、世界の「帝国」認識を再確認したのだろう。
この「帝国」情報は、徐々に学者以外の世界にも広まっていったようだ。文政《ぶんせい》七年（一八二四）、常陸国《ひたちのくに》多《た》賀《が》郡の大津《おおつ》浜《はま》（北茨城市《きたいばらきし》）に鉄砲で武装したイギリス人一二人が上陸し、近くの民家に押し入って薪水《しんすい》を要求する事件が発生した。水戸藩はただちに藩兵を派遣してこれを捕らえたが、筆談役として派遣されたのは、同藩儒者の会沢正志《あいざわせいし》斎《さい》であった。イギリス人捕虜は、捕鯨のために来航したと答えたが、イギリスが世界各地を侵略し植民地化しているという情報を得ていた会沢は、納得しなかった。むしろ危機意識を高めた会沢は、翌年すぐに『新論《しんろん》』を書いて、イギリス、ロシアの侵略を明示し、海防強化の急務なることを説いたのである。

その『新論』のなかで会沢は、モガル、ペルシャ、トルコ、ゼルマニア、ロシア、および中国と日本をあげて、これを「七雄」となすと書いた。桂川甫周のいう「七帝国」説である。だが、これに続けて、「蘭学家の説」には、アビシニア、モロッコ、シャム、スマトラをも「帝国」とする説もあると述べている。これは山村才助が紹介した「一一帝国」説である。会沢は「一一帝国」説に異論を述べているが、彼の『新論』には、一八世紀末に日本に移入された帝国論の現状が見事に取り込まれていたのであった。

36

◉会沢正志斎
会沢の『新論』は幕末まで公刊されなかったが、転写されて藩外にも広まり、尊王攘夷論の教本とされた。

増上寺御霊屋料《ぞうじょうじおたまやりょう》の幕府役人をつとめ、国学に通じて女子教育に熱意を燃やした奥村《おくむら》（奥邨《おくむら》）喜《き》三郎《さぶろう》は、天保《てんぽう》八年（一八三七）、領内の村々に配布した「女学校発起の趣意書」のなかで、「神祖の御武徳《ぶとく》」により長く干戈《かんか》を忘れ、「昇平《しょうへい》の恩沢《おんたく》」に浴することを感謝しつつ、つぎのように書いた。

「遠き西の国の書にも、伝統の帝国と称し記せるを以《もっ》ても、其《その》尊きことをしるべし」（遠き西洋の国はわが日本を、伝統ある「帝国」と称しているのだ）と。奥村は幕府の開明《かいめい》派代官江川《えがわ》太郎左《ろうざ》衛《え》門《もん》（英龍《ひでたつ》）とも親しいが、こうした知識はもはや常識となっていたのである。

アメリカの東インド艦隊司令長官ペリーが浦賀《うらが》（神奈川県横《よこ》須賀《すか》市）に来航した嘉永《かえい》六年（一八五三）、水戸の前藩主であった徳川斉昭《とくがわなりあき》は幕府に「海防愚存《ぐぞん》」を建白した。斉昭は和を主とするのではなく、戦を主とすべきだと主張したのだが、同書のなかで、わが日本のことを外国（「外夷」）では、「帝国とあがめ尊び、恐怖致《いた》し居《お》り候《そうろう》」と書いていた。

「帝国」たることの所以《ゆえん》は、往古には「神功皇后《じんぐう》の三韓征伐《さんかんせいばつ》」

37
◉江戸湾の防備
ペリーが久里浜《くりはま》に上陸したとき、浦賀奉行所、彦根《ひこね》藩・川越《かわごえ》藩・会津《あいづ》藩・忍《おし》藩が海陸の警備を固めた。

があり、中古には「蒙古襲来《もうこしゅうらい》を撃退」し、近古には「文禄《ぶんろく》の朝鮮征伐」、さらに「慶長《けいちょう》・寛永《かんえい》期のキリシタン禁絶」などにより、その「御武威《ぶい》」が海外にふるわれたからだという。にもかかわらずペリーが江戸湾に乗り込んで、わがままに測量をするなど、「開闢《かいびゃく》以来の国恥《こくち》」ともいうべき行為だ、と非難した。

西洋諸国はわが日本を「帝国」と崇《あが》めているはずなのに、その尊厳を踏みにじるアメリカの無礼な行為は何事だ、と怒りをたぎらせたのである。実際、他国の領海を断わりもなく測量するアメリカの行為は、当時の万国公法に違反するものであった。

漂流民がもたらした「帝国」情報は、幕末段階に至ると、学者以外の為政者や一般社会にも、かなり浸透したといってよい。それが日本人の自己認識に投影されて自尊意識に転換する側面も、右にあげた事例は見せている。従来の研究では、欧米列強による侵略の危機意識に支えられて、幕末日本では過激な攘夷《じょうい》思想、すなわち国粋主義的なナショナリズムが高揚する、とされてきた。もちろんそうした側面はあるが、そこに西洋からもたらされた日本＝「帝国」認識が反映されているという要素にも注意しておきたい。

「皇帝」という呼称

将軍が皇帝と呼ばれ、日本が帝国と見なされるようになったのは、ポルトガルやスペインから、たくさんの宣教師や商人たちが日本に渡来した一六世紀、戦国時代からのことである。

天皇や将軍に関する記述で古いのは、一五四八年（天文《てんぶん》一七）に、インド・ゴアの聖パウロ学院長のニコラオ・ランチロットが薩摩《さつま》出身のアンジロウから得た情報をまとめた記録（「第一日本情報」）である。そこには、第一の王である天皇を"Vo"（ワゥ〈王〉）といい、「私たちのpapa（教皇）のような存在」だと書いている。これに対して"Goxo"（ゴショ〈御所〉）、すなわち将軍は「私たちのemperador（皇帝）のような存在」だという。しかも、「ゴショ（御所）は日本全土に命令権、支配権をもっているが、王に服属している」と天皇と将軍の関係を把握している。すでに天皇をローマ教皇に、将軍を皇帝に比定する見方が出ていた。

一六世紀末に来日した宣教師のヴァリニャーノは、『日本巡察記《じゅんさつき》』のなかで、天皇を"Rey de Japan"（日本国王）と見なし、実権を握っていた豊臣秀吉《とよとみひでよし》については"Senor de la Tenca"（天下様）と呼んでいる。イエズス会宣教師のルイス・フロイスもまた、その著『日本史』のなかで、天皇こそ「六六か国悉《ことごと》くの王であり最高の統治者」すなわち「国王」であり、公方様《くぼう》（将軍）は内裏の「副王」のようなものだと述べている。

戦国時代の日本を観察した外国人の記録をみると、天皇と将軍を宗教的皇帝と世俗的皇帝とする見方が現われている一方で、天皇を国王とする見方も混在している。内乱状態にあった戦国時代は、天皇も将軍も権威を大きく失墜させていた。そのため外国人の目には、どちらを国王と見なすか混乱が生じていたようだ。しかし、それでも群雄が天皇を推戴《すいたい》すべく京都をめざしていたから、ヴァリニャーノやフロイスのように天皇を国王と見なしても、決して不自然ではなかった。

だが、徳川家康《とくがわいえやす》が統一政権を樹立すると、将軍を「皇帝」とする見方が定着していくようだ。たとえば慶長《けいちょう》一八年（一六一三）、スペイン国王への使者として徳川家康に派遣された宣教師ルイス・ソテロがスペインのレルマ公に宛《あ》てた手紙では、将軍のことを“Emperador”（皇帝）とし、日本を“Inperio”（帝国）と表現している。そのソテロに同道したのが、伊達《だて》政宗《まさむね》によって派遣された支倉常《はせくらつね》長《なが》であり、この一行がのちに慶長遣欧《けんおう》使節と呼ばれるようになった。伊達政宗は“Rey de Voxu”とあるように、「奥州の王」とされていた。日本＝帝国、将軍＝皇帝、大名＝王、という関係が典型的に現われている。

慶長一八年から元和《げんな》九年（一六二三）にかけて平戸《ひらど》のイギリス商館長をつとめたリチャード・コッ

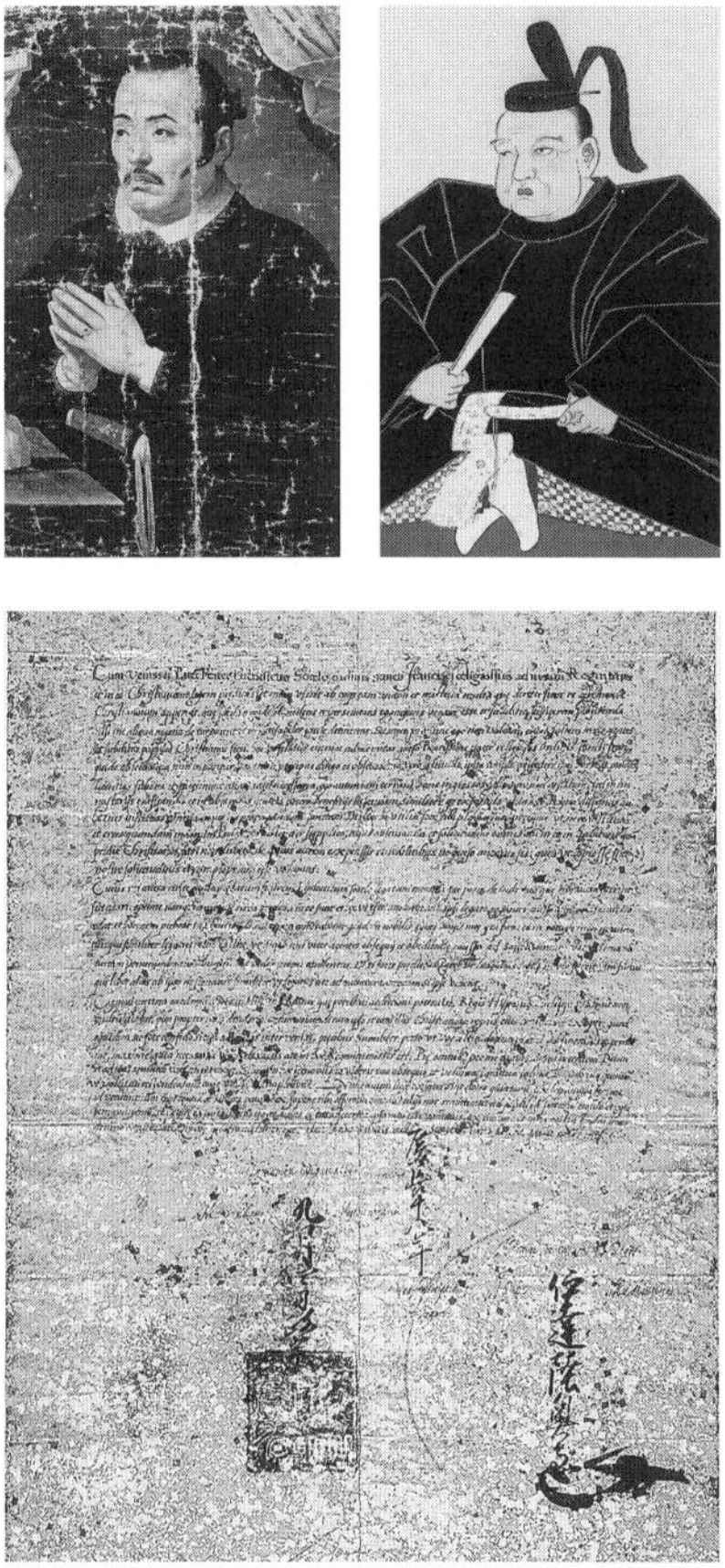

38

◉伊達政宗と支倉常長
政宗（上右）はキリシタンから日本のつぎの皇帝と期待されていたが、常長（上左）がスペインとの通商交渉に失敗して帰国すると、藩領内でのキリスト教の取り締まりに着手した。下は、政宗が常長に託したローマ教皇宛の書状。

クスの『イギリス商館長日記』では、将軍を“emperour”（皇帝）と呼び、天皇を“direy”（内裏）および“pope of Japan”（日本の教皇）と表現している。聖・俗二重の皇帝観であった。

「帝国」の条件

一六三〇年代にオランダ商館長として日本に滞在したフランソワ・カロンは、日本における最上の支配者を“Keijser”（カイゼル〔皇帝〕）といい、幾多の“Koning”（コーニング〔国王〕）これに服従す、と書いている。カロンにとってカイゼルは、つねに将軍のことであった。それだけではない。日本のことを“Keizerdom”（帝国）と呼ぶ箇所もある。オランダ商館長として将軍の絶対的権力を見せつけられているカロンからすれば、諸大名に君臨する将軍は「カイゼル」そのものであり、“Coninckrijck”（王国）を超えた、強大な“Keizerdom”（帝国）であると印象づけられたのかもしれない。

一七世紀後期に長崎オランダ商館の医者として来日したドイツ人エンゲルベルト・ケンペルの『日本誌』のラテン語の書名は、“Historia Imperii Japonici”（『日本帝国史』）であった。ドイツ語版では、天皇を“die geistlichen Erbksiser”（宗教的皇帝）、将軍を“die weltlichen

39

◉琉球の謝恩使
琉球は薩摩藩の実質的支配下で、中国に朝貢使、日本に謝恩使と慶賀使を送る二元外交を展開した。（『中山王来朝図《ちゅうざんおうらいちょうず》』）

Erbksiser"（世俗的皇帝）と表現している。国王は天皇か将軍かではなく、皇帝による権力の分有状態として理解していた。

同書によれば、将軍が皇帝であるのは、「群小の領邦君主たち」の上に君臨しているからであった。また、琉球《りゅうきゅう》と蝦夷《えぞ》と高麗《こうらい》（朝鮮）が日本に服属しているという記述もある。領邦以外の外国が皇帝＝将軍の従属下にあるということも、"Keizerdom"（帝国）の条件を満たしていると考えたのかもしれない。琉球や朝鮮が日本の服属下にあるというケンペルの認識の根拠は不明だが、琉球の謝恩使《しゃおんし》（琉球国王即位時に派遣される使者）や慶賀使《けいがし》（幕府将軍代替わり時に派遣される使者）、あるいは朝鮮から派遣された通信使（将軍代替わりなどに際して派遣された祝賀使節）などが、その前提にあったのだろうか。

ケンペルの『日本誌』は、日本の風俗や制度、自然などを包括的にヨーロッパに紹介したもので、英語版が一七二七年に出されたあと、オランダ語版（一七二九年）、フランス語版（同）、ドイツ語版（一七四七年）と、つぎつぎに刊行され、ヨーロッパにおける日本の基本的イメージを形づくった。同書の一部が蘭学《らんがく》者の志筑忠雄《しづきただお》に翻訳されて『鎖国論《さこくろん》』と題されたことから、江戸時代の外交体制を鎖国と称するようになったことは、よく知られている。志筑は同書の訳注で、「天《てん》

40

◉朝鮮通信使
江戸時代に一二回派遣された使節団は毎回、約五〇〇人にも及んだ。日朝双方とも莫大な支出に悩まされた。（『朝鮮通信使歓待図屏風《ちょうせんつうしんしかんたいずびょうぶ》』）

子《し》」（天皇）のことを「ケースラン　イゲンエルフ　ケイヅル」と表記し、仏教用語を用いて「出世帝」と訳した。「将軍」は「ウエーレルトンイキ　ケイヅル」であり、こちらには「世間帝」の訳語をあてている。いまでこそ前者は宗教的皇帝、後者は世俗的皇帝と訳されることが多いが、こうした事例は翻訳語の成立過程を示すものであり、また初訳の苦労をしのばせてもいる。

　ケンペル以後では、寛政《かんせい》一二年（一八〇〇）前後に長崎のオランダ商館長だったドゥーフが、天皇は古くからの専制君主だが、いまでは将軍から世俗の権力も宗教上の権力もはぎとられた、たんに高貴な存在にすぎないと見なした。将軍こそ唯一の皇帝だという見方だが、ほぼ同時代のシーボルト（文政《ぶんせい》六〜一一年〔一八二三〜二八〕日本滞在）は、天皇を世襲的皇帝、将軍を世俗的皇帝と見なすなど、天皇の位置づけをめぐって見解が分かれている。しかし、ドゥーフの認識で注意しておきたいのは、豊臣秀《とよとみひで》吉《よし》の朝鮮出兵について、「朝鮮は完全に征服されず、ただ日本の朝貢国になっただけで」、日本の皇帝が代替わりするたびに、「朝鮮人が挨拶《あいさつ》にくる義務を負っていることは確かである」と述べている部分である。朝鮮が日本に服属しているというのは、ケルペンと共通した皇帝観であった。

　従来の研究によると、朝鮮や琉球からの外交使節の招致は、国内において将軍の権威を発揚するための仕掛けだと評価されてきたが、こうした使節の存在が、ケンペルやドゥーフのように琉球や

41

◉長崎オランダ商館長ドゥーフ　ドゥーフは、日本がロシアとの通商を開かないように、長崎通詞を通してひそかに長崎奉行の意向を探った。

朝鮮を服属国としてとらえる見方を成立させたとすれば、江戸幕府の外交パフォーマンスとしては成功したといえるのかもしれない。

なぜ、日本の王を「皇帝」と表現し、その国を「帝国」と称したのか。これまでみてきたことから明らかなように、ヨーロッパの人たちは、日本の王権や政治の構造がヨーロッパのそれに似ていると受け止めたからであった。大名は諸侯に、そこに君臨する将軍は皇帝に、天皇はローマ教皇に、よく似た存在だったのである。

ロシアとフランスからみた「日本帝国」

日本を「帝国」と見なし、天皇・将軍を「皇帝」とする情報は、来日外国人やヨーロッパの地誌による、あくまで観念的な認識だという見方が出されるかもしれない。そこで、実際の外交記録などにも目を向けて、「帝国」日本の姿をもう少し追いかけてみよう。

まずロシアの史料としては、一七七五年（安永《あんえい》四）、カムチャツカ総司令官が千島《ちしま》列島南部への探検を司令した文書のなかに、「もし日本人と遭遇したなら、丁重かつ礼儀正しく接し、自分たちはロシア帝国の者であること、女帝陛下が『日本帝国』（イポンスコヤ　インペリヤ）の存在を以前より承知していることを伝えよ」とある。

その後、寛政《かんせい》四年（一七九二）に、第一回遣日使節アダム・ラクスマンが幕府に渡した文書では、「天神公方《くぼう》陛下の大日本国」となっている。だが、享和《きょうわ》三年（一八〇三）に第二回遣日使節レザーノフが将軍に宛《あ》てたロシア皇帝アレクサンドル一世からの国書には、「日本帝国の専制君主であり、超越した皇帝（インペラートル）、かつ支配者であられます天神公方陛下」と、最大限の敬語が並べられていた。使節が出発する前に商務大臣がロシア皇帝に宛てた上申書では、礼節を尽くしてロシア帝国の「威厳」を日本の宮廷に認識させ、隣接する「両帝国」の友好関係を築くことが使節派遣の目的だと述べられている。だがこの「威厳」がロシアからの一方的な押しつけを意図したものでなかったことは、将軍宛の国書に、エカチェリーナ二世が「日本帝国の威厳」を知ったので、親善のために日本人漂流民を送還し、使節を派遣したのだと述べていることからもわかる。

要するにロシアは、日本を「帝国」と認識するがゆえに正使を派遣し、「両帝国」対等の友好関係を結ぼうとしたのであった。この認識がたんに儀礼的なものでなく、ロシア政府関係者に共有されたものであったことは、レザーノフが使節船ナジェジダ号艦長クルーゼンシュテルンに宛てた私的な書簡や、クルーゼンシュテルンが本国の商務大臣に宛てた書簡でも、やはり日本を「帝国」と表現していたことから確認できる。

フランスもまた、日本を明確に「帝国」と表現していた。一七八五年、太平洋探検にあたり、ラペルーズに与えた航海訓令のなかでフランス国王は、中国や日本に寄港したときには、この「両帝国」に売り込むことができる毛皮の種類を調べよと指示している。中国と日本はともに、「帝国」と見なされている。これは中国に引きずられた表現ではない。続けて北方海域の調査も指示しているが、そこでは、千島諸島、「イェソ島」（蝦夷《えぞ》島（北海道））、「日本帝国」の情報を入手せよ、と単独でも日本を「帝国」と明記しているからだ。
ラペルーズの航海記には、「日本の皇帝」がこれまで日本の北方海域の航海を許したことがないので、日本の地図が作成できなかったと記している。「皇帝」は「帝国」とセットの言葉であった。とくに興味深いのは、ラペルーズの船が朝鮮半島の済州島《チェジュド》付近にさしかかったときの航海記の記述である。「当時、朝鮮国王の支配下にあったこの島がヨーロッパに知られたのは、一六三五年のオランダ船の難破を契機とする」とある。朝鮮は「国王」であった。フランスでは、「皇帝の国」日本と、「国王の国」朝鮮、という識別がなされていたことになる。

朽木《くつき》昌綱《まさつな》の『泰西輿《たいせいよ》地《ち》図《ず》説《せつ》』を通して、当時のヨーロッパにおける国家の格付け意識をみると、皇帝は「ケイセル」(Keizer)、国王は「コヲニンキ」(Koning)であり、皇帝―国王という序列になっていた。ロシアやフランスにおいて日本や中国を「皇帝

42

●日本帝国図(一七一五年)
オランダの東洋学者レランドが、石川流宣《いしかわとものぶ》の「大日本国大絵図」を写して作成した日本図。上欄に、ラテン語で「IMPERIVM JAPONICVM」(帝国日本)とある。

のいる帝国」というとき、また朝鮮を「国王の国」とするとき、こうした国家認識が前提にあったといってよいだろう。

これまでの研究史では、中国の中華意識に対抗する日本の自己認識のあり方について、それを小中華意識だと揶揄《やゆ》する指摘が少なくなかった。それは第三者が認めることのない、唯我独尊的な自己認識にすぎない、という前提があったからである。だがヨーロッパにおいて、日本は中国とともにアジアの「帝国」である、という認識が共有されていた。とすると今後、近世日本の国際的位置づけについては、東アジア的秩序だけではなく、ヨーロッパからみた中国・日本・朝鮮に対する国家観の問題ともからめて検討することが必要だと思われる。

皇帝と国王と大君

ヨーロッパ諸国が、日本を早くから「帝国」として見なしていたという事実を再認識すると、嘉《か》永《えい》六年（一八五三）にアメリカのペリーが持参した大統領親書の宛名《あてな》の意味もよくわかる。そこには、"His Majesty, The Emperor of Japan"（日本皇帝陛下）とあった。ヨーロッパにおける日本認識を、明らかに継承した表現になっている。

翌年締結した日米和親条約で日本が"The Empire of Japan"（帝国日本）と堂々と名のったのは、これに対応している。アメリカは"The United States of America"（亜墨利加《アメリカ》合衆国）であった。しかし不思議なことに、この条約で日本は将軍を、"The August Sovereign of Japan"（日本君主）と表記していた。将軍は意識的に、"Emperor"（皇帝）と名のってはいないのである。これはなぜだろうか。ヨーロッパからは皇帝とみられていた将軍も、日本が使う正式な対外的呼称は「大君」であった。では、なぜ「大君」号を使用するようになったのか。これについては、いくつかの見解がある。ひとつには、室町《むろまち》幕府三代将軍足利義満《あしかがよしみつ》が明《みん》から冊封《さくほう》を受けて「日本国王」となったように、「国王」号には中国との従属関係を含むことから使用を避けて「大君」号を用いたとする古くからの理解がある。二つ目は近年提示されている新しい解釈で、幕府は日本の国王を天皇と将軍の「二人国王制」としたが、将軍が「国王」を称すると、この「国王」には天皇も含むことになるため、その使用を避けて「大君」号にしたというものである。

このいずれであるにしても、江戸時代の国際関係は、朝鮮と琉球《りゅうきゅう》を「通信の国」、オランダと中国を「通商の国」とするだけで、これ以外の国との関係を開いてはいなかった。「通商の国」とは貿易の関係が存在するだけなので、「大君」を用いた外交文書の交換はない。ありうるのは国同士の外交関係

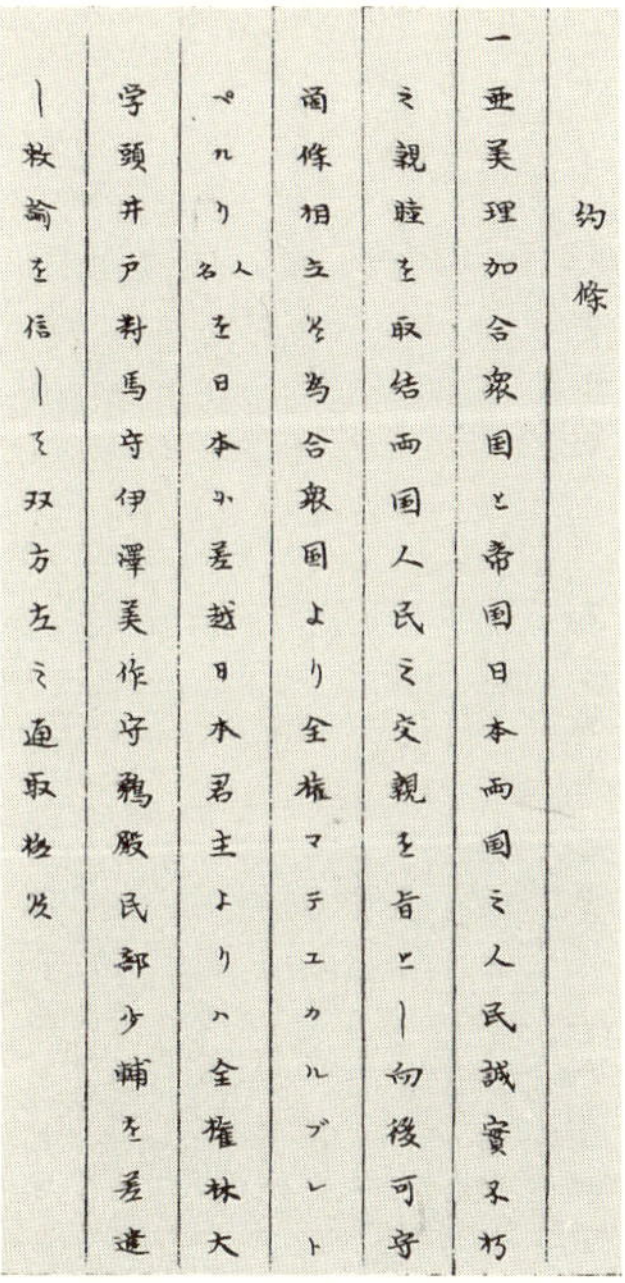

約條

一亜美理加合衆国と帝国日本両国之人民誠實不朽
之親睦を取結両国人民之交親を旨とし向後可守
箇條相立候為合衆国より全権マテユカルブレト
ペルリ人名を日本に差越日本君主よりハ全権林大
学頭井戸對馬守伊澤美作守鵜殿民部少輔を差遣
し敕諭を信し候て双方左之通取極候

43

●嘉永七年（一八五四）締結の日米和親条約（写本）
冒頭に「亜墨理加合衆国と帝国日本」とある。日米両国の和親、薪水《しんすい》・食料・石炭その他欠乏品の供給のため、下田《しもだ》・箱館《はこだて》二港の開港、漂流民の救助や、下田への外交官派遣の許可などが規定された。日本側の批准書原本は幕末期に江戸城の火災で焼失した。（『続通信全覧』）

をもつ「通信の国」なのだが、一八世紀初頭から幕府は琉球との間では「大君」号を使用しなくなったため、以後は朝鮮との間だけで「大君」号が使用されてきたのである。

これが日本の「大君」外交であった。したがって、欧米諸国がいくら将軍を"Emperor"（皇帝）という尊称で呼ぼうとも、その「大君」＝将軍を、日本はみずから「皇帝」と称することができなかったのである。日米和親条約で幕府が将軍を、"The Emperor of Japan"（日本皇帝）ではなく、"The August Sovereign of Japan"（日本君主）と表記したのは、このように対朝鮮外交の歴史を引きずったことに由来している。

それとともに、尊王攘夷《じょうい》の高揚のなかで天皇の権威が急上昇していることを知った欧米諸国の使節は、将軍を"Emperor"ではなく、"Tycoon"（大君）と呼ぶようになった。将軍は皇帝の座から滑り落ちたのである。だが幕末外交のなかで、国の称号は"Empire"が使われ、和語では「日本帝国」や「帝国日本」という表現が引きつづき使用された。誰を皇帝と見なすかという問題とは別に、「帝国」としての日本の格は維持されつづけたといってよい。

「大君」は、朝鮮や中国との対外関係、あるいは国内の天皇との関係か

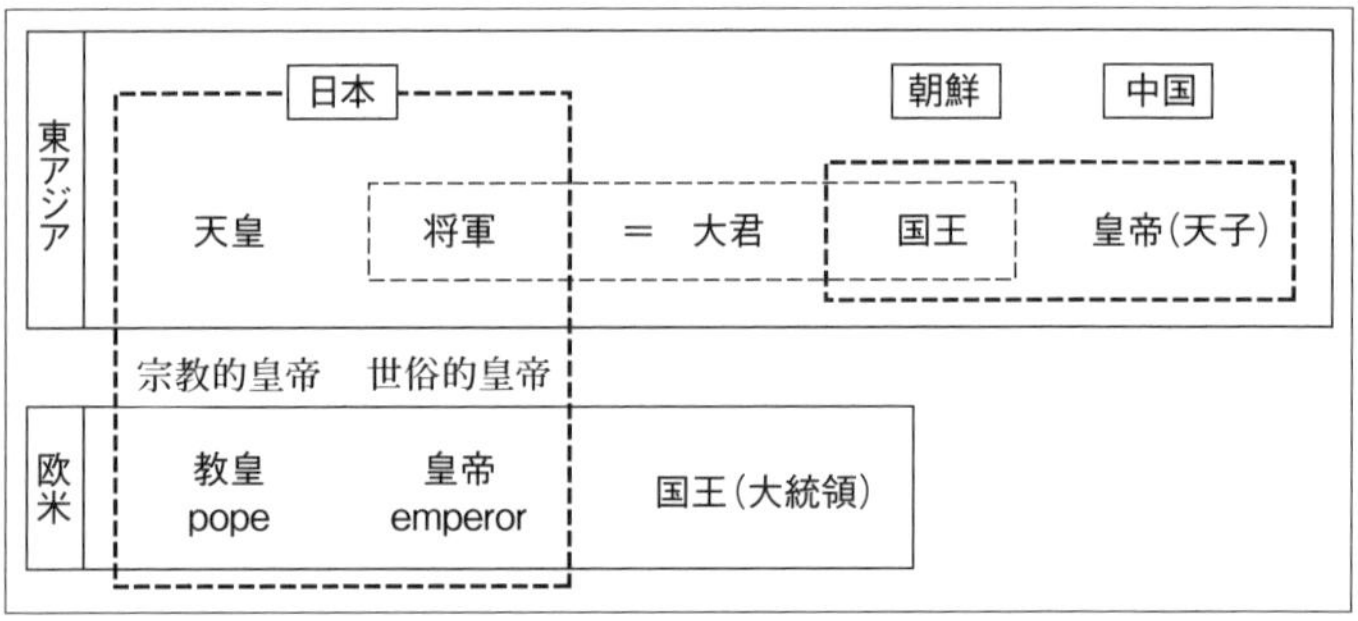

●国家元首の称号
称号問題は国内の地位だけではなく、国家間の関係を示す記号としても重要であった。

ら生み出されてきた固有の称号であり、東アジア的国際秩序の産物だといってよい。一方、「帝国日本」や「日本の皇帝」という見方は、ヨーロッパの国際秩序が生み出した日本観であった。この異質な二つの秩序が、来《きた》るべき幕末に交差し、称号問題として現われてくることになったのである。

ところで、ここに述べてきた「帝国」概念は、植民地主義を体現する近代的帝国とは異なり、諸王に君臨する皇帝がいる国、という意味での古典的帝国像といってよい。だが、明治四年(一八七一)にアメリカとヨーロッパに派遣された岩倉《いわくら》使節団が、日本を「エンパイア」(帝国)と表現し、福沢諭吉《ふくざわゆきち》や西周《にしあまね》なども明治一〇年代には「日本帝国」を用いている。明治二二年、大日本帝国憲法が発布され、日本は近代的帝国としてスタートを切ることになった。

植民地化の危機を乗り切ったとはいえ、近代国家をスタートさせたばかりの日本が、なぜ当初から「帝国」を称することができたのか。それはこれまでみてきたように、近世＝江戸時代における「帝国」としての認識遺産が存在したからではないだろうか。だとすれば、近世に培われた「帝国」日本のイメージが日本近代にどう連接し転位していくのか、大きな関心をもたざるをえない。

コラム1

漂流民の外交

太平洋の至る所に流された漂流民には、外国の国家元首に謁見した者も少なくない。ロシア皇帝をはじめ、アメリカ大統領や安南《あんなん》（現在のベトナム）国王、清《しん》国皇帝などの例もある。もっとも早い清国皇帝との謁見は、中国の王朝が明《みん》から清へ交替した直後のことである。日本も中国の動向に関心をもったが、建国直後の清も漂流民から日本情報を得ようとしたのかもしれない。

ロシア皇帝に引見された大黒屋光太夫《だいこくやこうだゆう》と若宮丸《わかみやまる》乗組員は対日外交のカードとされたが、二人のアメリカ大統領に拝謁した彦蔵《ひこぞう》（ジョセフ・ヒコ）も、ペリーに送還されることになっていた。だが、モリソン号が日本で追い返された話を漂流民の力松《りきまつ》から聞いた彦蔵はアメリカに戻った。安政《あんせい》五年（一八五八）に日米修好通商条約が結ばれたことを知った彦蔵は、アメリカに帰化し神奈川領事館の通訳としてふたたび日本の土を踏んだのである。

◉漂流民が会った元首
確認できた事例では、ロシア皇帝がもっとも多い。

謁見した元首		謁見年	漂流民
清(中国)皇帝(8歳)、後見人睿親王		1645年か	越前国三国の15人
ロシア	皇帝ピョートル1世	1702年	大坂のデンベエ
	アンナ女帝	1734年	薩摩国のソーザとゴンザ
	エカチェリーナ2世	1791年	伊勢国の大黒屋光太夫
	アレクサンドル1世	1803年	陸奥国石巻の津太夫ら10人
安南国王		1794年	陸奥国名取郡の14人
アメリカ	ピアース大統領 ブカナン大統領	1853年 1858年	播磨国の彦蔵

第三章

鎖国泰平国家から国防国家へ

1

北方の衝突

フヴォストフ襲撃事件

レザーノフは、日本との交渉に失敗して長崎を去ったあと、カラフト(樺太)を視察してカムチャツカに帰港した。その後一八〇六年八月(ロシア暦)、レザーノフは部下のフヴォストフ海軍中尉に、カラフト島と千《ち》島《しま》列島(クリル列島)へ遠征し、そこで日本船を襲撃して乗組員を捕虜にし、船は焼き払うことを命じた。

この指令を受けたフヴォストフ中尉は同年一〇月、艦船ユノナ号によってカラフト島南部アニワ湾のクシュンコタンにある日本人居留地を襲撃して四人を捕虜にし、物資を略奪して家屋に放火したあと、カムチャツカに帰港した。さらに翌年五月、フヴォストフは部下のダヴィドフ少尉とともにユノナ号とアヴォシ号で遠征し、エトロフ(択捉)島日本人居留地を襲撃して略奪と放火を繰り返し、日本人を捕縛した。さらにレブン(礼文)島・リイシリ(利尻)島付近では日本の商船四隻《せき》を襲って積み荷を奪い、船を焼き払った。リイシリ島にも上陸して、建物に放火している。そのあと、彼らは捕らえた一〇人のうち八人を釈放して、もし日本が交易を認めないなら、ふたたび艦船で襲撃すると記した書状をもたせている。

◉浦賀に来航した黒船　図の右上に浦賀《うらが》番所が見える。嘉《か》永《えい》六年(一八五三)六月、浦賀沖に投錨《とうびょう》したアメリカ艦隊は、数十発の空砲を発射して威嚇《いかく》した。(『黒船来航図《くろふねらいこうず》絵巻《えまき》』)前ページ図版これが日本では、「文化《ぶんか》露《ろ》寇《こう》事件」あるいは「カラフト・エトロフ襲撃事件」として知られた事件である。襲撃のねらいについてレザーノフは、「われわれにとって利益の多い日本帝国との通商を実現する目的」のためだと述べている。ロシア帝国の力を見せつければ、恐れをなして日本は通商関係を開くだろうという読みであった。

ところでレザーノフは、フヴォストフにつぎのような指示を与えていた。

一、サハリン（カラフト）島のアニワ湾で日本船を見つけたら焼き打ちにすること。

二、健康で労働に適した日本人は連行すること。とくに職人や手工業者を捕虜にすること。それ以外の者は、ロシア領であるサハリンに二度と来ないように言い含めて松前島《まつまえ》（北海道）に帰すこと。

三、捕虜や僧侶《そうりょ》をノヴォアルハンゲリスク（ロシア領アラスカ。現在のアメリカ領シトカ）に連れていくこと。

四、日本人の倉庫から、あらゆる物資を持ち帰ること。

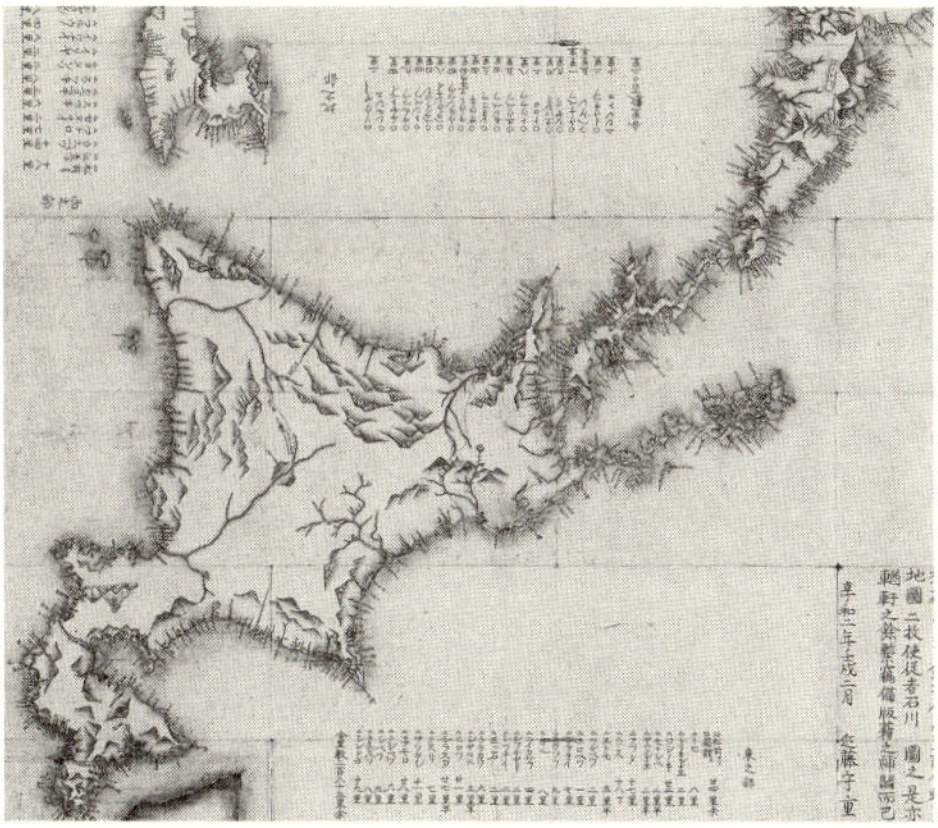

2

◉近藤重蔵の蝦夷地図（享和二年（一八〇二））
北海道の形がほぼ表わされている。近藤重蔵《こんどうじゅうぞう》は蝦夷地の測量だけではなく開発計画も策定し、アイヌの風俗もよく観察した。『外蕃通書《がいばんつうしょ》』などを編纂して、外国事情も研究した。

レザーノフが発したこの命令をフヴォストフは忠実に実行したのだが、レザーノフは襲撃によって日本に圧力をかけるだけではなく、どうやら日本人をアラスカ開拓の労働力としても確保するつもりだったらしい。日本人拉致《らち》計画である。

レザーノフらが長崎からカムチャツカに戻った際、そこには陸奥国牛滝村《むつのくにうしたき》(青森県佐井村《さい》)慶祥丸《けいしょうまる》の漂流民六名がいた。箱館《はこだて》を出て江戸に向かう途中に遭難し、太平洋を七か月余も漂ったはてに、文化元年(一八〇四)七月、北千島のパラムシル島に漂着し、アイヌの助けを得てペトロパブロフスクに到達していた。レザーノフが長崎から戻ってくれば、すぐに送還してもらえると期待していたが、その望みも断たれてしまったのである。それどころか、レザーノフは彼らをアラスカのコディアック島に入植させる計画を立てていた。前述した、カラフトで日本人を捕縛し、アラスカに入植させる案と一体の計画だったと思われる。のちにこれはカムチャツカへの土着計画に変更されたようだが、慶祥丸漂流民がロシア人の目を盗んで小舟でカムチャツカを脱出し、千島アイヌに助けられて命からがらエトロフ島までたどり着いたのは、こうした動きから逃れるためであった。

ゴロヴニン幽囚と高田屋嘉兵衛の捕縛

フヴォストフ中尉とダヴィドフ少尉による襲撃事件が、ロシアに対する日本側の警戒心を極度に高めたのは当然だった。一八一一年(文化八《ぶんか》)、海軍少佐ゴロヴニン率いるディアナ号が南千島《ちしま》列島の測量のために南下してきた。エトロフ島のシャナ湾岸に上陸すると、松前《まつまえ》奉行所(文化四年一〇月に箱館奉行所を改称）役人の石坂武兵衛や盛岡《もりおか》藩の勤番《きんばん》士卒《しそつ》らと出会い、緊迫した雰囲気のなか、フヴォストフ襲撃事件の抗議を受けたという。ゴロヴニンが、あれは私船による狼藉《ろうぜき》であり、すでにロシア政府により処罰されたと弁明すると納得し、薪水《しんすい》の給与を受けるなら同島のフレベツに行くようにと、同所詰役に宛《あ》てた紹介状を与えられた。

だが、ディアナ号はウルップ島を測量したあと、指示を受けたフレベツではなく、クナシリ（国後）島に向かった。ゴロヴニンによれば、まだヨーロッパの航海家に知られていないクナシリ島と松前島の間の海峡を早く測量したかったからだという。これが日ロ関係を画する重大事件を引き起こすことになる。海峡の測量を終えたディアナ号がクナシリ島のトマリ（泊）湾に入ると、突然砲撃を受けた。前日から異国船を発見していた日本側は、打ち払うための準備を整えていたのだ。砲弾はディアナ号に届かず、はるか手前の海中に落ちた。ロシア側から反撃がなかったために、敵対の意志なしとみた日本側は、アイヌを介して交渉の用意があることを伝えた。

会見の場で日本側の隊長は、やはり数年前のロシア船による襲撃をあげて、ロシアへの不信を述べたという。ゴロヴニンはここでも私船による不法行為であったことを説明して納得させたが、食料と水を求めたゴロヴニンに対して、同島警護の責任者である松前奉行所の役人は、松前奉行の許可を得るまでひとりを人質として出すよう求めた。これを拒否したゴロヴニンらが会見場から逃走したため、日本側は上陸していた七人を捕縛したのであった。ロシア側記録では、日本の役人にだまされて捕らえられたと書いているが、必ずしもそうではなかった。

ディアナ号に残っていたために難をまぬがれた副官のリコルドは、船上から日本側と砲火を交えたが、上陸決戦による全滅を恐れて撤退した。オホーツクに戻ったリコルドは、艦長を釈放させるために、先にフヴォストフらが捕虜にしていた日本人五郎治《ごろうじ》や、カムチャツカに漂着していた摂津国《せつつのくに》歓喜《かんき》丸《まる》の乗組員六人を乗せてクナシリ島に再来した。彼らを解放して釈放交渉のきっかけを得ようとしたのだが、五郎治らが日本側に収容されただけで、ゴロヴニンの釈放を得ることはできなかった。そのためリコルドは、文化九年八月、クナシリ島の沖合いを通りかかった日本船を襲撃し、高田屋嘉兵衛《たかだやかへえ》ら六人を拉致《らち》してカムチャツカに連行したのであった。

連行された高田屋嘉兵衛がまったく動じることなくリコルドに対応し、ついにはゴロヴニンの釈放や日ロ関係の改善に貢献したことは、よく知られた史実である。嘉兵衛の助言を入れたリコルドは、フヴォストフらの襲撃事件がロシア政府の命令ではなく、彼らの個人的犯罪であることを、イルクーツク民政長官（県知事）が表明するよう、オホーツク港湾隊長に仲介を依頼した。リコルドはその文書を持って日本に向かい、ゴロヴニンの釈放に向けて幕府と交渉することになったのである。

3

◉ロシア人捕虜の護送
箱館に入ると護送兵は、甲冑《かっちゅう》や陣《じん》笠《がさ》を身につけて隊列を組み、大勢の群衆の間を通り、捕虜を引いていった。（『俄羅斯人生捕之図《おろしやじんいけどりのず》』）

文化一〇年年五月、リコルドや高田屋嘉兵衛らの乗ったディアナ号はクナシリ島に直航し、松前から出向いてきた幕府役人とゴロヴニンの釈放について交渉を開始した。その席で幕府役人は、フヴォストフ襲撃事件にロシア政府が関与していないことを証明する公文書を求めた。嘉兵衛の予測どおりの対応を幕府が見せたため、リコルドは嘉兵衛をクナシリ島に残してオホーツクに向かい、イルクーツク民政長官とオホーツク港湾隊長の公文書を入手して、ふたたび日本に向けて出航した。

リコルドの乗ったディアナ号が箱館《はこだて》港に姿を現わしたのは、同年九月一一日のことである。クナシリ島から箱館に移っていた高田屋嘉兵衛の出迎えを受け、ゴロヴニン釈放に向けた幕府役人との予備交渉は順調に進んだ。九月二〇日、松前奉行所高官との会見がセットされ、交渉は大詰めを迎えることになる。この日、リコルドははじめて箱館に上陸したのであった。

4

◉高田屋嘉兵衛
淡路島《あわじしま》に生まれた嘉兵衛は、樽廻《たるかい》船《せん》の船乗りとしてスタートし、二八歳で千石船《せんごくぶね》をもった。リコルドに拉致《らち》されたときは四三歳だった。

高田屋嘉兵衛の情報

リコルドの『対日折衝記《たいにちせっしょうき》』によると、高田屋嘉兵衛《たかだやかへえ》はリコルドに対して、ロシア政府はフヴォストフらの襲撃事件に関知せず、というイルクーツク民政長官からの証言があれば、日本政府は捕らえたロシア人を釈放するだろうと忠言したという。ロシア政府関係者のどのレベルの謝罪ならば日本が態度を軟化させるか、きわめて具体的に指摘している。一介の商人の発想だとは思われない。おそらく松前《まつまえ》奉行所に出入りするなかで、幕府筋の情報を得ていたのではないか。

嘉兵衛はリコルドとの会話のなかで、日本人はゴロヴニンをロシアの第一級の士官として遇しており、ムールは煙草《たばこ》好きだがゴロヴニンはそうではないなど、ロシア人捕虜の身近にいる者しか知らない情報を披瀝《ひれき》した。高田屋嘉兵衛は当時、クナシリ・エトロフ航路開発の功などによって、幕府から「蝦夷地常雇船頭《えぞちじょうやといせんどう》」に任じられており、松前奉行所に出入りしていた。エトロフ島・クナシリ島警備を命じられた仙台藩は、フヴォストフ襲撃事件に関する情報をつねに嘉兵衛に求めていたというから、嘉兵衛は幕府筋の情報通であったといってもよいだろう。

その幕府では、文化《ぶんか》九年（一八一二）六月、ゴロヴニンらの安否確認のためにリコルドがクナシリ島に来航し、翌年ふたたび渡来すると伝えたことを契機に、ロシアへの対応策の検討が始まった。幕府内ではゴロヴニン釈放説と釈放反対説が存在したが、同年一一月に松前奉行は、フヴォストフ襲撃事件についてロシアの国王か重職にある者からの弁明書があれば釈放する、という案を老中《ろうじゅう》に提出している。捕縛されたゴロヴ

5

◉ゴロヴニン(右)とリコルド(左)
二人の手記と高田屋嘉兵衛の始末記が残されたおかげで、日ロ外交の最前線が再現可能になった。

ニンは、フヴォストフは政府の許可なく独断で襲撃を実行したと主張していたから、その真偽をロシア政府レベルで確認しようとしたのであった。もしゴロヴニンの言うとおりであったとすれば、フヴォストフ襲撃事件はロシア政府が関与しない、たんなる海賊行為として処理することが可能になるという論理である。

以後はこの線で動いていくことになるのだが、これは高田屋嘉兵衛によるリコルドへの忠告の内容と、ほぼ一致していた。高田屋嘉兵衛は、拉致《らち》される前にこうした松前奉行の考えを耳にしており、それを日本政府の基本姿勢としてリコルドに伝えたとみてよいだろう。のちにリコルドは、高田屋嘉兵衛の明敏な頭脳が両国を合意に導いたと評している。拉致されたのが幕府の動向にも通じた高田屋嘉兵衛であったことは、両国にとって不幸中の幸いであったというしかない。

「私は日本人ではありません」

リコルド一行が箱館《はこだて》に上陸したときの情景を書きとめた絵がある。一二人のロシア人儀仗兵《ぎじようへい》が白旗と軍艦旗を掲げて捧《ささ》げ銃《つつ》した前を、リコルドほか六人が粛々と進む姿が描かれている。日ロ交渉に臨む緊張した雰囲気を漂わせているが、不思議なことに、そのなかのひとりだけが異様なほど小柄に描かれていた。ほかの一七人はいずれも腰にサーベルを下げているので軍人であることはすぐにわかるが、このひとりだけは丸腰になっている。いったい、この小柄な人物は誰なのか？

リコルドの『対日折衝記《たいにちせつしようき》』によれば、イルクーツクから日本人通訳キセリョフを呼び寄せたとある。キセリョフとは、寛政《かんせい》六年（一七九四）にアリューシャン列島に漂着した石巻《いしのまき》の若宮丸《わかみやまる》船員のひとり、善六《ぜんろく》のことである。一七九六年にイルクーツクでロシア正教の洗礼を受けた善六は、名付け親の姓をもらって、ピョートル・ステファノヴィチ・キセリョフと名のった。その直後に善六は、同地の日本語学校の教師補になっている。一八〇三年、津太夫《つだゆう》ら四人が南アメリカのホーン岬経由で日本に送還されたとき、善六も通訳として同乗した。しかし、キリスト教徒になっていた彼は、長崎でのトラブルを避けるためにカムチャツカで下船した。それから一〇年後、善六はリコルドの呼び出しを受け、通訳として日本に向かうことになったのである。

船が箱館に近づくと、高田屋嘉兵衛《たかだやかへえ》が幕府役人とともに小船で出迎え、ディアナ号に乗船してきた。「今度は通訳キセリョフの助けがあるので、以前よりはるかに都合よく、何事でも話し合えた」とリコルドはいう。カムチャツカにいた半年の間に、リコルドと嘉兵衛は十分な会話ができるようになっていたというが、やはり通訳としてのキセリョフの役割は大きかった。

松前《まつまえ》奉行所は高田屋嘉兵衛に、幕府役人とリコルドの正式会談をどのようなかたちで開催するかという予備交渉をするよう命じた。リコルド

一行の上陸の仕方、儀仗兵の銃はどうするか、双方の挨拶《あいさつ》の形式はどうするかなど、それぞれの国の習慣をすりあわせた細かな調整が、通訳キセリョフを介してなされたのである。

かくして九月二〇日、松前奉行所高官との会見がセットされたが、その前日、リコルドはキセリョフに、日本の役人はすぐにあなたの正体を見破るだろう、そうすれば恐ろしい結果になるかもしれない、それでも一緒に上陸するか、と問いかけた。これに対してキセリョフは答えた。

「私が何を恐れるというのですか。私ひとりを捕らえることはありえないでしょう。私は日本人ではありません。通訳としての職務が果たせるように、どうか私を連れて上陸してください」

アリューシャンに漂着してから一九年の歳月が過ぎていた。キセリョフ＝善六も四二歳である。「私は日本人ではありません」。日本の地を眼前にして、日本人でありながら日本人ではないといわなければならない善六の苦衷。漂流という運命がひとりの日本人をロシア人につくりかえてしまったのだ。日ロの外交の舞台において、日本人善六はロシア人キセリョフになりきらなければならなかったのである。

翌日、キセリョフは、下士官や儀仗兵とともに、リコルドに従って上

◉箱館に上陸したリコルド一行
リコルドの手記では上陸したのは一八人だが、日本側の絵では一六人が描かれている。いちばん小柄な人物が、キセリョフこと善六である。（『北夷談《ほくいだん》』附図）

陸した。その場面を日本側が描きとったのが前ページの絵であった。ひとりだけ小さく描いたのは、絵師も彼が日本人であることを見分けたからだ。ゴロヴニンの記録によると、日本の役人は待ち受けるゴロヴニンに、上陸した通訳はロシアの服を着ているが日本人だろう、と語っていた。

幕府高官との会見は、リコルドの挨拶をキセリョフが通訳するところから始まった。一世一代の晴れ舞台である。だがその直後、彼にとって予想もしない衝撃的な光景が眼前に展開しはじめた。松前奉行所高官のかたわらに控えていた役人が、高官の挨拶を流暢《りゅうちょう》なロシア語で通訳したのである。村上貞助《むらかみていすけ》であった。彼は幽閉されていたゴロヴニンからロシア語を学んだ幕府の役人で、のちに北方史研究にも名を残す存在となった。

会談はこのあと、村上貞助がすべてを通訳しながら進んだ。キセリョフ＝善六の出番はなくなってしまった。その失意たるや、想像にかたくない。漂流日本人と外交の最前線に立つ通詞《つうじ》。まったく異なった人生を歩む二人が、ロシア語を介して相まみえた歴史の場面であった。

リコルドの白旗とペリーの白旗

先に紹介したリコルド一行の絵は、箱館《はこだて》に上陸した善六《ぜんろく》の姿を描いた貴重なものだが、この絵はもうひとつ、幕末外交史の理解に関連する重要な要素を提供している。

この上陸図には二つの旗が描かれているが、後方の儀仗兵《ぎじょうへい》が持っている旗は、X字形の聖アンデレ十字を描いたロシア海軍の軍艦旗である。これに対し先頭の旗は、絵では薄い水色に着色されている。だが、リコルドの『対日折衝記《たいにちせっしょうき》』には、白旗と軍艦旗を持った下士官を上陸させたとあるので、実際には白旗だったと見なしてよいだろう。

白旗を掲げることの意味について、一八九九年に制定されたハーグ陸戦条約では、交渉のために白旗を掲げてきた者は軍使と見なし、その一行には不可侵権があると規定されている。このほか、白旗を掲げれば戦闘する意志がないこと、あるいは降伏の意志を表明したものであることも、現代における共通の理解だろう。要するに、白旗を掲げた者を攻撃してはならないということである。

この白旗が注目されたのは、嘉永《かえい》六年（一八五三）、軍艦四隻《せき》を率いたアメリカのペリーが浦賀《うらが》に来航したときであった。ペリーは日本側役人に通商か戦争かの選択を迫り、もし日本が和睦《わぼく》を請うのであれば、この白旗を掲げよ、といって白旗を手渡したという。アメリカの砲艦外交の根拠とされる一件だが、国際交渉の場面に白旗が登場してくるのは、ペリーよりも早く、この日ロ交渉が最初であった。

リコルドの『対日折衝記』には、箱館に上陸するときに乗った小船に、「交渉用の白旗」を掲げたとはっきり書いている。箱館湾に入港したロシア船ディアナ号も、前の帆柱には「常に

7

◉ロシア船ディアナ号
スプール艦ディアナ号は、長さ二七・七m、幅七・六m、排水量三〇〇トンで、六〇人乗りであった。

白い旗」を掲げていた。

これは、ロシア側だけのデモンストレーションではなかった。ゴロヴニンはリコルドに、ディアナ号が箱館に入港すると日本側は山上に「白い旗」を掲げると知らせていた。また、先に上陸して日本側役人と交渉していた高田屋嘉兵衛《たかだやかへえ》は、役所とディアナ号の間を小船で行き来したが、そこにも「白い旗」が掲げられていたのである。

箱館湾に入港したリコルド一行がつねに白旗を携行したのは、「交渉」の意志を表明するためであった。そのことは当然、日本側にも理解されていた。だからこそ日本側は、箱館山の上にも、高田屋嘉兵衛が乗った小船にも、白旗を掲げたのである。

白旗が交渉旗であることを日本側がいつごろから認識しはじめたのか、定かではない。だが白旗に関する研究によれば、フヴォストフ襲撃事件が発生した文化《ぶんか》四年（一八〇七）に、長崎通詞《つうじ》がオランダ商館長ヘンドリック・ドゥーフから、ロシア船との交渉に際しては、舳先《へさき》に白旗を掲げていけば、ロシア人は間違いなく会談すると教えられている。それから六年後、右にみたように、実際にはロシア船が白旗を掲げて箱館に入港し、日本側も白旗を掲げて応対したのである。

ゴロヴニンが日本側に捕縛されたあと、長崎通詞の馬場佐十郎《ばばさじゅうろう》が松前《まつまえ》に派遣されているので、ドゥーフの情報が活《い》かされたのかもしれない。このときの箱館では、幕府兵のほか、弘前《ひろさき》藩と盛岡《もりおか》藩の兵士たちが警備にあたっていたから、白旗の行き交う場面は広く目撃されていた。白旗を交渉旗だとする認識は、この時期にはすでに日本に定着したといってよい。

ロシア船打払令と蝦夷地

文化《ぶんか》二年（一八〇五）三月、幕府はロシアの遣日使節レザーノフに対して、ふたたび来航することなかれ、と説諭して帰した。それでもロシア船が来ることを想定して、翌年正月には薪水《しんすい》給与令を発した。ロシア船であれば説得して帰帆させ、漂流船ならば食料や燃料を与えるべしと全国に触れ流したのである。異国船に対して、決して交渉はしないが穏便に処理する方針であった。だが文化三年と翌年にフヴォストフ襲撃事件が発生したために、幕府は文化四年一二月、ロシア船打払令《うちはらいれい》を出して対ロシア強硬路線に転じざるをえなかった。ロシア船であれば厳重に打ち払い、近づくようであれば召し捕らえるか打ち捨て、漂流船であれば漂着地に繋留《けいりゅう》し幕府に通報すべしとあった。ロシア船であっても漂流船を例外としたのは、人道的配慮でもあるが、つぎのように対応の柔軟性を確保する役割も果たした。

クナシリ島ではゴロヴニンが薪水の給与を求めたために、その許可を松前《まつまえ》奉行から得るまでの間、ロシア側から人質一名をとって引き留めようとした。一般ロシア船ならば即座に打ち払わなければならないが、この対応は漂流船に準じた扱いをしたことになる。だが、ゴロヴニンらが逃走したために捕縛することになった。結果的には、一般ロシア船としての厳しい対応になったのである。

一方リコルドは、ゴロヴニンの釈放を求めてクナシリ島に来島した。ラクスマンやレザーノフに対して、長崎以外では入港もいっさいの交渉も受けつけないと通告していたため、リコルドにどう対応するか、これまでの法との関係が問われることになった。老中《ろうじゅう》は当初、国法に準じてゴロヴニンらを長崎で引き渡すことを考えていたが、松前奉行の建言を入れて、例外的に松前で引き渡すことにした。

ゴロヴニンの『日本《に》俘虜《ほんふ》実記《りよじつき》』には、通詞《つうじ》馬場《ばば》佐十郎《さじゆうろう》からの情報として、長崎への回航を主張する閣僚と、松前での釈放を主張する松前奉行荒尾《あらお》成章《なりあき》が対立したとある。松前奉行は、ゴロヴニンらの引き渡しが長引くと、ロシアに対する緊張と警備費用がかさんで国内が疲弊するため、蝦夷地《えぞち》を国法の適用外、すなわち日本ではない「異域」とすることで法の整合性をとるよう上申したのであった。この段階ではすでに、蝦夷地や南千島《ちしま》を日本の領土だとする認識も定着しつつあったが、一方ではこうした例外措置を可能とするような地域としても認識されていたことになる。

日ロにとってのフヴォストフ襲撃事件

フヴォストフ襲撃事件以来、北方警備にあてる費用負担と極度の緊張は、幕府や諸藩の疲弊を深めていた。前述の松前《まつまえ》奉行の建言もそれをふまえたものだが、ゴロヴニンを捕らえたことで、フヴォストフの襲撃がロシアでは海賊行為として批判されていることを日本は知ることができた。しかし、その真偽を確かめるすべはなかった。そこに、高田屋嘉兵衛《たかだやかへえ》拉致《らち》事件と、リコルドのクナシリ島への来航があった。幕府にとっては、フヴォストフ襲撃事件がほんとうに海賊行為であるとされているのかどうかを確認する絶好のチャンスとなった。しかも、日本政府の要求どおりにロシア側が公式の弁明書を提出することになれば、「国威」も立ち、緊張も緩和することになる。

ロシア側にとっても、フヴォストフ襲撃事件によって日本側がロシアに対する敵対的姿勢を強めていることは不都合だった。レザーノフが通商拒否を通告されたとしても、ロシアにとって日本は、なお継続してアプローチすべき対象だったからだ。だからこそロシアは、フヴォストフの行為を好ましからぬ犯罪行為として、事件直後に処分した。また弁明書を提出せよという日本側の要求にも応じて、イルクーツク民政長官とオホーツク港湾隊長の書簡を出した。両書簡にも示唆されていることだが、ロシアにとっては、この問題を一刻も早く解決し、通商交渉に入るための条件を整えることが必要だったのである。

両国がフヴォストフ襲撃事件を個人的な海賊行為として処理することによって、この事件を契機

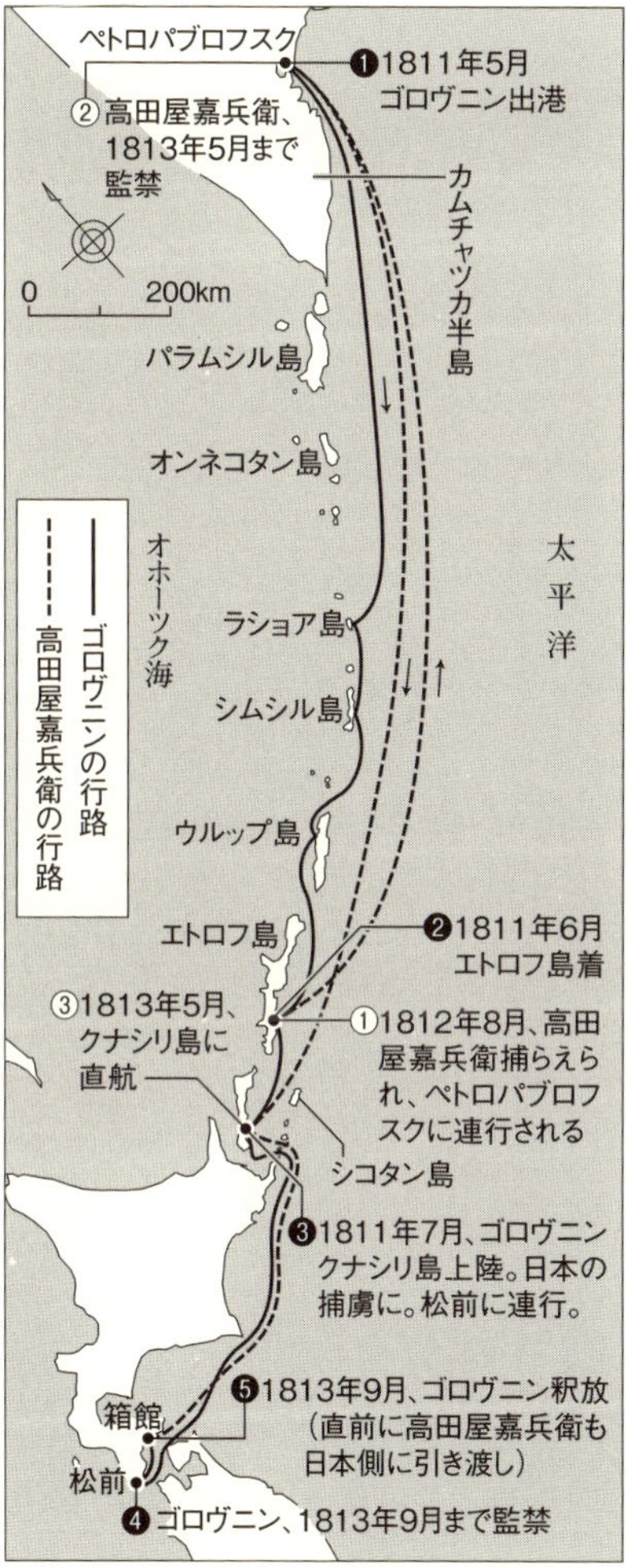

◉ゴロヴニンと嘉兵衛の航路
ゴロヴニンは二年二か月、高田屋嘉兵衛は九か月の抑留生活を送った。一九九九年、ゴロヴニン、リコルド、嘉兵衛の子孫が嘉兵衛の生地淡路《あわじ》島《しま》で一堂に会した。

に発生した国家間の紛争は終息することになった。だが、その後の展開はロシア側の思惑《おもわく》どおりにはならなかった。なぜなら、箱館《はこだて》での会談はロシア側にとっては両国和解の場だったのだが、日本側にとっては説諭の場だったからだ。幕府役人は通商の不可なることを懇々と諭し、今後約束なくして来航すれば容赦なく打ち払う、と通告した。これに対してリコルドとゴロヴニンは、今後、ロシア国の船やラショア島のアイヌたちが日本の領地に行かないよう、ロシア政府より厳しく申し渡す、とした一札を提出せざるをえなかったのである。日本側はこの会談で、緊張緩和の実をあげただけではなく、通商拒否と来航禁止をロシア側に明確に通告するという成果を得たのである。

日本を威嚇したイルクーツク長官からの書簡

リコルドが、イルクーツク民政長官兼県知事であるトレースキンと、オホーツク港湾隊長で海軍中佐ミニツキーからの二通の公式文書を日本に提出したことは前に述べた。日本側はこれを、フヴォストフ襲撃事件に関するロシア政府による公式の謝罪として受け入れたことになっているが、厳密にいえば幕府が了解したのはオホーツク港湾隊長からの書簡だけであった。イルクーツク長官の文書には、不穏当な文言があったからである。

イルクーツク長官文書の前半では、フヴォストフの襲撃が政府の関与しない商船（民間船）による行為であり、彼はすでに処罰され、かつ死亡していることを述べている。だが後半部分には、つぎのようにある。

すなわち、日本とロシアの正確な国境を知らなかったゴロヴニンが水を求めてクナシリ島に上陸したところ、日本側の計略によって拘束された。ロシア皇帝はこの行為を、クナシリ島の隊長が日本の将軍の意志に反して独断で実行したものと考えている。ロシア側はカムチャツカに漂着した日本人漂流民とフヴォストフが拉致《らち》した日本人を友好的に送還したので、日本側もゴロヴニンらを引き渡してほしい。だが、もしこの書状に対する回答もロシア人の解放もしないというのであれば、それは日本政府がロシアに敵対的態度をとるものと見なさざるをえない。ロシア皇帝は人間愛に満ちているが、「人倫の理」（万国公法）に違反した日本に対しては、帝国の国力にふさわしく武力による方策に踏み切ることになり、日本国の安寧は間違いなく根底から揺るがされることになろう。

要するに、ロシア政府に非はなく、むしろ日本は国際法に違反してゴロヴニンを拘束したと非難し、釈放しないならば武力行使もありえる、と威嚇《いかく》したのである。これを見た日本側は、訳を依頼したゴロヴニンに対して、「二条に解しかたき事あり」と、不満を表明した。ひとつは、クナシリの幕府役人がロシア人を捕縛したのは現地の独断ではなく、日本政府の命令によるものだと批判し、二つには、日本国を「揺るがす」とはどういうことかと、ゴロヴニンに説明を求めたのである。

第一点に関するイルクーツク長官のねらいは、フヴォストフの襲撃はロシア政府の関与しない私人の行為、一方ゴロヴニンらの捕縛は日本の将軍の意志に反したクナシリ隊長による独断的な行為とすることで、双方の政府の関与を相殺しようとしたのであろう。もしこの見解を受け入れるとすれば、ロシアと同様に日本もクナシリ隊長を処分しなければならなくなる。だが日本政府は、ロシア人が来たら打ち払うか捕らえよと命じていた。日本にとって非はあくまでロシア側にあったから、イルクーツク長官の意見に同意するわけにはいかなかったのである。

だが、より大きな問題は、日本国を「揺るがす」とした第二点にあった。ゴロヴニンによれば、松前《まつまえ》奉行をはじめ日本側は、この文言に「怒を含める様子」であったという。つまり、日本側はこの文言をロシアによる脅迫だと受け止めたのであった。

これに輪をかけたのが、捕虜になっていたムール少尉だった。ムールはきわめて率直に、トレースキンの書簡は無礼なもので、侮辱的な威嚇があると通詞《つうじ》に指摘した。ゴロヴニンも、「揺るがす」とはロシア帝国相応の武力を日本に行使するということだ、と説明した。だが、さすがにこの文言は日本の対面を傷つけると考えたゴロヴニンは、イルクーツク長官は事態を十分に把握しないでこの文書を書いていると弁明した。

リコルドが幕府役人と第二回目の会談をする前に、通詞はゴロヴニンに、松前奉行はリコルドが提出した文書に満足してロシア人捕虜の釈放を決定したと伝えた。ただし、これには条件があった。日本側が満足のいく回答はオホーツク港湾隊長の文書のみであり、日本からの回答も同隊長に対してのみとすること。よってイルクーツク長官の文書には回答しない。だが、イルクーツク長官がなぜあのような文書を書いたのかについて、リコルドは同長官がフヴォストフ襲撃事件の全体を十分に承知していなかったからだと説明をすること。つまり日本側は、イルクーツク長官文書を日本を侮辱する不適切なものだと見なし、リコルドに釈明するよう求めたのであった。

日本側が二回目の会談をする前にゴロヴニンとリコルドを引き合わせたのは、こうした日本側の条件をのむよう、ゴロヴニンがリコルドを説得することに期待したからだろう。交渉が長引くことを恐れたリコルドは、日本側が要求するイルクーツク長官文書に関する弁明書を作成して提出することに同意した。

不穏当かつ脅迫的なこの文書をどう処理するかは、日ロ交渉の帰趨《きすう》に大きな影響を与えかねなかった。イルクーツク長官がフヴォストフ襲撃事件を十分に把握していなかったとするのは無理があったが、そうでも言わないと脅迫されたと受け止めている日本側の体面は保てない。一方、日本側も、思いつきの説明であることは承知しつつも、イルクーツク長官文書には瑕疵《かし》があるという説明を受け入れることで、この脅迫的文言をロシア側に事実上撤回させることに成功した。

オホーツク港湾隊長の書簡も、フヴォストフ襲撃事件にロシア政府は関知しないとし、ロシア人士官らの釈放が両国の善隣友好を回復すると述べているが、必ずしも謝罪の文言があるわけではない。しかし、イルクーツク長官文書ほど威圧的ではなかった。なんとかして紛争を決着させたい日本側としては、ロシア政府は不関与だという両書簡を「陳謝」だと受け止め、穏当なオホーツク港湾隊長の文書を正式に受理するかたちで、その解決をはかったのである。

ロシア側は明確な謝罪の文言を盛り込むことを避けて国家の体面を維持しようと努め、日本側はロシアの書簡を実質的な謝罪文だと位置づけた。イルクーツク長官の不適切な文言に対しては日本側が釈明を求め、リコルドがそれに応じることで決裂を避けた。このあたりの駆け引きについては、これまで注意が向けられていないが、ここには日本の役人の外交センスが現われていて、なかなか見ごたえがある。同時に、外交の厳しい最前線の姿をみることができるだろう。

日ロの国境認識

この日ロ会談には、もうひとつ、重大な議題が付随していた。国境問題である。オホーツク港湾隊長ミニツキーの書簡では、ロシアと中国との間に設けているような「応接所」を日ロの国境に置いて善隣関係を強化することを提案していた。バイカル湖の南の国境都市キャフタに交易所が設けられており、それと同様な施設を想定していたのだろう。リコルドもイルクーツク民政長官トレースキンから、国境を画定し親善関係を樹立してくるよう指示を受けていた。

だがゴロヴニンは、ここで国境と親善関係の問題を持ち出すと、日本側はあらためて幕府の指示を仰がなければならず、それを待っているとレザーノフのときと同様に幽閉されたまま越冬しなければならなくなる、として反対した。リコルドもそれを了解し、日ロ会談では議題として取り上げないことにしたのである。

しかし、このままでは指令違反になるため、国境問題に触れずに帰国することはできなかった。窮余の策としてリコルドがとったのは、ゴロヴニンの引き渡しを受けて出航する直前に、国境画定の検討を求めたイルクーツク長官の書状を日本側役人に手渡すことだった。来年あらためてエトロフ島に来航するので、そのときに返事が欲しいと求めたのである。

これに対して幕府は、翌文化《ぶんか》一一年（一八一四）正月、わが国の境界をエトロフ島とし、ロシア側の境界はシムシル島とすること、この両島の間の島々は人家を置かずに空島とすること、という方針を打ち出した。国境に関する明確な認識を幕府がはじめて示した、画期的な出来事である。幕府はこの見解をロシア側に伝えるべく、同年三月下旬、松前《まつまえ》奉行所支配吟味役の高橋三平《たかはしさんぺい》をエトロフ島に派遣した。だが天候不順で風向きが悪く、同島に到着したのは六月八日になった。ロシア側も予告どおりに船を出し、五月二四日、エトロフ島沖合いに現われたが、高橋が到着する前に引き揚げてしまった。

ロシアはその後、翌一八一五年と一六年の夏にもエトロフ島に船を派遣したが、日本側と連絡をとることができなかった。ロシア側が上陸しなかったのは、幕府がリコルドやゴロヴニンに対して、もしエトロフ島以南に来航すれば打ち払うと明言していたからだろう。高橋をエトロフに派遣するにあたって

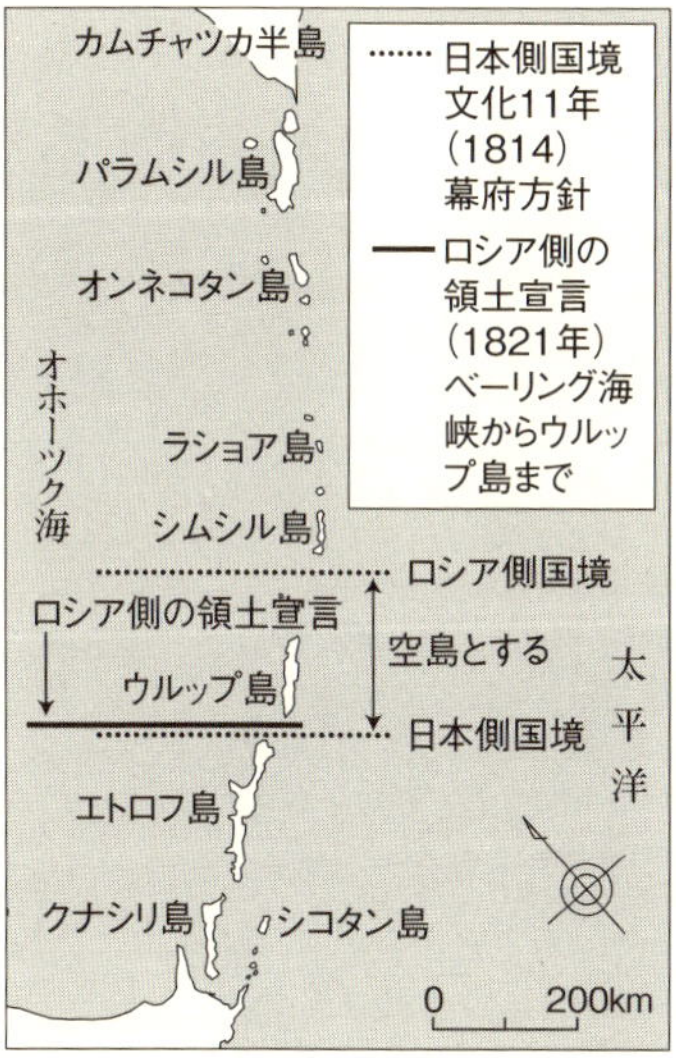

●ロシアと日本の国境認識
一八世紀の後半以降、千島列島とその海域はロシア人と日本人が行き交う場となった。日ロの国境は、そうした動きのなかで確定されていった。

幕府は、現地警備隊に向けて、ロシア船がエトロフ島に現わても打ち払うなと命じていたが、ロシア側はそれを知るよしもなかった。そのため沖合いで、日本側からの連絡を待つしかなかった。一方日本側は、ロシア船来航の通報を受けて松前から役人を派遣する態勢をとっていたため、現地警備隊がロシア船に接触することはなかった。通商関係を望まない日本とすれば、ロシア船が静かに立ち去ってくれたほうがよかったのである。

ところで、ロシア側の国境認識についてイルクーツク長官のトレースキンは、帰国したゴロヴニンの報告を受けて、エトロフ島とウルップ島の間が「自然の境界」であると見なしていた。その後、捕鯨船や商船など、北太平洋への進出を強めてきたアメリカやイギリスの動きに危機感をもったロシアは、一八二一年、アレクサンドル一世の勅令を発布し、ベーリング海峡からウルップ島までをロシアが実効支配していることを宣言した。これらの地域で外国人が活動することや、外国船の接近を禁止したのである。

日本側はエトロフ島までを自国の領土だと認識し、ロシアもまたウルップ島までが領土であることを世界に宣言した。北太平洋の西部地域で展開したロシアと日本の領土分割競争は、当面こうしたかたちで落ち着きを見せ、幕末の国境交渉の大前提となったのである。

8 ◉アメリカの捕鯨船
一八世紀から一九世紀にかけて、捕鯨業がもっとも盛んだったのはイギリスとアメリカであった。
（『横浜開港見聞誌』）

列強の脅威と日本の防衛

沿岸防備体制

日本の沿岸防備体制＝国防体制の原型は、海禁体制＝鎖国の確立期に整備された。スペイン・ポルトガルと断交した幕府は、寛永《かんえい》一五年（一六三八）から一七年にかけて、九州の諸大名に長崎および九州沿岸での異国船監視と防備のために遠見《とおみ》番所《ばんしょ》の設置を指示している。同時期に中国・四国筋での設置も確認され、仙台藩の正保《しょうほう》二年（一六四五）の国絵図にも遠見番所が描かれていることから、全国的な異国船監視体制が構築されたとみられる。もし不審な異国船が発見されたときには、諸大名に軍事動員がかけられることになっていた。

たとえば正保四年六月、二隻《せき》のポルトガル船が長崎に来航して通商の再開を求めようとした際、幕府は、福岡藩、佐賀藩、熊本藩、柳川《やながわ》藩、唐津《からつ》藩、大村《おおむら》藩、島原《しまばら》藩などに動員をかけ、五万人近くの兵と、一〇〇〇艘《そう》近くの船で海陸を固めた。湾内に封じ込められたポルトガル船は身動きできず、二か月後、ようやく解放されて長崎を去っている。

その後は延宝《えんぽう》元年（一六七三）にイギリス船が通商復活を求めて来航

9

◉包囲されたナジェジダ号
警護担当の佐賀、福岡、大村の船に囲まれた。（『環海異聞《かんかいいぶん》』）

し、貞享《じようきよう》二年（一六八五）には日本人漂流民を送還してポルトガル船が入港するが、混乱なく退去している。長崎警護はおもに福岡藩と佐賀藩が隔年で担当し、周辺の大村藩や島原藩が支援する体制をとった。その後は平穏に推移したが、一二〇年後の文化《ぶんか》元年（一八〇四）にロシア使節レザーノフが入港したときは、警護年番の佐賀藩二万五〇〇〇人、非番の福岡藩四〇〇〇人、大村藩七〇〇人など、九州諸藩から三万五〇〇〇人を超える兵士と、三〇〇余艘の船が動員されている。

危険な国としての日本

こうした日本の防衛体制を、諸外国はどのように認識していたのだろうか。ロシアとフランスの例を紹介しておきたい。

一七三八年、シパンベルグ率いる一行は日本遠征のために三隻《せき》の船で出航したが、シパンベルグが乗った船は僚船とはぐれたためにウルップ島から引き返した。日本人がオランダ以外の外国船に対して排撃的であることを知っていたため、一隻で日本に向かうことを恐れたからだという。日本の防衛体制に関する情報はオランダ経由のものだが、事情を知らない外国にとっては、かなり効果的であった。翌年、ふたたび四隻で日本をめざしたときには三隻が仙台湾に乗り入れているが、七九艘《そう》の日本船に囲まれたために岸に近づくことができなかったという。襲撃されはしないかと、かなり心配したらしい。三陸《さんりく》沖ではぐれて房総《ぼうそう》半島に現われたもう一隻は、大胆にも武装した六人の兵士をボートで岸に向かわせた。上陸は妨害されず、民家に案内されて水と食料を与えられ、本船には日本の村役人らしき人物も乗り込んでいる。

しかし、一〇〇艘以上の日本船に取り囲まれ、船長のワリトンはやはり不安になって、急いで出航したという。日本人を刺激さえしなければ襲撃されないという教訓を得たようだが、日本の潜在的防衛力に対する認識は実体験を通じて深まったようだ。

フランスのラペルーズも、日本と朝鮮に対しては警戒心を隠さなかった。済州島《チェジュド》の沖合いから対馬《つしま》海峡を経て大陸の沿海州に帆を向けたところで、ラペルーズの『世界周航記《しゅうこうき》』は率直に、日本と朝鮮に対する恐怖心を吐露している。朝鮮と日本の国民は、「異邦人を歓待せず、交流しない野蛮非文明の民であるから、停泊逗留《とうりゅう》するなど思いもよらぬことだ」と。

こうした恐怖心はどうやら、一六三五年に朝鮮半島沖で難破したオランダ船乗組員が、たび重なる鞭打《むちう》ちの刑を受けながら一八年も抑留され、ついに小舟を奪って脱出したという情報から生まれたものらし

1778〜89年	● ●
1790年代	● ● ● ○ ◆
1800年代	● ● ● ● ○ ○ ◆ ◆ ◆
1810年代	● ● ● ● ○ ○ ○ ○ ○ ○
1820年代	○ ○ ○ ○ ○ ×
1830年代	● ○ ◆ ◆ ● × × × ×
1840〜44年	● ◇ × × ×
1845年	● ○ ◆
1846年	● ○ ○ ◆ ◆ ◆ ◇ ◇ ◇ ■ × ×
1847年	× × × ×
1848年	◆ ◆ ◆ ◇ (ほか不明船数回)
1849年	○ ○ ○ ○ ○ ◆ ◆ ◆ ◆ (ほか不明船数回)
1850年	○ ○ ◆ × × ×
1851年	○ ◆ □ (ほか不明船数回)
1852年	● ○ ◆ (ほか不明船数回)
1853年	● ● ● ● ○ ○ ○ ◆ ◆ ◆ ◆ × × ×
1854年	● ● ● ● ● ● ● ◆ ◆ ◆ ◆ ◆ ◆ ◆ ○ ◇
1855年	○ ○ ○ ○ ○ ○ ○ ○ ○ ○ ○ ○ ○ ○ ○ ◆ ◆ ◆ ◆ ◆ ◆ ◆ ◆ ◆ ◆ ◆ ◆ ◆ ◇ ◇ ◇ ◇ ◇ ▼ ▼ ×

●ロシア
○イギリス
◆アメリカ
◇フランス
■デンマーク
□ルーマニア
▼ドイツ
×国籍不明
*毎年入港するオランダは省略

◉日本近海に出没した異国船数
幕府に報告されたものだけであり、実際にはこの数倍あったと思われる。日本の海防体制は、一八世紀後期から急速に整備されていった。

い。その体験を描いたヘンドリック・ハメルの『朝鮮幽囚記《ゆうしゅうき》』は艦載図書であったというから、アジアを航海する船にとっては必携の書物だったようだ。これを「熟読」していたラペルーズは、「さすがの私もボートを降ろして岸に近づいてみるような無茶はしなかった」という。

朝鮮と日本は、へたに近づくと、いつ捕縛されるかわからない、危険な国家だったのである。それは両国が外国船に対して強い警戒心をもっていたからにほかならない。

国家をもつことの意味

日本や朝鮮は、非友好的で危険な国だから不用意には近寄らない、とラペルーズはいう。だが、沿海州の住民に関するラペルーズのつぎの記述を読むと、国家が存在することの意味がみえてくる。

「タタール沿岸の民には歓待の社交性があることも知っていたし、そうでなくともこの沿岸で出会えそうな民族は大勢ではないから、わが艦艇《かんてい》の武力をもってすれば有無を言わさず受け入れさせることもできた」

ここの住民は友好的だから安心して上陸することができる、もし抵抗したとしても少数だから武力で制圧することは、いとも簡単だと、きわめて率直に書いている。だからこそラペルーズは、ここでフランスとしての領有儀式を行なったのであった。とはいえ、沿海州はすでに中国の版図《はんと》に組み込まれていたので、実質的な効力を発揮することはなかった。日本と朝鮮は、一定の防衛力をもって国家を守っていた。だからこそ、ラペルーズにとって危険だったのである。中国の勢力下にあったとはいえ、国家の防衛力が及ばない沿海州の住民に対する姿勢と、武力を備えた国家に対する対応の差がきわめて歴然としている。

ロシアも、これと同じ姿勢を非国家地帯の住民に対して見せていた。海軍参議会は一七四二年頃に、千島《ちしま》（クリル）列島と日本への三回目の遠征に出発するシパンベルグに対して、つぎのような指令を出している。「日本に属さない島々では礼儀正しく愛想よくふるまい、彼らの長《おさ》に贈り物をして、ロシアに臣従させるように尽力すべし」と。ほぼ同様のことは、一七七八年にアッケシ（厚岸）に来航したシャバリンたちも、カムチャツカ総司令官から指示されていた。イルクーツク県知事も同年に、千島列島やアリューシャン列島に進出する商人たちに対して、アリュートやクリル人は温厚なので、贈り物をすれば力ずくでなくともロシア帝国の臣民になるだろう、船に大砲を数門ずつ装備し、ボートにも小型砲を装備しておけば、島々の「未開人」による妨害も少なくなる、と述べている。

穏便に支配下に組み込むことが望ましいが、武力による制圧も辞さないということである。友好的ふるまいは先住民に対する善意や配慮から出たものではなく、あくまで臣民化の近道としての手段にすぎなかっ

10

◉カラフト島の人々との交流
ラペルーズは、贈り物をして地元民の歓心をかった。とくに鉄器と布地が喜ばれた。地元民は中国製や日本製のキセルを持っていた。（ラペルーズ『世界周航記』）

た。実際、一七六〇年代には、毛皮税（ヤサーク）を逃れてパラムシル島から数百人が南のマツア島などに逃亡し、これを連れ戻すためにカムチャツカから官憲が派遣されている。また一七七〇年には、ロシア商人がウルップ島にいたアイヌの首長を殺害したり、一七八三年には、アラスカのコディアック島に進出したロシア商人が先住民一五〇人を殺害して占拠するなど、抵抗する非国家地帯の住民に対して、力による支配を強行していった。

一方、日本に対しては、シパンベルグ隊もシャバリン隊も、隣人としての友好関係をもち、両国の利益のために商取引を行ないたい、と提案するように命じられている。国家による統治権が確立した地域に対しては、征服ではなく通商の関係が前提とされたのである。国家があるということは、なんらかの軍備をもち刑罰の制度が存在することである。強い防衛力をもつのが国家であるといってもよい。そのため、そうした地域との関係は外交として展開される。ロシアが、千島列島に対する日本の支配がどこまで及んでいるかを知りたがったのは、国家が支配する地域と国家の存在しない地域を識別するためであった。ただし、国家が存在することをもって絶対とすることはできない。アヘン戦争を契機とする、「帝国」清国《しん》に対するイギリスの侵略がその典型であった。すきがあればつけこんでいく、これも国家間の外交のあり方であった。

北方への備え

一七七〇年代のロシア商人のアッケシ来航やベニョフスキー情報は、南進するロシアの姿を日本側に認識させることになった。田沼意次《たぬまおきつぐ》政権は蝦夷地《えぞち》や南千島《ちしま》へ探検隊を派遣し、蝦夷地開発を梃《て》子《こ》にロシアとの交易も構想するが、つぎの松平定信《まつだいらさだのぶ》政権はこれを否定した。だが、寛政《かんせい》四年（一七九二）の遣日使節ラクスマンのネモロ（根室）来航は、定信の国防意識に大きな変化をもたらすことになった。

定信は、沿岸領主に対し防衛体制の点検や隣領との協力体制についての協議を指示し、無防備に等しい江戸湾岸は、大名の配置替えや軍事施設としての浦番所《うらばんしょ》の設置によって防衛力の向上をはかろうと計画した。首都防衛がはじめて明確に認識されたといってよい。また、北国郡代《ほっこくぐんだい》を置いて北への備えとし、西洋式軍艦を造船して江戸湾や北海警備にあてる構想も立てた。

だが、寛政五年に定信が退任したあと、後継老中戸田《ろうじゅうとだ》氏教《うじのり》はこの計画を継承しなかった。戸田の対外認識が楽観的だったからだともいわれるが、政権交代は政策の継続性を困難にしたといってよい。しかし、寛政八年から九年にかけてイギリス船が水戸藩領、仙台藩領、盛岡藩領など太平洋沿岸一一か所で測量を繰り返し、エトモ（絵鞆《えとも》）に停泊するという事件が発生した。松前《まつまえ》藩は兵を急派させ、幕府は弘前《ひろさき》藩と盛岡藩に松前・箱館《はこだて》への出兵を命じた。イギリス船プロヴィデンス号の艦長は、かつてキャプテン・クックのもとで太平洋探検の経験を積んだウィリアム・ブロートンだった。

こうした動きに危機感をもった幕府は、寛政一一年東蝦夷地を幕府直轄地とするため、松前藩に七か年の上知《あげち》を命じた。北方警備を松前藩にゆだねるのではなく、幕府として取り組むことを決したのである。同時に、弘前藩と盛岡藩に東蝦夷地の警備を命じた。国家として北方防衛体制に本格的に取り組んだ画期的な措置であった。ただし弘前藩と盛岡藩は以後、多大な北方警備の負担に苦しむことになる。

文化《ぶんか》元年（一八〇四）に来航したロシアの遣日使節レザーノフに対し、通商を拒否した幕府は、レザーノフらが帰路にソウヤ（宗谷《そうや》）に立ち寄ったこともあり、西蝦夷地の調査を行なった。その結果、松前藩に防衛能力がないことを認識した幕府は、文化四年三月、松前と西蝦夷地を収公して直轄地とし、松前藩を陸奥国《むつのくに》伊達《だて》郡梁川《やながわ》（福島県伊達市）に転封させた。その直後の四月、前年九月にカラフトの日本人居留地がロシア船に攻撃されたとの知らせが入った。フヴォストフ士官らのしわざである。襲撃された際に船を焼かれたため、情報の到達が遅れたのであった。

箱館奉行の羽太正養《はぶとまさやす》は弘前藩と盛岡藩に増派を求め、秋田・庄内《しょうない》の両藩にも援兵を指示した。弘前藩は六九二人、盛岡藩は九〇〇人を増派し、秋田藩（久保田《くぼた》藩）は五九一人、庄内藩（鶴岡《つるおか》藩）は三一九人が、それぞれ五月中に箱館に入った。これだけ迅速な対応ができたのは、蝦夷地を幕府の直轄地にしていたからである。同年一二月にはロシア船打払令《うちはらいれい》を発布したため、さらに防衛体制を強化することになる。翌年早々から会津《あいづ》

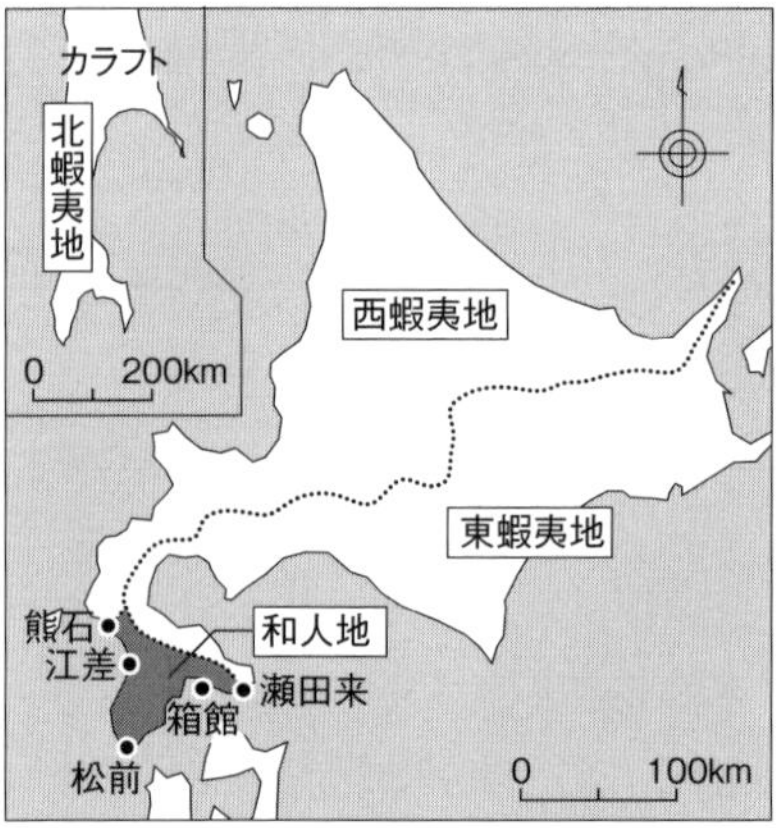

●蝦夷地の区分
北海道は中世まで蝦夷ヶ島と呼ばれ、近世には蝦夷地と称された。和人地以外の蝦夷地はアイヌの地であった。

藩が一五〇〇人余を出してカラフト・ソウヤ・リイシリ・松前の警備を固め、仙台藩も二〇〇〇人余が箱館・クナシリ・エトロフの警護のために派遣された。

　ロシア船による武力攻撃を契機に北辺に軍隊が集結し、国防体制が一挙に構築されたといってよい。弘前藩と盛岡藩を除く諸藩は文化五年末に警護を解かれているが、一年間の出兵に要した費用は仙台藩の場合、約六万両にのぼったという。箱館からネモロ、クナシリ、エトロフなどの東蝦夷地の永年警護を命じられた盛岡藩は、毎年四〇〇人の駐兵を余儀なくされ、松前、江差《えさし》、ソウヤの西蝦夷地と北蝦夷地（カラフト南端）を担当した弘前藩は三〇〇人を常駐させた。盛岡藩の場合、年間一万五〇〇〇両以上の出費となったが、幕府からの助成は一万両であったため、連年の負担は相当なものとなった。警護費用は最終的には領民にかけられることになるため、各藩ともに内治の不安をも抱え込むことになる。まさしく内憂外患であった。

　その後文化八年、クナシリ島でロシア士官ゴロヴニンを捕縛する事件が発生して緊張が高まった。だが、高田屋嘉兵衛《たかだやかへえ》の活躍もあって日ロの和解が成立したため、文化一一年には弘前・盛岡両藩の

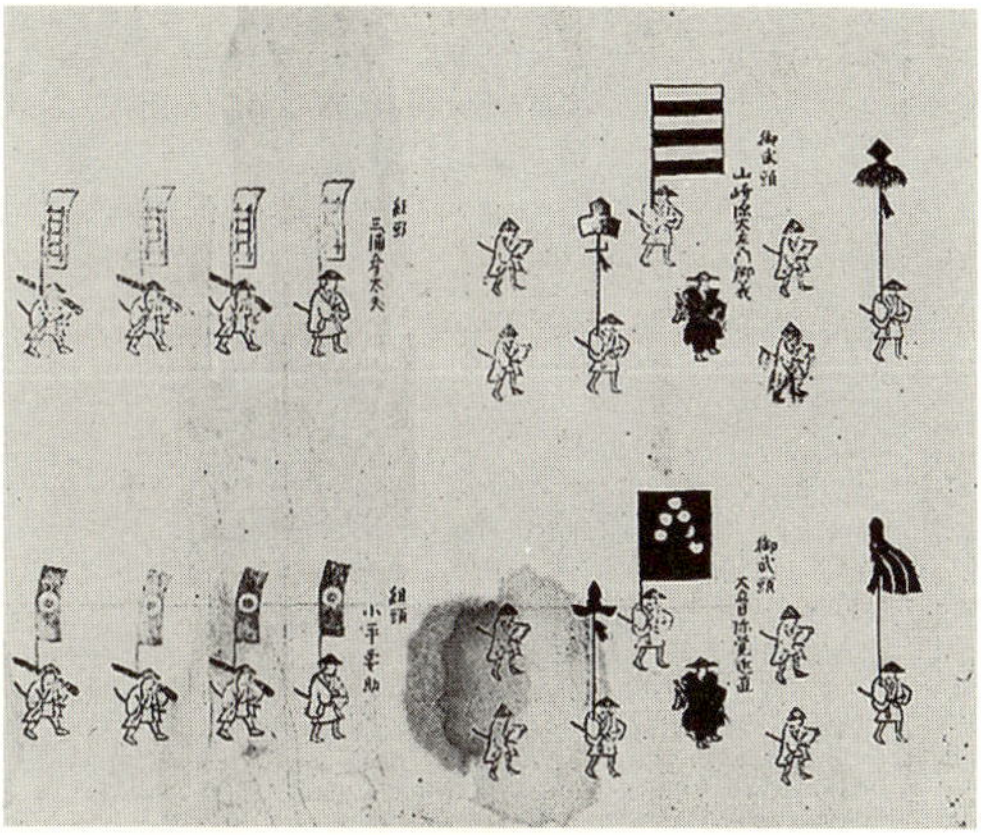

11

◉仙台藩の蝦夷地出兵
仙台藩兵は三か月をかけてエトロフ・クナシリ両島に着き、三か月ほど警備して年末に帰仙した。この間の病死者は六八人。（『行軍之図《こうぐんのず》』）

東西蝦夷地駐屯を解除して、松前と箱館だけの駐兵とした。さらに文政《ぶんせい》四年（一八二一）に幕府は、松前と蝦夷地全域を松前氏に返還して松前奉行を廃止し、松前藩による警護体制に転換した。対ロの緊張が緩和したことにともなう措置であった。

江戸湾の防備

フヴォストフ襲撃事件は、江戸湾防備の見直しも進めることになった。文化《ぶんか》七年（一八一〇）、江戸湾の防備を命じられた会津《あいづ》藩と白河《しらかわ》藩は、三浦《みうら》半島の城ケ島《じょうがしま》・浦賀《うらが》・走水《はしりみず》の三か所、房総《ぼうそう》半島側の州崎《すのさき》（千葉県館山《たてやま》市）と竹ケ《たけが》岡《おか》（同富津《ふっつ》市）の二か所に台場を築いて兵を駐屯させた。松平定信《まつだいらさだのぶ》退任後、放棄されていた江戸湾防備がようやく具体化されたが、幕府は定信が藩主の白河藩に命じ、江戸湾防備の提唱者である定信自身につとめさせたのであった。

ところが、文政《ぶんせい》三年（一八二〇）に会津藩の相模国《さがみのくに》警護を免じて浦賀奉行所の所管に移行させ、同六年には白河藩の安房《あわ》・上総《かずさ》の警護を免じて幕府代官の所管とした。会津藩は約五〇〇

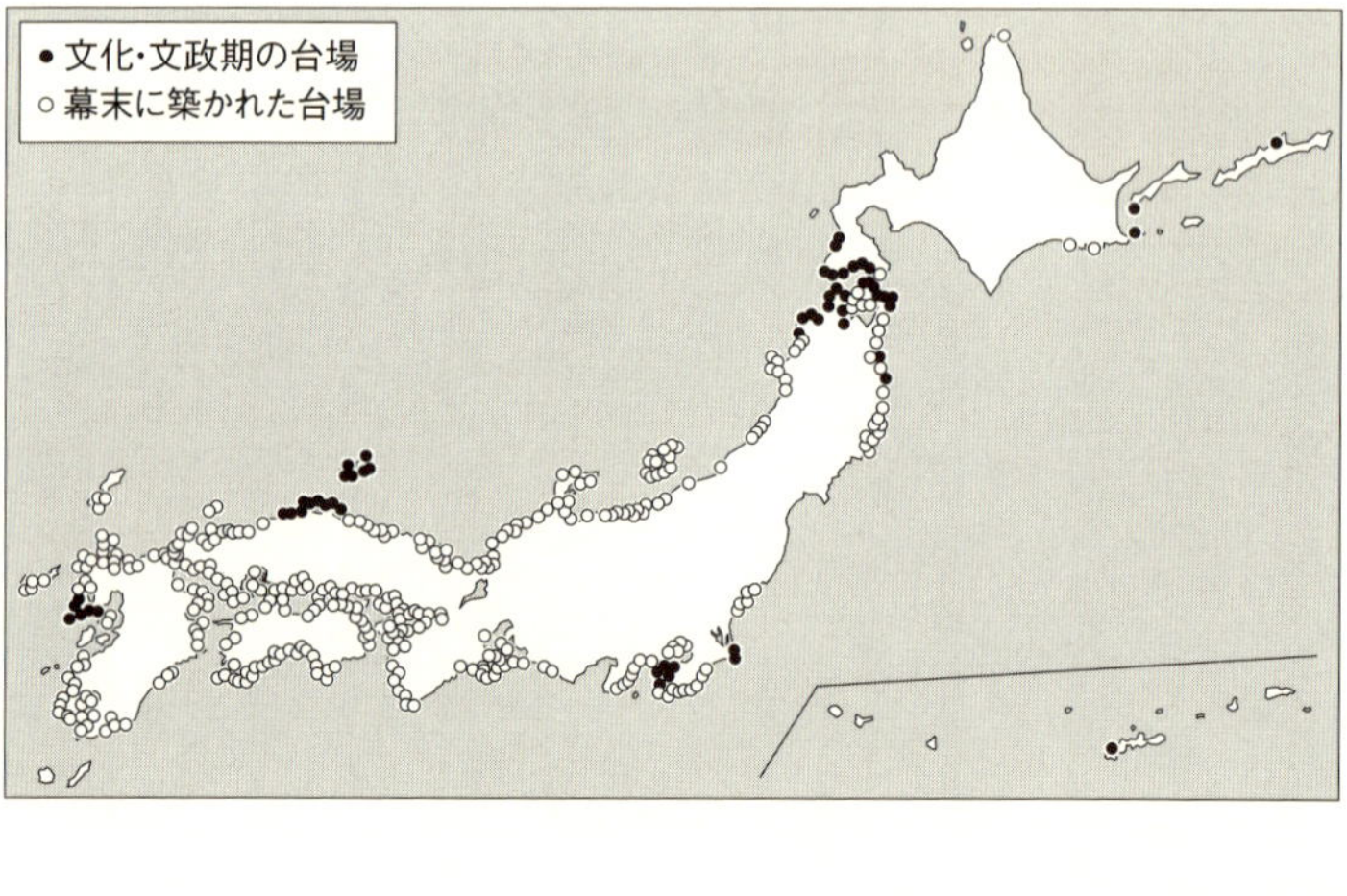

◉幕末期に急増する台場
ペリー来航前までには全国六〇〇か所に設置され、来航後はさらに四〇〇か所増設された。
（原剛『幕末海防史の研究』より作成）

人、白河藩は六〇〇～八〇〇人の陣容だったが、浦賀奉行所は約九〇人、代官所は約四〇人の体制となった。警護態勢の縮小は、文化一〇年にフヴォストフ襲撃事件が解決して日ロ間に和議が成立したからだとみられているが、会津・白河両藩の負担軽減をはかるものでもあった。

　江戸湾防備の再整備がはかられるのは、老中《ろうじゅう》水野忠邦《みずのただくに》のときである。天保《てんぽう》八年（一八三七）六月、アメリカ商船モリソン号が日本人漂流民七人の送還と通商を目的に浦賀沖に出現した。浦賀奉行が砲撃したために、モリソン号は江戸湾を退去し、鹿児島湾で漂流民を上陸させようとするが、ここでも砲撃されたためにマカオに戻った。沿岸防備体制が効果を発揮したともみられるが、天保一一年一二月に中国がアヘン戦争でイギリスに敗れたことを知ると、水野は「自国の戒め」にしなければならないとして、つぎつぎに防衛体制の充実をはかった。

　翌天保一二年五月、高島秋帆《たかしましゅうはん》に武蔵《むさし》国徳丸《とくまる》が原《はら》（東京都板橋《いたばし》区）で西洋流砲術を披露させて洋式兵学の導入を推奨するとともに、同年中には下田《しもだ》奉行を復活させて羽田《はねだ》奉行を新設し、江戸湾内外の防衛拠点を増やした。天保一三年六月にオランダ船から、イ

12

◉徳丸が原の演習
長崎町年寄の高島秋帆は、長崎警護のために出島のオランダ人から西洋式砲術を習った。アヘン戦争の報を受けると洋式砲術で防衛すべきだとする意見書を幕府に提出した。

ギリスが艦隊を日本に派遣し、もし「不都合の取り扱い」があれば「一戦いたすべし」と語ったという情報が伝えられると、翌七月に水野は無条件で打ち払う無二念《むにねん》打払令を撤回して薪水《しんすい》給与令を出し、武力衝突を回避する姿勢を明確にした。

その一方で水野は、八月には川越《かわごえ》藩と忍《おし》藩に相模と房総の警護を命じ、江戸湾防備体制の強化をはかっている。また、諸藩の江戸屋敷に大砲を備えることも命じた。江戸湾と利根川《とねがわ》を結ぶ印旛沼《いんばぬま》の通船工事も、江戸湾を封鎖された際の備えであった。

天保一四年六月、水野は江戸と大坂の一〇里四方を幕府の直轄地とするために上知《あげち》令を発した。大名・旗本の猛反発をかって水野失脚の要因となるが、上知令の目的については、大坂・江戸周辺の治安の維持や幕府収入の増大、あるいは海防政策の一環など、諸説ある。水野はこれより先の天保一一年に、川越藩の松平氏を出羽《でわ》国庄内《しょうない》へ、庄内藩の酒井《さかい》氏を越後《えちご》国長岡《ながおか》へ、長岡藩の牧野《まきの》氏を川越へという「三方領知替《さんぽうりようちがえ》」を令したが、庄内藩領民による強い反対運動が起きたため撤回された。この失敗にも懲りず、ふたたび大規模な領地替えをもくろんだのは相当の覚悟があったに違いない。

文化四年の蝦夷地上知の例でもわかるように、要地の直轄化は非常時における幕府の迅速な対応

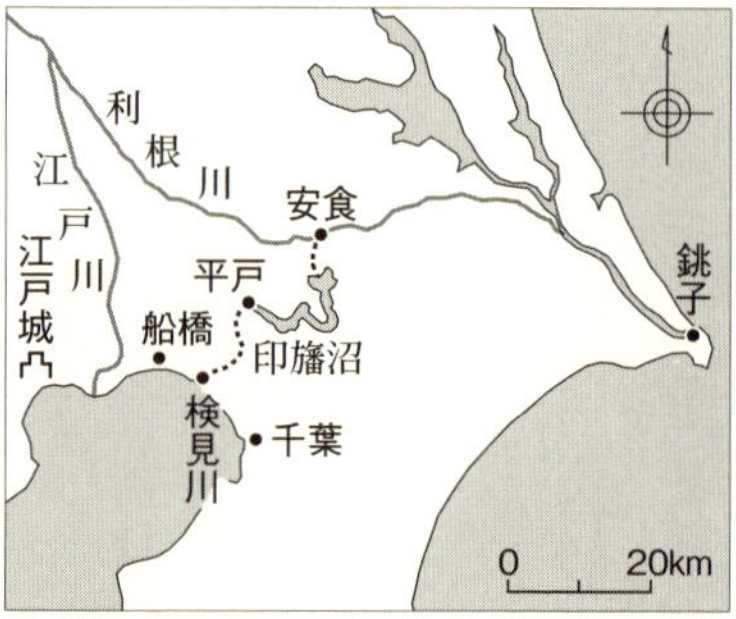

●印旛沼の通船工事
工事費を削減するために堀幅七間（約一三m）案も出たが、老中水野は一〇間（約一八m）で押し切ったという。

を可能にする。江戸湾防備体制の充実に積極的に取り組んできた水野であるからこそ、江戸と大坂の周辺を直轄化して防衛の精度をあげ、あわせて収入増・治安の維持もはかる方策だったのではないだろうか。

避戦型の国防へ

天保《てんぽう》一四年（一八四三）閏《うるう》九月、水野《みずの》忠邦《ただくに》が失脚した。跡を継いだ阿部《あべ》正弘《まさひろ》は、翌年五月に下田《しもだ》奉行と羽田《はねだ》奉行を廃止し、印旛《いんば》沼《ぬま》通船工事も中止した。同年一一月には、西洋流砲術の普及ために水野が登用していた代官江川《えがわ》太郎左衛門《たろうざえもん》（英龍《ひでたつ》）の鉄砲方兼務を免じた。こうした一連の措置のために、阿部政権では消極的な対外防備策に転じたともいわれている。

しかし阿部は、江川太郎左衛門と対立することの多かった江戸町奉行鳥居《とりい》耀蔵《ようぞう》も解任しており、江川の鉄砲方解任は人事上の問題だと思われる。その後も西洋流砲術が禁止されたわけではなく、江川は任地の伊豆国韮山《いずのくににらやま》（静岡県伊豆の国市）で幕府から借りた鉄砲を用いて、のちに勘定吟味役格に抜擢《ばってき》されるまで門弟に伝授していた。羽田奉行の廃止についても、多摩川《たまがわ》河口の砂州にある羽田は砲台を据え付ける台場としては不適切だという評価もあることから、下田奉行とあわせて、その役割に疑問がもたれたのかもしれない。印旛沼通船工事も、海水が逆流して堀割《ほりわり》が破壊されたり、工事を命じられた大名から多大な財政負担に不満が出るなど、継続は困難な状態にあった。

しかも、弘化《こうか》三年（一八四六）にアメリカ東インド艦隊司令長官ビッドルが通商を求めて来航したが、その翌年には従来の川越《かわごえ》藩と忍《おし》藩の江戸湾防備に加えて、彦根《ひこね》藩と会津《あいづ》藩にも相模《さがみ》と房総《ぼうそう》の警護を命じ、嘉永《かえい》年間（一八四八～五四）には新規台場をつぎつぎに築造している。阿部政権は、必ずしも防衛に消極的だったわけではない。

むしろ阿部政権としては、水野政権が無二念《むにねん》打払令を撤回して薪水《しんすい》給与令を発し、武力衝突の回避を志向したように、その穏便主義を継承したとみたほうがよい。阿部政権でも無二念打払令の復活の可否が議論されたが、防備体制の不十分さを理由に見送られている。浦賀《うらが》に通詞《つうじ》を派遣して異国船への対応態勢を整えるなど、無用なトラブルを防ぐ対策もとられた。

とはいえ、異国船の来航・接岸が頻発したことから、嘉永二年（一八四九）一二月には海防強化令を発して、諸侯・旗本・御家人だけではなく、百姓・町人にもそれぞれ「力を尽くし」て対処することを求めた。町触《まちぶれ》では、覚悟をもって非常時に備えるよう示達されている。「総国の力」で対外的危機にあたることを表明したのだが、国防に百姓・町人の「御奉公」を求めるという画期的な内容でもあった。

13

◉品川台場（砲台）
ペリー来航後の嘉永六年（一八五三）八月に築造開始。品川沖に五基の台場をつくり、江戸湾最深部の守りとした。

第四章

世論政治としての江戸時代

1

献策の時代

民意吸収のためのパイプ

正徳《しようとく》六年（一七一六）三月二七日、江戸町奉行が出した触書《ふれがき》は、当時の世論と政治の関係を示して、じつに興味深い。

近年、公事訴訟のほかに、公儀のためになるとか、諸人を救うためだとかいって、江戸役所や遠国役所に願い出る者が非常に多くなった。先達《せんだつ》ては願いの通りになったこともあるが、公儀のためにも諸人のためにもならず、かえって不都合が生じて風俗を乱す原因になることもある。公儀からお尋ねがあったことについて申し出るのはよいが、お尋ねもないのに下々《しもじも》より願いごとを申し出るのは違法の罪に準じるので、役所に願い出ても一切取りあげない。

お上《かみ》より尋ねもしないのに、下々が勝手にいろいろなことを言ってくるのはけしからん、よって以後は下々からのさまざまな願い事を禁じる、というのが、この触書の趣旨である。いかにも御政道に口は出させぬという雰囲気に満ちているが、じつはまったく逆の実態を示す史料でもある。す

◉目安箱
人々は領主役所に諸種の訴願をすることができたが、将軍や藩主に直接訴えられるようにしたのが目《め》安箱《やすばこ》であった。　前ページ図版

なわち、下々からは役所がうんざりするほど多種多様な提案がなされており、役所が受け入れることもあること、それだけではなく逆に幕府から下々に意見・建議を求めることもあること、などである。しかしあまりにも得手《えて》勝手《かって》な願い事が多く、幕府がもてあましている様子もうかがえる。

下々からの意見は、公儀のためになるとか諸人のためになると標榜《ひょうぼう》して提出されているという。しかし、それがもとで不都合が生じたり風俗を乱したりするというのは、どういうことだろうか。公儀や諸人のためと称しながらも私益を求める身勝手な出願が、トラブルを生じさせているということだろうか。それとも濫訴《らんそ》・濫願によって政策立案の権を諸人に奪われそうな事態に幕府が懸念をいだいたのだろうか。そのあたりの事情は判然としないが、この願い事禁止令は、わずか三年後の享保《きょうほう》四年（一七一九）に撤回された。今後は、願いに筋が通っているのであれば取り上げて吟味する、という触書が流されたのである。

江戸・大坂・京都で提出された願い事の内容を分析した研究によると、塵芥《じんかい》処理や川浚《かわざら》え、橋の修復の請け負いなど、都市機能の維持にかかわるものや、町火消人足役の請け負いのように防火対策にかかわるもの、借家人・奉公人など、下層の都市住民を管理する組織の設立願い、金融機関の設立、商人仲間の設立など、じつにさまざまな提案があった。出願者が、公儀のため諸人のためと称するのは、内容が都市政策にかかわる要素をもっていたからである。町奉行所が採用したものは限定されているが、政策提案といってよい内容のものが少なくなかった。

ではなぜ幕府は正徳六年に願い事禁止令を出し、わずか三年にしてそれを撤回してしまったのだろうか。幕府が多発する訴訟に悩まされていたことは、寛文元年《かんぶん》（一六六一）以降、しばしば相対済《あいたいすま》し令《れい》を公布したことでわかる。経済の活性化や取り引きの増大によって金銭トラブルが頻発し、じつに多くの訴訟が幕府の役所に持ち込まれるようになった。対応しきれなくなった幕府は、金銭訴訟（金公事《かねくじ》）は当事者同士（相対）で解決すべしとして相対済し令を出し、訴訟の抑制をはかったのである。享保四年に、より厳しい内容で再令されているように、訴訟としての持ち込みは跡を絶たなかった。

先にあげた正徳六年の願い事禁止令には、「公事訴訟」以外の願い事も年々その数が増えるばかりだとある。さまざまな案件が大量に持ち込まれていたために、人員不足の役所は悲鳴をあげ、ついには金銭訴訟だけではなく、願い事一般もいっさい受け付けないとするほかはなかったのだろう。もちろん幕府は、出願を遮断するだけではなく、同じ時期に評定所《ひょうじょうしょ》における訴訟審理の促進を命じて、事務の滞留をなくすよう内部改革にも着手した。こうした流れからみれば、正徳六年の願い事禁止令は、言論抑圧といった趣旨ではなく、相対済し令と同様、訴願事務の簡素化をめざしたものだと見なしてよい。

その相対済し令は、金融界を混乱に陥れたために享保一四年に廃止されたが、願い事禁止令は、それより一〇年も早く撤回されている。なぜだろうか。享保六年の触書に、筋の通った願い、すなわち役に立つ提案であれば取り上げるとある。事務の煩瑣《はんさ》を回避するために出願不受理を断行したまではよかったが、それは市政に関する庶民の意見を締め出すことでもあった。つまり願い事禁止による民意吸収パイプの目づまりが、市政の運営になんらかの支障をもたらしたのだろう。幕府としては、下々からの提案なくして市政の運営が困難であることを再認識させられたといってよい。だからこそふたたび、政策提言として有用な願い事は受理するという方向へ転換せざるをえなかったのである。

こうした流れでとらえると、享保六年、八代将軍徳川吉宗《とくがわよしむね》が評定所門前に目安箱《めやすばこ》（訴状箱）を設置したことの意味も、より明解になる。庶民が町役人の添え書なしに投書・献策することを可能にした制度であった。庶民からの意見吸収を可視化する象徴的なシステムであったともいえる。濫訴・濫願を憂える姿勢から筋の通った願い事の受理へ、さらにより広く庶民の意見を受け止める目安箱システムの確立へと、時代は確実に転換しつつあったのである。

献策の求め

幕府が目安箱《めやすばこ》を設置して庶民の訴えを受理する態勢をとったのは、いまのところ元和《げんな》五年（一六一九）の京都所司代《しょしだい》による事例がもっとも古い。大名領でも同じころから目安箱を設置して民意の吸収をはかった藩がある。もちろん目安箱がなくとも、幕府は慶長《けいちょう》八年（一六〇三）に、代官衆の非分があれば訴えよと呼びかけていたし、前述した江戸の例のように庶民は自由に訴願を繰り返していた。仙台藩主伊達政宗《だてまさむね》も、元和四年、領内巡見に際し、訴訟があれば遠慮なく申し出るよう百姓に通達している。将軍は大名や旗本《はたもと》の、大名は家臣たちの不法・非道を訴えさせることで、民政を安定させようとしていたのである。

もちろん目安箱は、領主や役人たちを告発するためだけに設けられたのではない。将軍吉宗《よしむね》は享《きょう》保《ほう》六年（一七二一）の目安箱設置にあたり、役人たちの「私曲《しきょく》・非分」のほかに、政治向き（「御仕置《おしおき》筋《すじ》」）についても「御為になるへき品の事」があれば提出するよう、江戸日本橋に高札《こうさつ》を立てた。諸藩でも、「御政事向き」や「御国益筋」に関する箱訴《はこそ》が奨励されている。幕府や大名は、庶民に広く意見を求める姿勢をとっていたのである。江戸時代の政治は、決して領主だけの閉ざされた空間で取り仕切られていたわけではなかった。

宝暦《ほうれき》四年（一七五四）、仙台藩の儒学者《じゅがくしゃ》である蘆東山《あしとうざん》が全二三か条からなる「上言《じょうげん》」を提出した。蘆東山はこのとき、学問所の運営をめぐって藩の重臣たちと対立し蟄居《ちっきょ》の身であったが、「御政治に益」のある考えがあれば農民や商人であっても上申せよとの藩主の命があったので「上言」する、と書かれている。この前年、仙台藩は財政窮乏による倹約令を発布しており、民間の知恵を入れることで難局の打開をはかろうとしていた。文化《ぶんか》八年（一八一一）に上書した西磐井《にしいわい》郡（岩手県西磐井郡）の大肝煎《おおきもいり》・大槻《おおつき》丈作は、「草野の言」を聞こうとする藩の姿勢を喜び、「言路《げんろ》」を開くことが「御盛世の基」だと評価している。

盛岡藩でも寛政《かんせい》三年（一七九一）頃に、「御国政」に関する意見公募があったとして、城下商人大河内《おおこうち》貞が、当時の盛岡藩政

◉二宮尊徳と農村復興計画書類箱
尊徳は緻密《ちみつ》な調査をもとに復興計画を立てた。薪《たきぎ》を背負って本を読む二宮金次郎の姿は明治二〇年代に登場し、勤勉実直のモデルとされた。

批判を繰り広げたうえで、特産品増強による領内商人の育成を提案した。特産品奨励については、他藩でも大きな関心を向けていた。たとえば徳島藩は宝暦《ほうれき》一三年（一七六三）に特産品取り立てに関する提案を領民に求め、秋田藩（久保田《くぼた》藩）でも寛政四年に国産策を公募している。

相模国《さがみのくに》小田原《おだわら》藩でも文化八年に「国産国益」仕法《しほう》を領民に求め、文政《ぶんせい》三年（一八二〇）には、二宮尊徳《にのみやそんとく》も建議している。この提案は彼の手がけた同藩家老《かろう》服部《はっとり》家の財政再建の成功とあわさって、藩主による直接登用のきっかけとなった。二宮尊徳はのちに、北関東の諸藩などから尊徳仕法の実施依頼を相次いで受け、やがて幕臣にも登用されることになる。凶作・飢饉《ききん》で荒廃した農村を抱える領主層は、彼の実践主義的改革に期待せざるをえなかった。

庶民に意見を求めるこうした動きは、全国的に確認することができる。だが、幕府にしても大名にしても、領民に意見を求める場合、治世について批判されることを覚悟しなければならない。仙台藩で意見書を提出した蘆東山や大槻丈作、盛岡藩の

2

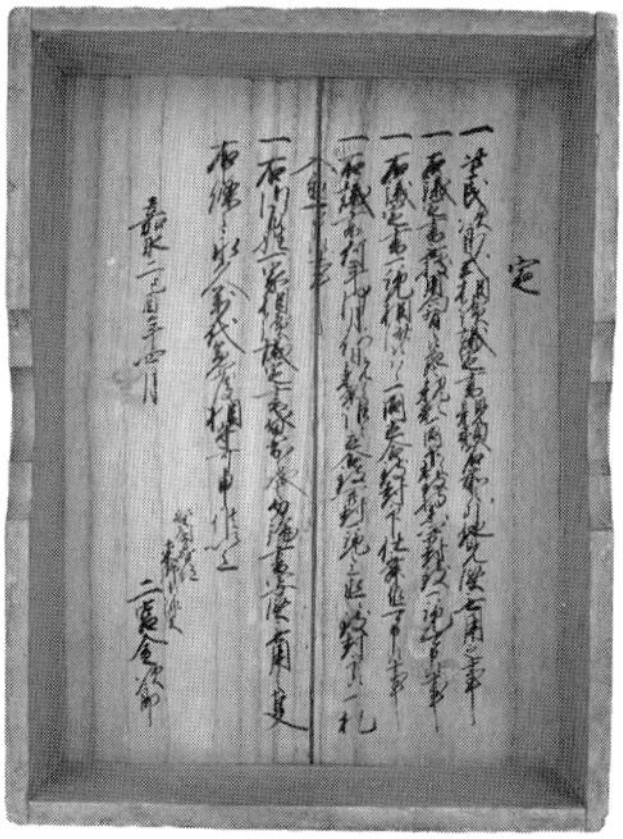

大河内貞などは、武士の風儀矯正《ふうぎきょうせい》をはじめ藩の諸政策を驚くほど厳しく批判した。しかし、それを理由に処罰された形跡はない。政治批判は御法度《ごはっと》だったわけではなく、むしろこうした事例は、批判に対する藩の許容度の高さと言論の拡大状況を示しているといってよい。

民衆からの献策

民衆の側からの発言は、領主に求められたときだけではなかった。領主の政策運営や立案能力に疑問をもち、経済に通暁した人々の間では、独自の市場戦略を構想し、領主に対して積極的に献策を行なう動きが顕著になっていった。

たとえば、加賀国《かがのくに》金沢藩では安永《あんえい》四年（一七七五）、城下商人の木屋《きや》孫太郎《まごたろう》が意見具申をして、予算編成方式の改変や、交易の自由化など、藩財政の改革や領内経済活発化の具体策を提言している。天保《てんぽう》の株仲間解散令を受けて、大坂にかわる交易拠点の構築をめざした和歌山藩（紀州《きしゅう》藩）加太浦《かだ》（和歌山市）交易計画も、もとは高松藩や和歌山藩の商人たちが周到な準備の末に発願したものであった。秋田藩には、煙草《たばこ》や絹織・木綿織の振興をたびたび建白し、ついに木綿織座《おりざ》を開設させた山中新十郎《やまなかしんじゅうろう》のような商人もいた。木綿といえば、家老河合隼之助《かわいはやのすけ》の発案による播磨《はりま》国姫路藩の木綿江戸積《えどづみ》仕法が知られているが、じつはこれも加古《かこ》郡の木綿問屋二人と江戸積問屋の吉田助十郎《よしだすけじゅうろう》からの献策がもとになっている。

こうした個別的な例だけではなく、民間からの献策と領主の政策が密接な関係をもっていること

水戸藩の献策動向

出願年	出願者と出願事項
元禄5（1692）	枝川河岸問屋瀬尾九兵衛が仙台下り太物の新輸送路開設を出願して認可
宝永4（1707）	上金町塩問屋が八幡瀬経由の塩荷輸送を出願して認可
享保11（1726）	水戸上町下町17か町名主ら、城下衰微の対策を出願
寛保2（1742）	久米村権兵衛と藤田村平右衛門が砂鉄鋳銭を出願するが不許可
	某、国産紙の一手専売を出願するが、五郡百姓が反対して実現せず
寛延3（1750）	城下福島屋次兵衛と伊勢屋太郎右衛門の出願により塗物会所設立（2年後に廃止）
	富田村羽生惣衛門の出願により紅葉運河の再掘工事を実施
明和4（1767）	江戸の有田吉次郎が領内産紙の一手扱いを出願するが、在方商人の反対により不許可
5（1768）	太田村庄屋小沢九郎兵衛と久米村堀江権兵衛が鋳銭を出願して許可
	江戸商人水戸屋忠兵衛と地元3人の出願により江戸煙草会所設立
6（1769）	水戸馬口労町の鞘師平八が領内農村への養蚕・製糸業の導入を上書
7（1770）	江戸の伏見屋と三津屋の出願により江戸蒟蒻（こんにゃく）会所を設立
8（1771）	介川村藤次郎が「国中繰綿売買」の一手引請を出願するが、太田村繰綿問屋11軒の反対で実現せず
安永9（1780）	領内紙問屋らが紙の専売制を出願
天明1（1781）	城下の鳥問屋七郎兵衛ら2人の出願により諸鳥・玉子会所設立（2年後に廃止）
	城下商人が酒会所設立を出願
寛政3（1791）	城下町年寄落合長四郎ら4人が銀札発行を出願するが実現せず
5（1793）	枝川河岸問屋小沢与次右衛門が仙台下り太物の輸送路の再興を出願して認可
8（1796）	那珂湊組頭雨宮新八の出願により穀会所設立
	江戸商人幸手屋長兵衛、同亀屋吉兵衛、越前敦賀平野屋仁衛門らが那珂湊河口改修工事出願
13（1801）	小中村孫六と江戸商人惣之丞の出願により江戸出板貫材木炭薪会所を設立
文化2（1805）	江戸の近江屋徳兵衛、京都の井筒屋幸介ら4人の出願により江戸・京都国産会所設立
5（1808）	城下町役人の出願により他所商人への「通商札」制度を実施
11（1814）	大坂の嶋屋与兵衛が大坂会所の設立を出願
文政1（1818）	那珂湊の木内兵七らが西浦賀に干鰯会所の設立を出願するが、東浦賀の反対で実現せず
	大坂の近江屋茂兵衛らが大坂会所の設立を出願するが実現せず
6（1823）	矢内儀兵衛ら町人5人が大谷川運河開削工事を出願
9（1826）	水戸商人福島屋銀蔵の出願により絹業導入に出資、銀蔵を「御国産織物幷繭糸捌方問屋」に任命
12（1829）	水戸商人が城下に煙草会所設立を出願するが、太田村の反対で実現せず
天保9（1838）	諸沢村中島藤衛門が袋田村の蒟蒻会所の拡充を出願
10（1839）	太田村小倉屋嘉兵衛が江戸石場会所内に国産会所開設を出願
	那珂郡部垂村年寄介左衛門が越後からの入百姓を出願
13（1842）	大岩村の山横目・竹内源助が国産紙会所設立を出願
14（1843）	江戸の宮下五郎兵衛と水戸上町鬼沢小左衛門が国産物の一手扱いを出願
弘化4（1847）	野口村河岸問屋関沢東九郎、長倉村河岸問屋大森彦重らが大谷川堀割工事を出願するが実現せず

『水戸市史』『維新黎明期の豪農層』などより作成

を水戸藩の事例で確認しておきたい。同藩の経済政策にかかわる主要な出願動向を前ページにあげたが、これは確認できたものに限られている。もっと多くの出願があったに違いないが、出願者は、領内の商人や有力農民だけではなく、江戸・大坂・京都の商人など、幅広い範囲に及ぶ。寛延《かんえん》期、すなわち一八世紀なかば以降の急増に最大の特徴がある。水戸藩は寛延の改革以来、産業開発姿勢を強めているので、それに呼応した動向だが、一見して明らかなように、これら多数の出願が藩の会所《かいしょ》仕法や殖産策などを誘導・具体化したのであった。いずれも政策に直結する献策行為だとみてよいだろう。もちろん実現しなかったものも少なくないが、献策動向の活性化および民間の資力と知恵を存分に活用する藩の姿勢を十分に見てとることができる。

これまでの研究で藩の殖産・専売政策として理解されてきた諸種の動向についても、右にあげた事例のように、商人や村役人の提言をもとに具体化した例が少なくない。一八世紀なかば以降、諸藩では中・下級武士による藩政への建言や登用が顕著となるが、それは武士層だけではなく、民衆レベルをも巻き込んだ動向であった。経済や地域秩序の舵《かじ》取りに自信を喪失しつつある領主層と、生き残り戦略や村落再建を必死で模索する民衆という関係が、領主層をして民衆に献策を求め、あるいは民衆の側からの政策提言を積極的に受け止める歴史段階をつくりあげたのであった。

民衆の知恵＝「民衆知」の活用を不可避とする、新しい政策運営の形態がこうして出現し、それは地域経済のあり方を規定するほど、大きな動きとなって展開しはじめたのである。次節では、その具体的な事例を紹介しておきたい。

地域リーダーと世論

殖産策の提案――秋田藩の関喜内

出羽国雄勝郡川連村《でわのくにおがちかわつら》（秋田県湯沢市《ゆざわ》）の肝煎《きもいり》・関喜内《せききない》が秋田藩に上書したのは、文政《ぶんせい》三年（一八二〇）のことだった。その前年に喜内は藩の絹方御用掛《きぬかたごようがかり》に抜擢《ばってき》されており、養蚕・製糸業の積極的な振興をはかる案を勘定《かんじょう》奉行の金易右衛門《こんやすえもん》に提案したのである。領内の蚕種《さんしゅ》と絹糸の生産増強および領外移出の促進が骨子であった。

蚕種とは、蚕蛾《かいこが》の卵のことをいう。蚕蛾に産卵させた紙を蚕種紙といい、蚕種の出来具合が生糸の品質に大きく影響した。養蚕農家はこの蚕種紙を購入し、蚕を孵化《ふか》させて繭糸《まゆいと》（絹糸）をとった。その絹糸からつくった反物が絹織物である。絹織物ができるまでは、養蚕・製糸・織物の過程に大きく分業されていた。

ところが秋田藩領では質のよい蚕種をつくる技術がなかったために、陸奥国伊達郡《むつだて》（福島県伊達郡）から蚕種を移入しており、膨大な蚕種代金が領外に流出していた。また領内で産出した絹糸も、領外商人の力が強く、買いたたかれることが多かった。そこで関喜内は、先進技術を領外から移入し、領内で上質の蚕種をつくる技術を磨くことや、絹糸販売の主導権も領内商人が掌握できるような体制の整備を提案したのである。

喜内の上書が採用されたのは、それから六年後の文政九年であった。この年、藩は領内各地に養蚕座を置いて養蚕・製糸過程の組織化に乗りだし、喜内は養蚕方の支配人に登用された。同じころに絹織座も設置されており、藩は養蚕・製糸・絹織物の過程を再編整備し、殖産興業の充実をはかったといってよい。それから四年後の天保《てんぽう》元年（一八三〇）に秋田藩は、他領でつくられた蚕種の移入を全面的に禁止した。優良蚕種の領内確保とその保護をはかる政策であり、まさに喜内の構想に即した展開であった。

殖産反対一揆

だが、この政策が順調に進行したわけではない。関喜内《せききない》の上書が採択されるまでに六年もかかったのは、反対の動きがあったからである。たとえば、川辺《かわべ》郡牛島新田《うしじましんでん》村（秋田市）の鷹野《たかの》場《ば》は、喜内が文政《ぶんせい》三年（一八二〇）の上書で桑畑開発の第一候補とした村だが、藩の役人が検分に出向いたところ、迷惑だといって反対した。そこで藤森《ふじもり》村（同）に開発を変更するが、こ

3

◉錦絵に描かれた農村での養蚕
生糸生産の増大は絹織物業を発展させ、農家に収入増をもたらした。右は蚕種の買い入れ、中央は養蚕、左は製織の様子。（『蚕繁栄之図《かいこはんえいのず》』）

こでも、はなはだ迷惑だと拒否されている。封建権力は民意を無視して強圧的だというイメージが根強いが、必ずしもそうではない。

その後、牛島新田村の村役人を説得して了解を取り付けるが、これをみると、地域社会には殖産に対する消極的姿勢が広く存在していたことがわかる。新しい産業を開発することは未知な世界に足を踏み入れることであり、それに対する強い不安感があったからだろう。

そのことをもっとも端的に示したのが、天保《てんぽう》五年（一八三四）に角館《かくのだて》（仙北市《せんぼくし》）周辺で発生した北浦一揆《きたうらいっき》であった。この一揆は、前年が凶作であったことから、この地域の収穫米が城下町久保田《くぼた》（秋田市）や阿仁《あに》銅山（北秋田市）へ送られて、地元で米不足が起こることの不安から発生した。しかし一揆の要求はそれだけでなく、郡方役所や養蚕方を廃止すること、漆木《うるし》の奨励をやめること、鉄山を廃止することなど、一七か条におよぶ要求を藩当局に突きつけていた。これまでは、秋田藩が進めてきた勧農・殖産政策を収奪強化策だと見なし、一揆はこの政策を全否定して生活を守ろうとした、といわれてきた。

たしかに一揆の要求は、秋田藩政の根幹を否定する内容に満ちている、だがその内容を子細《しさい》にみれば、なぜ農民がこのような要求をしたのかについて、従来とは異なった解釈を可能にする。

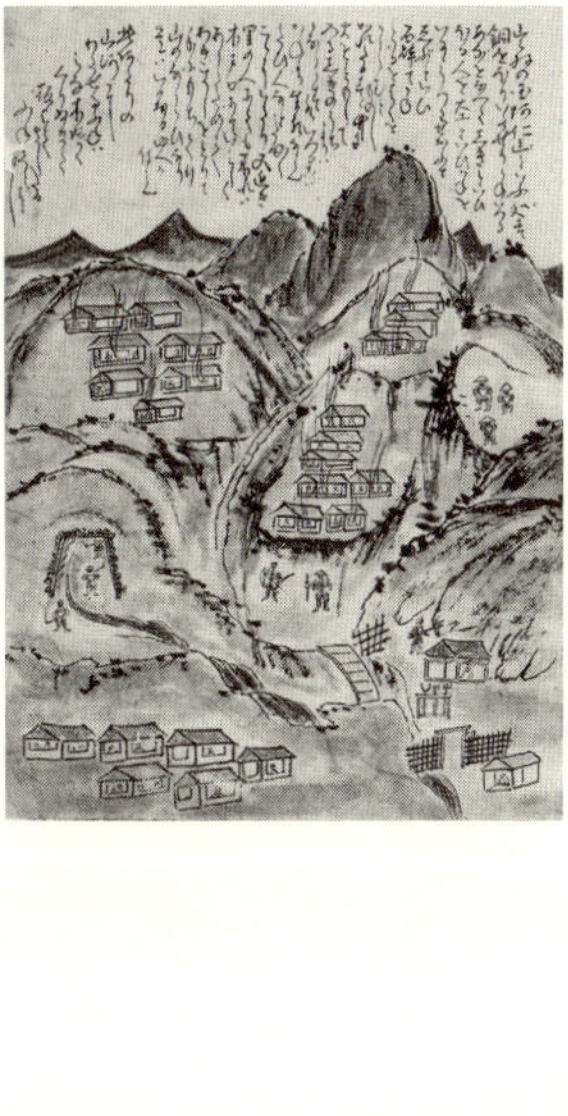
4

◉阿仁銅山
農民の要求どおりに廻米が停止されると、阿仁銅山の労働者は食糧不足に直面した。（菅江《すがえ》真《ま》澄《すみ》『粉本稿《ふんぽんこう》』）

たとえば、なぜ養蚕方の廃止を求めているのかといえば、桑の木を植えると草刈りに支障が出るからだとある。養蚕を奨励するためには原野を桑畑につくりかえ、蚕《かいこ》の飼料を確保しなければならない。だがその原野は、周辺の農村が田畑の肥料や牛馬の飼料となる草を刈り取ってきた場所であった。そこを桑畑にすると草刈りに支障が出るので反対だ、という主張なのである。殖産のひとつである漆木の植え立てについても、原野を潰《つぶ》して草刈りができなくなるから反対、新田開発も採草地の不足をきたし、従来からある本田のための肥料確保に支障が出るから反対、という理由が述べられている。

この要求を出した奥北浦地域は、山がちの土地柄であり、馬産と林野に依存した地域だという。桑畑や漆木の植え立て、新規開発などが採草地をせばめるという論理は、新産業の導入や新田開発は不要で、既存田畑の維持こそ肝要だということである。秋田藩が進めている殖産政策に対して、一揆勢は「田地守護」の論理を対置させたといってよい。だとすれば、一揆が殖産政策を否定したのは、従来指摘されてきたように、藩と上層農民や有力商人が結託して収奪を強化しようとしたためではなく、藩の政策に従いたくなかったからだと理解したほうがよいだろう。藩が推進しようとする地域の構造改革に対して、一揆に参加した人たちは、従来型の生業でよいと主張したのであった。

しかしその意志表示が、なぜ一揆になるのだろうか。それほど藩は、無茶な殖産を強制していたのだろうか。秋田藩政の状況もみながら検討してみよう。

分裂する民意と藩政

関喜内《せききない》の上書は、それまで藩が進めてきた殖産政策を、より積極的に推進すべしという世論のひとつであった。藩内部にも喜内の主張に共感を示す勘定《かんじょう》奉行の金易右衛門《こんやすえもん》を中心としたグループが生まれた。だが喜内の桑畑開発計画については、川辺《かわべ》郡牛島新田《うしじましんでん》村や藤森《ふじもり》村のように、反対する世論もあった。勘定奉行として同職にあった介川東馬《すけがわとうま》や瀬谷小太郎《せやこたろう》などは、金とは異なって村方の反対意見に共感を示したために、喜内の意見書がなかなか採択されなかったのである。藩当局は殖産をめぐる二つの世論に敏感に反応し、政策路線に対立が生まれたのであった。だが、喜内の積極的意見が採択されて、藩政の主導権を握りえたのはなぜだろうか。

慎重派の消極姿勢に苛立《いらだ》つ関喜内に、あるとき金易右衛門は、つぎのような策を授けた。反対しているのは養蚕のことをよく知らないからだ、蚕種試作を成功させ、それをアピールしろ、と。そこで喜内はさっそく試作に取りかかり、数か月で上質の蚕種をつくりだすと、すぐに家老らに報告して養蚕の必要性を訴えている。こうした働きかけが功を奏して藩の慎重派も蚕種生産の本格採用に同意し、反対していた牛島新田村も承諾するに至った。殖産派は、蚕種試作を成功させることで慎重派に殖産策の有利さを実感させ、藩論と世論を巧みに誘導したのであった。

こうして藩政の主導権を握った殖産派は、開始後わずか五年にして「三〇〇〇石《こく》余」の桑畑を開発したと豪語していた。茶畑や楮《こうぞ》畑までも桑畑に転換させた地があるというから、突進したといってよいだろう。この過熱ぶりに批判的な村方の意見も聞こえてきたことから、金易右衛門も一抹《いちまつ》の不安をいだくようになっていた。町奉行の橋本秀実も、いまのやり方は「かえって民の害をなす」と養蚕方役所を批判し、藩の指導の要《かなめ》は、殖産を押しつけるのではなく、領民の自発的な殖産意識を引き出すことこそ大事だと指摘した。

加速度的に桑畑を開き、蚕種業の底上げをはかったのはよいが、最大の蚕種市場である関東では販売不振が続いた。そのため、養蚕方役所の赤字も六年後には一万両《りょう》を超えている。藩内の慎重派が、この赤字を批判したのは当然だった。蚕種飼育の成功をみた牛島新田村は桑畑化に同意したが、どの村もがそれを実感できたわけではない。しかも蚕種販売の不振は、養蚕方の桑畑開発指導に不安感を増幅させた。その不信感は漆木や開田奨励にまで向けられ、それを推進してきた郡方役所や養蚕方役所の不要論まで、一揆では主張されるようになったのである。

一揆のきっかけは米不足がもたらしたものだが、蜂起《ほうき》にあたり、一揆のリーダー層は、藩の殖産政策そのものへの批判を展開したといってよい。これまでいわれてきたように、収奪強化への対抗という関係ではなく、政策批判としてのデモンストレーションであった。一揆は民意表現の方法として活用されたのである。

積極的殖産派は、当初、巧みな手法で世論と藩論の獲得に成功したが、仕法《しほう》拡大路線は、販売戦略のまずさもあって、民心の広範な掌握に失敗したといえる。蚕種の試作成功を喜び、養蚕仕法開始後には桑畑取り立ての領内巡見をした家老《かろう》の小瀬又七郎までもが、仕法拡大路線に懐疑をいだきつつあった。世論はふたたび分裂し、二つの世論に対応する政治グループが、養蚕座赤字経営問題を含めて藩政をめぐる対立を再燃させた。

二つの意見がぶつかった結果、積極的殖産政策の展開という合意は破棄され、養蚕座経営の民営移管という新しい政策合意が成立した。天保《てんぽう》三年（一八三二）のことである。批判派からすれば、これ以上の公金支出を停止して官主体の殖産を清算させる意味があった。一方、殖産派にとって民営移管は、資金を民間に全面依存することで、事実上の殖産路線を確保できた。いずれにも名分の立つ内容であった。まさに政治とは、妥協による合意の産物にほかならない。

リーダーと地域の運命

こうした路線転換の結果、秋田藩の地域振興は、民衆の自発性を重視する穏健な殖産路線のもとで進まざるをえなくなった。しかしそのことが、かえって地域の運命に大きな違いを生み出すことになったのである。

たとえば、関喜内《せききない》の地元である川連《かわつら》村の記録には、山野を切り開いて桑畑にした結果、糸・真綿の大金が入るようになって百姓たちが喜んでいるという記録がある。かつては年貢を納めることができないほど困窮をきわめた雄勝《おがち》郡の一二か村でも、養蚕のおかげで年貢不納などもなくなり、田地を守ることができるようになった、と喜内の功績を称《たた》えた。関家では、喜内だけではなく、親の代から自前で村内に養蚕導入をはかってきたというから、肝煎《きもいり》の家としての強い自覚のもとに、父子して村落再建と地域おこしに情熱を傾けてきた成果であった。

雄勝郡西馬音内《にしもない》堀廻《ほりまわり》村（秋田県羽後町《うごまち》）の七《しち》右《え》衛門《もん》や稲庭《いなにわ》村（同湯沢《ゆざわ》市）の平《へい》右《え》衛門《もん》と今宿《いましゅく》村（同横手《よこて》市）の文兵衛《ぶんべえ》らが養蚕出精につき家老《かろう》に激励された記録もある。隣の秋田郡でも横淵《よこぶち》村（北秋田市）の長百姓《おさびゃくしょう》常《つね》右《え》衛門《もん》が、郡奉行による指導を契機に、陸奥国《むつのくに》伊達《だて》郡や上野国《こうずけ》の養蚕師・機師《はたし》を招聘《しょうへい》して技術導入をはかり、みずからも機織り修業に励んだ。しかも自分の村だけではなく、周辺の阿仁《あに》や比内《ひない》（秋田県大館《おおだて》市）地域へも自己資金によって蚕種業の普及をはかった。その結果、やがてこの地域で年産、繭《まゆ》二〇〇石《こく》、絹織物一五〇〇両分を産出するほどの大産業として結実し、百姓たちに「潤沢」をもたらすことになった。

彼ら以外にも殖産振興に奮闘した人は少なくなかったはずだが、こうしてみると地域社会の成り立ちに危機感をもち、活路を模索する地域リーダーの役割はきわめて大きい。その情熱が献策行動に走らせて藩を動かし、一方で藩の殖産指導を地元で受け止める主体ともなった。秋田藩の殖産興業は、地域リーダーたちの「知」と「財力」を活用・組織化するなかで、新しい民間活力の基盤を充実させていったのである。

勘定《かんじょう》奉行の金易《こんやす》右《え》衛門《もん》は、これまでなら米価高になるとすぐに助成願いを出していた村々が、不毛の地を開発して桑畑にし養蚕を始めたところ、いまでは苦しいなどと訴える村はなくなった、と

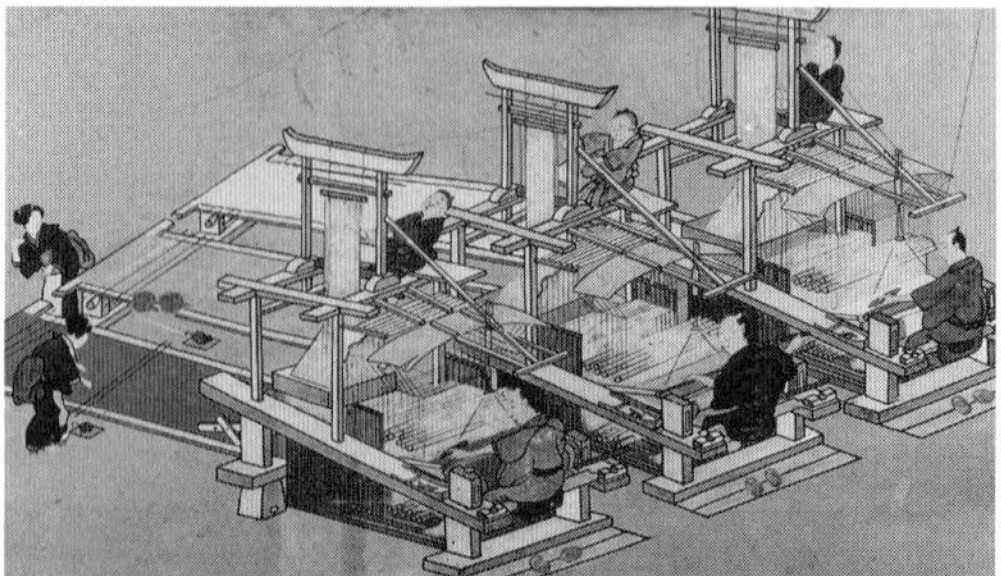

●織物業の発展
座って作業をする地機《じばた》にかわって、高機《たかばた》が全国に広まり、各地で織物業が盛んになった。図は、京都西陣《にしじん》の高機。

天保《てんぽう》二年（一八三一）段階で述べている。養蚕仕法《しほう》を始めて、わずか五年後のことである。新たな稼ぎ口を得たことで家計に弾力性が生まれ、米価高騰にも耐えられるようになったのである。

だが、北浦《きたうら》地域では米価高騰に耐えきれずに一揆《いっき》が発生した。この地域は、一揆の要求にもあったように、養蚕をはじめとする殖産興業に消極的な地域であった。新たな収入の道を開くことに積極的に取り組んだ地域と、そうではなかった地域の間に、歴然とした体力の差が生じていたのである。もちろん、蚕種にしても生糸・織物にしても、年々の相場変動による好不況の差が大きい。その影響も受けたが、地域おこしに自己資金を投じ情熱を燃やしたリーダーがいるかいないかは、地域の運命を大きく変えたといってよいだろう。

戦後歴史学では、階級闘争の主役として一揆のリーダーに注目することが多かった。だが、右のような事例をみると、各地に無数にいたであろう地域おこしのリーダーたちを発掘することが、歴史の豊かさの発見につながるように思われる。

阿波藍の生き残り戦略

地域おこしのリーダーをもうひとり、西日本の阿《あ》波国《わのくに》から紹介しておこう。いまでは「ジャパン・ブルー」として世界に知られる藍染《あいぞ》め。室町《むろまち》時代には、阿波国徳島から摂津《せっつ》国兵庫の港に大量の藍が荷揚げされた記録もある。木綿が普及した江戸時代になると、藍は阿波の一大特産品となったが、各地でも藍の生産が盛んになり、市場競争も激しくなった。とくに領内生産高の約六割を移出する大坂市場では、他地域で産出された藍との競合もあって、藍価格の大幅な引き下げをもたらした。徳島藩領内では藍の増産を奨励したが、それは必ずしも経済の順調な発展につながらなかったのである。そこで徳島藩当局は、こうした事態への対応や藍業の振興による藩財政の再建を含めて、領内に献策を求めた。

　これにこたえて、名西《みょうざい》郡高畠《たかばたけ》村（徳島県石井《いしい》町）の庄屋・小川《おがわ》八十左《やそざ》衛門《えもん》が驚くような献策をしたのは明和《めいわ》三年（一七六六）のことであった。大坂商人による価格支配体制から脱却するために、大坂商人との取り引きを徳島城下に設定した藍玉《あいだま》売買所だけに限定し、価格交渉にも立会人を立てるという案であった。これによって大坂での不利な価格決定を徳島商人主導に転換させ、大坂への売り込み費用も節約できるとしている。阿波藍の移出を禁止するのは大坂だけではなく、摂津・山城《やましろ》・播《はり》磨《ま》・和泉《いずみ》・河内《かわち》・紀伊《きい》・淡路《あわじ》もそうだった。周辺諸国へ移出した藍が大坂に流入しないようにするためである。この七か国以外へは従来どおり出荷されるが、大坂商人たちは徳島に来なければ藍を仕入れることができなくなるのである。

　また、藍師の多くが大坂商人から資金を前借りしていたことから、で

6

きあがった藍の七割は大坂商人に渡す以外になかった。そこで藩が領内の藍師に低利で融資する制度も整え、大坂商人による金融支配からの脱却もはかろうとしている。八十左衛門はさらに、藍方の職制や徴税法、肥料の貸付法や木綿紺染の試行など、藍業に関するさまざまな献策をした。明和七年、藩当局が作成した「藍方実施大綱」には、「小川八十左衛門より申し立て」「小川八十左衛門存じ寄り申し出」といった文言が数か所にみられる。藍方仕法《しほう》の大半が、ほぼ彼の提案にそって展開したといってよい。

彼の献策の大きな特徴は、公設市の設定、資金融資など、藩がもつ公的機能を全面的に利用したことである。大坂商人による藍取引を徳島城下に制限することは、かなりの力わざであり、商人レベルでなしえることではない。藩による前貸銀の肩代わりも、巨大な資金力を要するものであった。八十左衛門は、公権力としての藩当局を全面的に利用することで、藍取引の構造転換をはかろうとしたのである。

政策と民意

小《お》川《がわ》八《や》十《そ》左《ざ》衛《え》門《もん》の献策にもとづいて実施された藍方仕法《しほう》の改革について、これまでは、八十左衛門のような豪農藍師層の主導による新たな利潤吸収策であり、藩当局と藍師層との共生関係の成立と見なされてきた。つまり、上層民に有利な改革にすぎないという見方である。しかし、藍師であ

◉**阿波藍の作業**
刻んだ藍の葉をたたき（右）、その後、発酵させる。その葉藍を臼《うす》でついて餅状にし（左）、藍玉をつくって染料とした。

る八十左衛門が藍師層の利潤拡大を策し、藩もまたその献策を入れることで増収をはかったのは当然のことだろう。だが八十左衛門の献策が優れているのは、小規模な藍作人の利子負担を軽減したり、口銭《こうせん》を下げるなど、弱小な生産者の利益にも配慮し、全体的な底上げをめざした点にあった。

もうひとつ大事なことは、八十左衛門の意見書を採択するにあたり、徳島藩がその可否を領内に問いかけたことにある。献策から二か月後、藩当局は郡奉行衆に八十左衛門の意見書を配布し、差し支えや迷惑の筋があれば申し出よと、それぞれ所轄の藍師や藍作人たちから意見を聴取するよう命じた。藩の上層部では当初から意見書採用に乗り気だったが、あえて世論調査が実施された。大坂商人を敵にまわし、市場のあり方を根本的に変える過激な案であったからこそ、領民の合意が不可欠だということを藩当局者が広く認識していたのだった。

新仕法に対する賛否の下問だけではなく、そもそも民間へ献策を求める行為自体が、世論動向の調査だといってよい。とはいえ、八十左衛門の献策は、あくまで民衆のなかに存在する意見のひとつであって、世論の全体ではない。採用を内定した意見書を公開し、賛否を質《ただ》したのは、ひとつの意見を全体の世論とするための手続きでもあった。世論の誘導をはかる行為だといえる。権力は、「民衆知」=民間の情報を吸収し、それを操作することによって、世論統合を実現した。世論は政治を動かすが、政治もまた世論のあり方を規定したのである。

小川八十左衛門の献策を中心に実施された藍方仕法は、藩が金融・流通の中核的位置に据わることによって、それまで大坂商人が有利に取得していた金融・流通での利ざやを領内に還流させることにねらいがあった。それによって藩や藍師層の収益基盤を増強するとともに、小規模な藍作人層もまた藍業振興の収益配分を受けることが可能な制度的改変であった。だからこそ藩の世論調査で、藍作人層までもが圧倒的に支持したのである。徳島藩の主要産業である藍業の生産・流通基盤の増強を通じて、領国経済の自立化と領内全体の致富《ちふ》化をはかる仕法であった。

もちろん、大坂の藍業界は抵抗した。しかし大坂や周辺地域へ阿波藍の出荷が止められてしまったのだから、購入しようとすれば徳島に出向かざるをえない。天明《てんめい》八年（一七八八）、大坂の藍業者が大坂町奉行所に徳島の藍玉売買所の差し止め訴訟を起こしたが、その後寛政《かんせい》二年（一七九〇）の記録でも相変わらず徳島下りによる買い付けを嘆じているところをみると、この訴訟は失敗したと思われる。徳島城下の藍玉売買所が、相変わらず売買の主導権を掌握していたといってよいだろう。

一名主《なぬし》の献策が、かくも大きな藩政史上の転換を引き起こし、領国経済の活性化をもたらしたとなれば、それはまぎれもなく「民衆知」が政治に結実したものであった。権力による「民衆知」の活用であると同時に、「民衆知」の政治への食い込みにほかならない。しかもその「知」の活用は、人材活用でもあり、武士が占有する行政職に百姓身分の者を登用することにつながった。小川八十左衛門は、この献策採用時に藍場諸事裁判役に任じられて苗字帯刀《みょうじたいとう》御免となり、安永《あんえい》五年（一七七六）には小奉行格《こぶぎょう》、同八年には、領外と国元の資金移動を管掌する飛脚《ひきゃく》奉行に就任している。「民衆知」の活用が、政策決定過程と身分制的官職に一定の開放化をもたらし、民衆が政治に直接参加する先駆的役割を果たしたとも評価することができる。

楢原謙十郎の文政改革

照明文化の成立

国立国会図書館に「幕府引継文書《ひきつぎ》」という史料群がある。勘定所《かんじょうしょ》や江戸町奉行所などで作成されてきた文書が、江戸幕府が崩壊したあとも、かろうじて残されていた。幕府の諸役所でつくられた膨大な文書量からみれば、残された記録はわずかなものにすぎないが、それでも幕府の役所がどのような仕事をしていたのかを解明する手がかりにはなる。その文書群のなかに、「油方一件《あぶらかたいっけん》」という史料があった。

当時の油とは石油のことでなく、菜種《なたね》や綿実《めんじつ》などの種物を搾って取った灯油のことである。灯油は公家《くげ》や武家の社会では貴重品として古くから使われてきたが、菜種や綿の栽培が西日本一帯で盛んになった一七世紀以降、広く庶民社会にも普及した。人々の多くが明かりのある夜を手に入れることができたのは、江戸時代に入ってからのことだといってよい。江戸時代は、灯油が大量生産・大量消費されるようになった灯油革命の時代であり、照明文化が定着した時代でもあった。

7

◉夜の江戸猿若町《さるわか》
右手に芝居三座が並び、左側には芝居茶屋と人形芝居座があった。夜の明かりをもっとも効果的に使ったのは、芝居小屋と吉原《よしわら》である。（歌《うた》川《がわ》広重《ひろしげ》『名所江戸百景《めいしょえどひゃっけい》』）

菜種や綿実は気候の関係から、おもに西日本で栽培されたため、絞油《こうゆ》業の拠点も関西にあった。都市での消費量が急速に伸びていた一八世紀なかば、幕府はいかにして江戸に灯油を集めるか、大いに苦心した。そのために、種物と灯油に関する独自の市場システムをつくった。それが、後述する「明和《めいわ》の仕法《しほう》」と呼ばれる制度である。

ここでは、その「明和の仕法」を改革するために獅子《しし》奮迅《ふんじん》の働きをした幕府役人を通して、政策決定過程を再現し、江戸時代の政治と社会の関係をとらえ直してみたい。

大坂町奉行所に乗り込む

幕府勘定所《かんじょうしょ》といえば、幕府領からの収入や財政支出を管理し、全国的な経済政策などを担う、幕府の中枢部門である。勘定奉行を筆頭に、勘定組頭《くみがしら》、勘定、支配勘定といった役職から構成されていた。勘定までの身分は旗本《はたもと》だが、支配勘定は将軍へのお目見《めみえ》を許されていない御家人《ごけにん》であった。支配勘定の下には、さらに支配勘定見習や支配勘定出役《でやく》といった下役《したやく》がいたが、その支配勘定のひとりに、楢原謙十郎《ならはらけんじゅうろう》という人物がいた。生年月日も出自も確認できないが、彼こそ巨大な利権集団となっていた大坂や江戸の株仲間《かぶなかま》と闘った役人なのである。

8

◉行灯の明かりで手紙を読む女性
灯油の普及で照明が身近になり、人々は夜も活動するようになった。(『坐鋪八景《ざしきはっけい》　行灯《あんどん》の夕照《せきしょう》』)

文政《ぶんせい》九年（一八二六）冬、江戸の灯油価格が騰貴したため、幕府は翌一〇年二月、支配勘定の楢原謙十郎を大坂に派遣して原因調査を開始した。江戸灯油の大半は大坂からの供給に依存していたが、ここ数年、高相場が続き、文政九年の冬はとくに高騰が激しかったからだ。江戸の価格は不明だが、大坂市中では前年比平均一八パーセントの上昇であった。

楢原は、灯油やその原料である種物（菜《な》種《たね》や綿実《めんじつ》）などの過去一〇年間の移出入量や売買実態を徹底的に調査し、灯油高騰の原因が従来の油方仕法《あぶらかたしほう》（制度化された灯油市場）や大坂町奉行所の対応にあることを見いだした。仕法改革の必要性を痛感した楢原は、派遣から半年を経た九月、上司の勘定組頭大井《おおい》勘《かん》左《ざ》衛《え》門《もん》に書き付けを送付し、調査の現状を報告しているが、ここには驚くような内容が書かれていた。

灯油高騰の原因がわかったので、関係する大坂町奉行所の与《よ》力《りき》・同心《どうしん》たちに対策の方法を相談したところ、これまでのしきたりもあるので改革はなかなか難しい、という反応が返ってきたというのだ。問題解決への姿勢がみられない、と楢原は嘆い

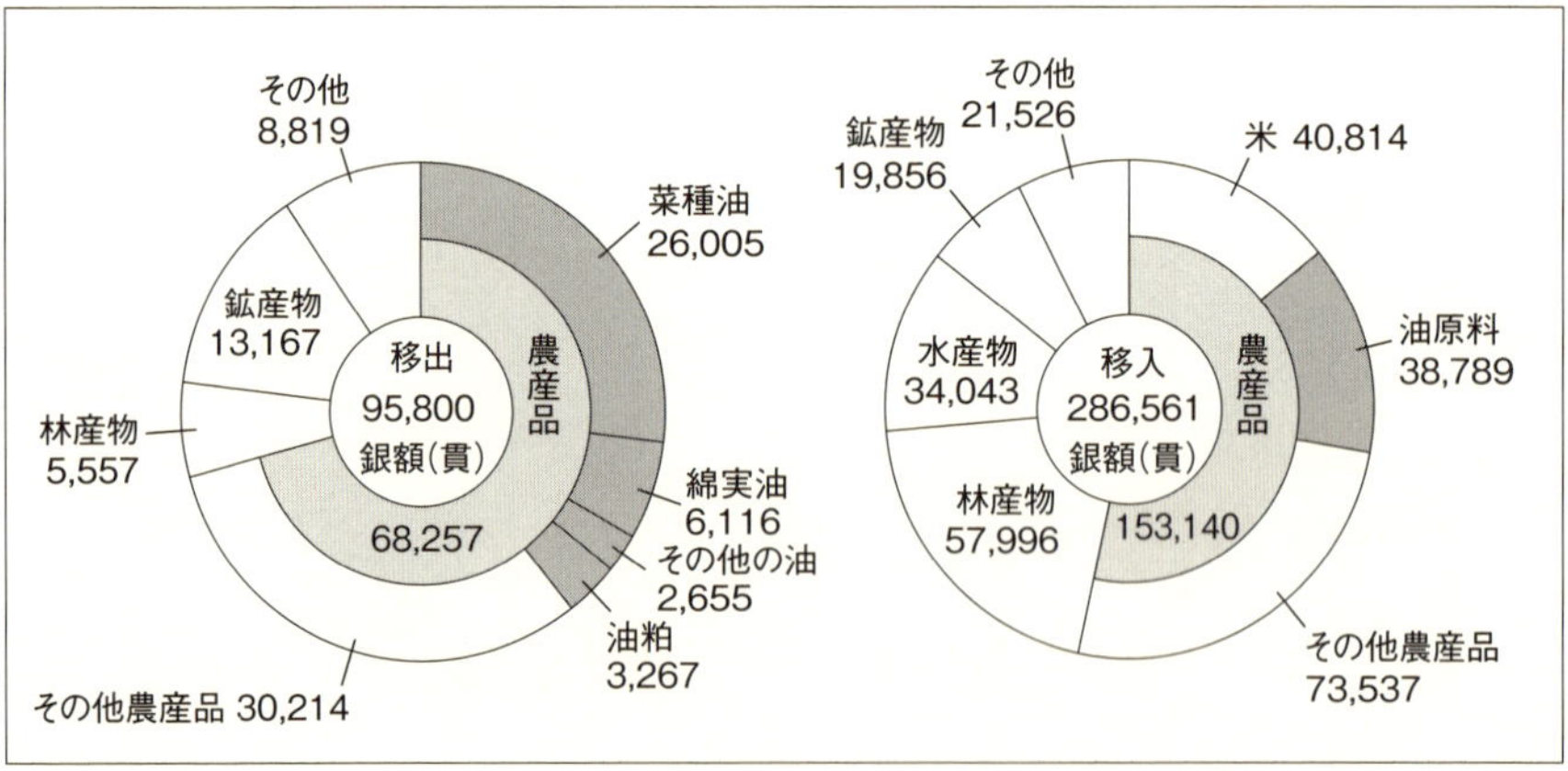

ている。
江戸から乗り込んできた役人と、現地役人との微妙な関係がわかる。中央から調査の手が入ること自体、地方役所にとっては面子《メンツ》にかかわることであった。長い間、旧来のしきたりで対応してきた現地役人にとって、即効性のある改革を求められても、急には対応できない。ましてや、現地責任を問うような調査結果が報告されれば、反発するのは必定であった。じつは、与力であった大塩平八郎《おおしおへいはちろう》も、油方仕法の改革に反対していた。

楢原が使命を成し遂げるためには、大坂町奉行の面子を潰《つぶ》さないように気をつけながら、担当与力らとじっくり話し合いながら進めていくしかない。そのためには、大坂町奉行所の責任は不問ということにせざるをえなかった。特命派遣の優位性を誇示せず、現地役人との合議融和のもとで立案をはかること、それを基本方針にしたのである。大坂に下った楢原が最初に直面した難問は、大坂油商人対策というより、大坂町奉行所という地方行政マシンそのものであった。

◉大坂の移出入額と灯油業
油原料は移入額の一四％。移出額のうち菜種油・綿実油・その他の油は三六％。灯油業は大坂の基幹産業であった。

大坂油業界の抵抗

楢原謙十郎《ならはらけんじゆうろう》が大井勘左衛門《おおいかんざえもん》に宛《あ》てた書き付けには、もうひとつ重大な内容が記されていた。「明和《めいわ》の仕法《しほう》」を改革すべし、というのである。「明和の仕法」とは、大坂へ出荷させた諸国産の種物（菜《な》種《たね》・綿実《めんじつ》）を、大坂市中や摂津《せっつ》・河内《かわち》・和泉《いずみ》の絞油《こうゆ》屋が搾り立て、それを大坂の油問屋が回収して江戸をはじめとする全国へ販売する制度のことである。西日本を種物生産地、大坂・畿内《きない》を絞油業地帯として固定化する広域的分業編成であった。とくに、大坂市中の種物問屋には灯油の原料になる菜種を西日本から集荷する特権を与え、同じく油問屋（出油屋）には畿内で生産された灯油を一手に集荷する特権を与えた点に特徴があった。明和七年（一七七〇）に発令され、長い間、幕府灯油政策の基軸となってきた仕法である。

「明和の仕法」で種物問屋と油問屋に特権的集荷権を与えたのは、大坂に種物と灯油を集中させて価格引き下げをはかり、同時に江戸への安定的供給基地とするためだった。仕法開始のころはうまく機能したのだが、五〇年を経たこの時期には不具合が生じていた。理由のひとつは、西国筋《さいごく》（大坂より西の地域）で灯油生産が盛んになったため、大坂への種物の供給が減ってきたことがある。明和の分業制度により西国筋の灯油生産は禁止されていたが、領主用の絞油は許可されていたため、多くの領主たちは領主用の名目で灯油を生産させ、それを領内に供給していた。違法行為ではあるが、これを取り締まる幕府の体制

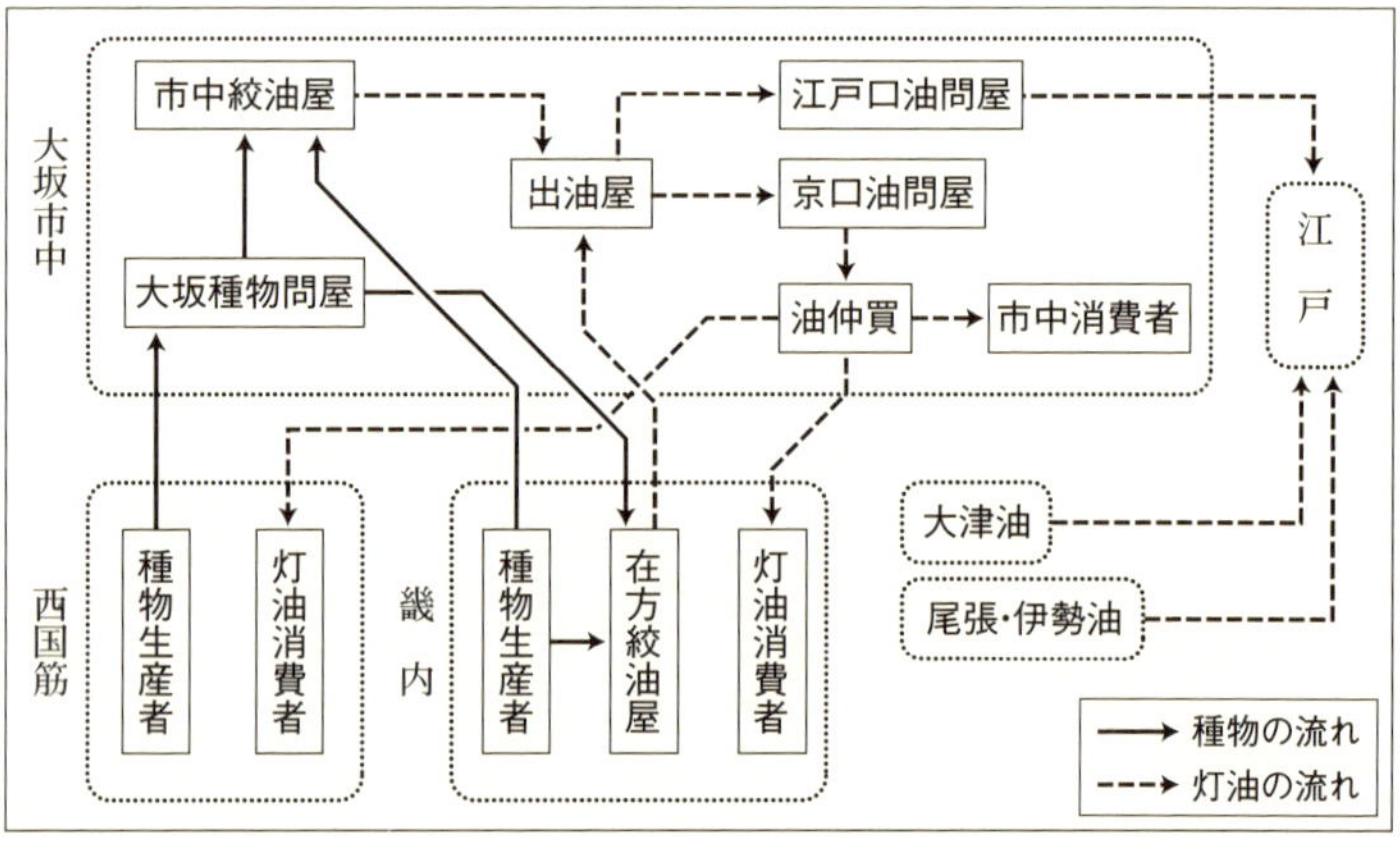

◉「明和の仕法」による流通制度
制度が機能するのは、違反者を大坂の種物問屋や油問屋が大坂町奉行所に告発できたからだが、監視には限界があり、密造密売が盛行した。

も不十分であったため、大坂への種物の供給減の大きな要因になっていた。二つ目は、特権に名を借りた大坂油業界の価格操作が種物荷主や灯油荷主の嫌気を誘い、大坂への出荷減に拍車をかけたことである。

灯油市場のこうした問題点を把握した楢原謙十郎は、大坂の種物問屋や油問屋がもつ集荷・売買特権を解体し、地方にも灯油生産の自由を与えようと考えた。だが、大坂の油業界は、どうせ何もできはしないと、たかをくくっていた。楢原が下坂《げはん》する前年のことだが、大坂町奉行所が灯油を値下げするよう業界を指導した際、もし奉行所が値下げを無理強《じ》いするのなら操業を停止すると、奉行所の指導を拒否したほどであった。しかし、操業停止によって灯油の生産と供給が止まることになれば、灯油は一気に暴騰して重大な社会問題になりかねない。奉行所はそれを恐れて、油業界に強い姿勢で臨むことができなかったのである。そのため楢原による市場調査に対しても、油業界はさほど頓着《とんちゃく》していなかったという。楢原を見くびっていたのである。灯油価格は原料の価格に相応しているという、油業界なりの論理があったようだ。だが逆に、油業界のこの不遜《ふそん》な態度は、役所筋の者を欺くものだと、楢原を怒らせることになった。

楢原が能吏であったことは、大坂町奉行所を完全に改革派に衣替えさせたことに現われている。当初、従来のしきたりを変えるのは難しいと、改革に後ろ向きの姿勢を見せていた与力《よりき》・同心《どうしん》たちが、いつのまにか、改革の推進者に変貌《へんぼう》していたからだ。

楢原が改革原案を作成したのは文政《ぶんせい》一一年（一八二八）三月のことだが、これはすぐに大坂東町《ひがしまち》奉行所与力の安東三郎兵衛と吉田勝右衛門に渡された。おそらく原案づくりも彼らとの共同作業であろうが、楢原と与力らが立ち会って大坂東町奉行の内藤隼人正《ないとうはやとのしょう》に提出され、同年九月、内藤から老中《ろうじゅう》に伺書《うかがいがき》として提案されている。この経過からわかるように、改革案は特命派遣の楢原からではなく、現地奉行から江戸への進達《しんたつ》文書として処理されている。

調査・立案は楢原が主導したが、大坂油業界の監督・指導権をもつ大坂町奉行所が主管としての立場を保持する形式であった。楢原は地元役所の面子《メンツ》を立てつつ、改革案の策定に地元役人を巧みに引き込んでいったものと思われる。油業界の抵抗を封じ込めるためには、やはり大坂町奉行所が一丸となっていなければ成功はおぼつかないが、楢原はまず、それに成功したのであった。

市場改革の理念

楢原《ならはら》構想の基本をひとことで言えば、地方市場の育成と中央市場との効果的な連接、ということになろう。旧来の制度である「明和《めいわ》の仕法《しほう》」は、地方の役割を種物生産に限定し、大坂市中および摂津《せっつ》・河内《かわち》・和泉《いずみ》三か国を灯油生産地として分業編成したものであり、地方市場の自立性は否定されていた。しかも、消費市場への灯油供給機能は、大坂が一元的に把握する体制でもあった。

楢原はこれを改変して、地方市場に灯油生産と灯油供給の自由を与え、中央市場へは、地方市場における種物と灯油の余剰分を集積させる構造にしようと考えた。地方市場を灯油生産および灯油消費の自立的主体として認定するこの方法は、一見すると中央市場による種物と灯油の集荷能力を弱体化させるようにみえる。だが楢原は逆に、地方市場での灯油生産と消費を前提にしたほうが、中央市場は安定すると見なしていた。地方市場の自立的性格を高めて生産意欲を刺激し、増大した余剰部分を大坂・兵庫に集積すればよいと考えていたからである。

楢原構想の意義は、大坂油業界の利権の縮小をはかり、他方、大坂商人と利害が対立する地方の生産者や消費者の利潤獲得機会の増大をはかったという点にある。楢原は上司に宛《あ》てた報告書のなかで、「国々一統の人情」へ配慮することが大事だと述べていた。市場を硬直化させる業界団体を保護するのではなく、庶民・武士を含めた「世上」に目配りをする政治であるべきだ。彼の市場改革構想からは、こうした理念がみえてくる。

改革案へのアプローチ

大坂灯油市場の改革案の検討は、秘密裡《り》に行なわれていたわけではない。楢原謙十郎《ならはらけんじゅうろう》や大坂町奉行所の担当者が過去の市場動向を調べているという情報は、業界に知れわたっていた。しかし大坂の油業界は楢原らの動きを甘くみていたので、直接的な反対運動を展開した形跡はない。だが、このときとばかりにアプローチしてきた業界団体があった。それは摂津国灘目《せっつのくになだめ》（兵庫県灘地方）の絞油《こうゆ》

9

◉北前船でにぎわう兵庫津
白壁の土蔵が立ち並び、当時の繁栄を物語る。加賀の豪商木屋《きや》が粟《あわ》崎八幡神社《がさきはちまんじんじゃ》（金沢市）に奉納したもの。（『摂州《せっしゅう》兵庫図絵馬』）

屋組合である。六甲山《ろっこうさん》（同神戸市）から流れ出る豊かな水はいくつもの川を形づくり、水車を発達させた。これらの水車で精米された酒米から、豊饒《ほうじょう》な灘の銘酒が生み出されたのだが、住吉川《すみよしがわ》が流れる菟原《うはら》郡の水車新田《すいしゃしんでん》村と住吉村（いずれも神戸市）では、水車が菜種《なたね》の油搾りにも使われていた。八一輛《りょう》の水車をもつ両村では年間一一万樽《だる》の菜種油を生産していたが、五年前の文政《ぶんせい》五年（一八二二）に大坂町奉行所から江戸への移出を禁止され、大坂油問屋への出荷だけを義務づけられていた。これも幕府による大坂集中政策の一環だったのだが、採算がとれなくなって生産が激減したという。そこでもとのように江戸積みを許可してもらえれば、「人気」も回復して出荷高が増え、江戸の灯油相場も下がるようになる、というのが訴願の内容であった。

　大坂に少しでも多くの灯油を集めたい楢原は、当初、この願いに否定的な見解を述べていたが、出てきた改革案をみると、灘目から江戸への直接移出が七年間の時限で認められている。時限期間中に江戸相場が好転しなかったら、もとのように大坂出荷に戻すという含みである。大坂の油問屋の支配から脱したい灘目の絞油業界と、江戸相場を下げたい楢原の思惑《おもわく》が一致したのであった。

　楢原にアプローチした、もうひとつの業界団体があった。近江《おうみ》国大津《おおつ》

10

●水車搾りによる製油　煎った菜種を石臼《いしうす》に入れて、水車でついて粉にし、蒸して油を搾った。水車のないところでは足踏みの杵《きね》で粉にした。（『製油録《せいゆろく》』）

宿（滋賀県大津市）の絞油屋年行事《ねんぎょうじ》である。同宿近辺から出荷される灯油は、どういうわけか大坂の菱垣廻船《ひがきかいせん》問屋が荷積みを引き受けなかった。そのため、わざわざ陸路で尾張《おわり》まで運び、そこから江戸行きの船に積んでいたという。これでは駄賃がかかりすぎるので、大坂から樽廻船で江戸に出荷できるようにしてほしいと陳情したのである。大坂での調査を終えて江戸に戻る途次、楢原は大津宿に宿泊したのだが、同地の絞油屋年行事がそのときに面会を求めて善処を要請したのであった。楢原による大坂市場の調査が広く油業界に流布し、帰府《きふ》の日程も流れるほど注目されていたということだろう。

灘目から江戸への直接出荷、大津油の樽廻船による大坂から江戸への出荷。楢原はこの二つの意見を採用しただけではなかった。播磨《はりま》国産出の油も大坂にまわさず、直接江戸出荷にするとともに、灘目・大津・播磨の油はいずれも、菱垣廻船ではなく樽廻船積みとすることを改革案に盛り込んだのであった。上方から江戸への灯油輸送は、それまで菱垣廻船が独占し、樽廻船は排除されていたのだから、楢原は菱垣廻船の既得権にまで切り込んでいこうとしたのである。

ただし政策立案への影響力は、業界団体に限られるわけではない。種

11

12

◉菱垣廻船と樽廻船
菱垣廻船（右、復元）は、船の両舷に菱組格子を組んだことに由来し、樽廻船（左、模型）は酒樽輸送から始まったことに由来する。

物や灯油の自由売買を求めた畿内《きない》農民の国訴《くにそ》は、文政六年から七年にかけて摂津・河内《かわち》・和泉《いずみ》三か国一四六〇か村におよぶ広がりを見せており、この動きが大坂と江戸の油相場の高騰に拍車をかけ、榴原の大坂派遣につながった。それだけではなく、榴原在坂中の文政一〇年六月にも、摂津国兎《う》原《はら》・武庫《むこ》両郡六三か村と同国八部《やたべ》・兎原・武庫三郡の村々、さらに河内国石川《いしかわ》郡の村々からの大坂町奉行所への訴願が確認できる。また同年一〇月、河内国茨田《まんだ》郡の絞油屋たちも独自に灯油の直小売願いを提出しており、榴原はこうした動きを通じて畿内農民の要求を肌で感じることができたはずである。だからこそ改革案には、限定的とはいえ、こうした要求が取り込まれたのであった。

政治に対して影響力を行使し、自己集団への利益誘導をはかる集団的存在は、利益集団である。彼らは、積極的な訴願を通じて改革の契機をつくりだし、なおかつ改革内容にまで踏み込んだ影響力を発揮している。訴願という行為は、利益集団の主張を政策過程に食い込ませる機能を果たしたといってよい。

灯油業界とはいえ、決して一枚岩ではない。大坂の種物問屋や油問屋と、在方で実際に絞油業に従事する生産者や地元の集荷業者とでは利害関係が異なる。同じ消費者でも、大坂市中の消費者と畿内や瀬戸内、九州などの消費者と立場が異なるのは当然である。だからこそ、硬直化した制度に反する市場の動きが出てくるのであり、奉行所に改革を求める要請書を出したり、改革に着手したと聞けば政策担当者にアプローチしてくるのである。江戸時代なりの民意の表わし方であった。

政策過程に圧力機能を果たしたのは、民間社会だけではない。西日本の領主の動きも、「明和《めいわ》の仕《し》法《ほう》」の改廃に強い圧力要素となった。

幕府による密造密売の取り締まりとはいっても、大坂の油業界の者が時たま視察に出向いて、密造を発見すれば大坂町奉行所に告発するというのが関の山であった。幕府の法といえば、いかにも厳しい取り締まりにあたっていたかのように思われることが多いが、実態はそのようなものであった。だが、たまの見まわりとはいっても摘発されれば面倒であることに変わりはない。その怨嗟《えんさ》の声は絞油に携わる領民生産者の声であり、大坂経由の高い灯油を買わされる領民消費者の声である。その声が大名などの領主に届いて、「諸家にて憤りをも相含み候次第」となり、幕府お墨付きの「明和の仕法」を大名が批判する状態になっていた。民の声が領主の声として発せられ、楢原の耳にも届いていたのである。楢原は、種物産地である西日本の領主をも納得させるような改革を求められていたのであった。このように江戸幕府の役人は、民意や諸藩領主の意向を考慮しながら政策運営をすることが求められていたのである。

江戸灯油市場の改革案

文政《ぶんせい》一一年(一八二八)九月、大坂町奉行から老中《ろうじゅう》に上申された改革案は、ただちに勘定《かんじょう》奉行所と江戸町奉行所に検討がゆだねられ、翌年六月に老中から大筋の承認を得ることができた。従来の灯油市場を大改革する楢原案を、幕府が採用したということである。だが、一点だけ否定された部分があった。それは大坂から出荷する油を菱垣廻船《ひがきかいせん》のほかに樽《たる》廻船でも輸送してよいという原案に対して、「品々差し支えこれあり」という理由で、従来どおり菱垣廻船だけの輸送とされたのである。いったい誰が支障ありと言ったのか。後述するが、そこには意外な抵抗勢力が存在していた。

ところで老中は、大坂だけの市場改革では中途半端だとみたのだろう、江戸市場の改革も指示し、その成案をみて大坂・江戸の市場改革を同時に実施すると宣言した。さすがに大局をみた判断である。その改革案は江戸町会所掛《まちかいしょがかり》が取りまとめ、翌文政一二年一月に江戸の町年寄《まちどしより》に提示された。町会所掛とは、勘定奉行所と江戸町奉行所から出向した役人および町方《まちかた》の年番名主《ねんばんなぬし》六名から構成され、江戸住民の救済や金融問題を扱う機関のことである。大坂から戻った楢原謙十郎《ならはらけんじゅうろう》はここに移り、やはり立案の中心的役割を果たした。

それまで上方や尾張《おわり》、伊勢《いせ》などから移出された油を江戸で荷受けするのは、下り油問屋（公認数二一軒）が中心であった。このほかに上方からの小口の下り油を扱う問屋《といや》並《なみ》仕入方（公認四七軒）や関東地方からの油を引き受ける関東問屋（四七軒）もあった。いずれも江戸の巨大商業組織である十組《とくみ》問屋《どいや》に加盟し、なかでも下り油問屋は幕府に冥加金《みようがきん》五〇〇両を上納する有力メンバーであった。

町会所掛案では、下り油問屋から尾張油と伊勢油を荷受けする権利を剝奪《はくだつ》し、大坂油だけの扱いとすること、尾張・伊勢油と関東地廻《じまわ》り油、および灘目《なだめ》・播磨《はりま》油をそれぞれ荷受けする新荷受問屋を新たに設置し、灘目・播磨油だけは油寄所《あぶらよせしょ》の入札を通じて仲買に販売するという内容であった。

大坂の市場改革では、種物問屋・油問屋の取引制限が徹底していた。江戸仕法《しほう》の改革でも、下り油問屋の荷受け範囲が削減され、問屋並仕入方と関東問屋は問屋機能を停止して仲買化をはかるという。大坂・江戸ともに、問屋利権を縮小する点に眼目が置かれたといってよい。また油寄所の新設は、灘目・播磨からの直積みルートを徹底管理し、他ルートをも低価格に誘導する機能を期待したものであろう。市場の暴走を抑えるために、権力的介入の基盤を油寄所というかたちで確保しようとしたといえる。相当に急進的な改革案であった。

改革案への異論

町会所掛《まちかいしょがかり》案に対する江戸町年寄《まちどしより》の回答は、微妙であった。灘目《なだめ》・播磨《はりま》油を新設の油寄所《あぶらよせしょ》で入札管理することについては、低価格誘導の効果を期待して賛成しているが、全体としては油業界から強い反発が出るだろうと答えている。下り油問屋の扱い高のうち尾張《おわり》油と伊勢《いせ》油は三〇パーセントほどを占めており、これに加えて灘目・播磨油の扱いも停止されるのだから、たしかに打撃は大きい。仲買に格下げされる問屋《といや》並《なみ》仕入方や関東問屋からも、「騒ぎ立て」が起こるのではないかと予測している。それだけではなく、灯油を酒と同じように樽廻船《たるかいせん》で輸送させる案は、十《と》組問屋《くみどいや》から「愁訴」があるだろうと警告した。灯油消費者である江戸住民の立場からすれば、価格が統制されて安くなることは歓迎するが、かといって過剰な統制は問屋や仲買の倒産を招く、というのが町年寄の立場であった。

この改革案に対しては、幕府内からも強い異論が出された。江戸町奉行が、尾張油と伊勢油は下り油問屋の引き受けが妥当であり、口銭《こうせん》の引き下げ率も高すぎると批判したのである。過度の荷受け制限と口銭の減少は油屋経営を破綻《はたん》させかねない、ということであった。しかも、下り油問屋、関東問屋、油仲買は、江戸町奉行が所轄する十組問屋のメンバーで、幕府へ冥加金《みようがきん》を納めていると強調している。さらに江戸問屋たちが「不埒《ふらち》の売買」をしてきたことは間違いないが、強引な改革をやろうとすれば、さだめし江戸問屋たちが「種々の愁訴」で抵抗するだろうと警告している。

町会所掛には町奉行所からの出向与力《よりき》もいたが、勘定所《かんじようしよ》が主導権を握っていた。その町会所掛が最大限の規制強化によって市中価格の引き下げを実現しようとしたのに対し、町奉行は油屋経営を維持する観点から、過度の規制に異をとなえたという関係になる。勘定所ペースで進行する改革に、どうやら町奉行は不満をいだいていたらしい。勘定所ラインの性急な市場再編にブレーキをかけ、十組問屋への影響をできるだけ抑えようとする意図が感じられる。十組問屋に対する町奉行と勘定所の認識には、大きな開きがあったといってよいだろう。

こうした過程を経て文政《ぶんせい》一二年(一八二九)一〇月、勘定奉行・町奉行・勘定吟味役連名で老中《ろうじゆう》に江戸油方仕法《あぶらかたしほう》の伺書《うかがいがき》が提出された。これをみると、下り油問屋から灘目・播磨油を分離して油寄所管理とし、問屋並仕入方と関東問屋を下り油問屋の仲買とする町会所掛の構想は生かされている。だが、尾張・伊勢油を下り油問屋が荷受けする体制は以前のままで、口銭も現状維持となっている。これらは町奉行の意見を組み込んだ内容だといってよい。町会所掛が勘定所系と町奉行所系の役人で構成されている以上、いくら勘定所主導の改革案だとはいえ、町奉行からの異論を無視することはできず、町会所掛案は大幅に修正されて第一次改革案となったのである(次ページ図①)。

妥協としての改革案

翌文政《ぶんせい》一三年（一八三〇）三月、老中《ろうじゅう》はこの改革案を認めた。町会所掛《まちかいしょがかり》はただちに灘目《なだめ》・播磨《はりま》油引受人（油寄所《あぶらよせしょ》）の人選に入り、勘定所御用達《かんじょうしょごようたし》八人を引受人とし、その下請負人《したうけおいにん》として油業界とは無縁の四人を選任した。既存の利権から切り離した人選のつもりだったのだろう。ところが、すぐに三人が辞退してしまった。実務に不慣れなので油屋たちを「師」と頼まざるをえないが、そうすると油屋たちをコントロールできなくなる、かといって一線を引けば油屋たちの離反を招き、実務運営上の支障をきたすかもしれない、というのがその理由であった。ただし辞任の理由はそれだけではなく、手取りが少なく、うま味がなかったことにもあるようだ。業界の利権に無縁な人選をしたのはよいが、業務遂行ができないのでは意味がない。

　これをみた御用達らは、町会所掛案への批判を込

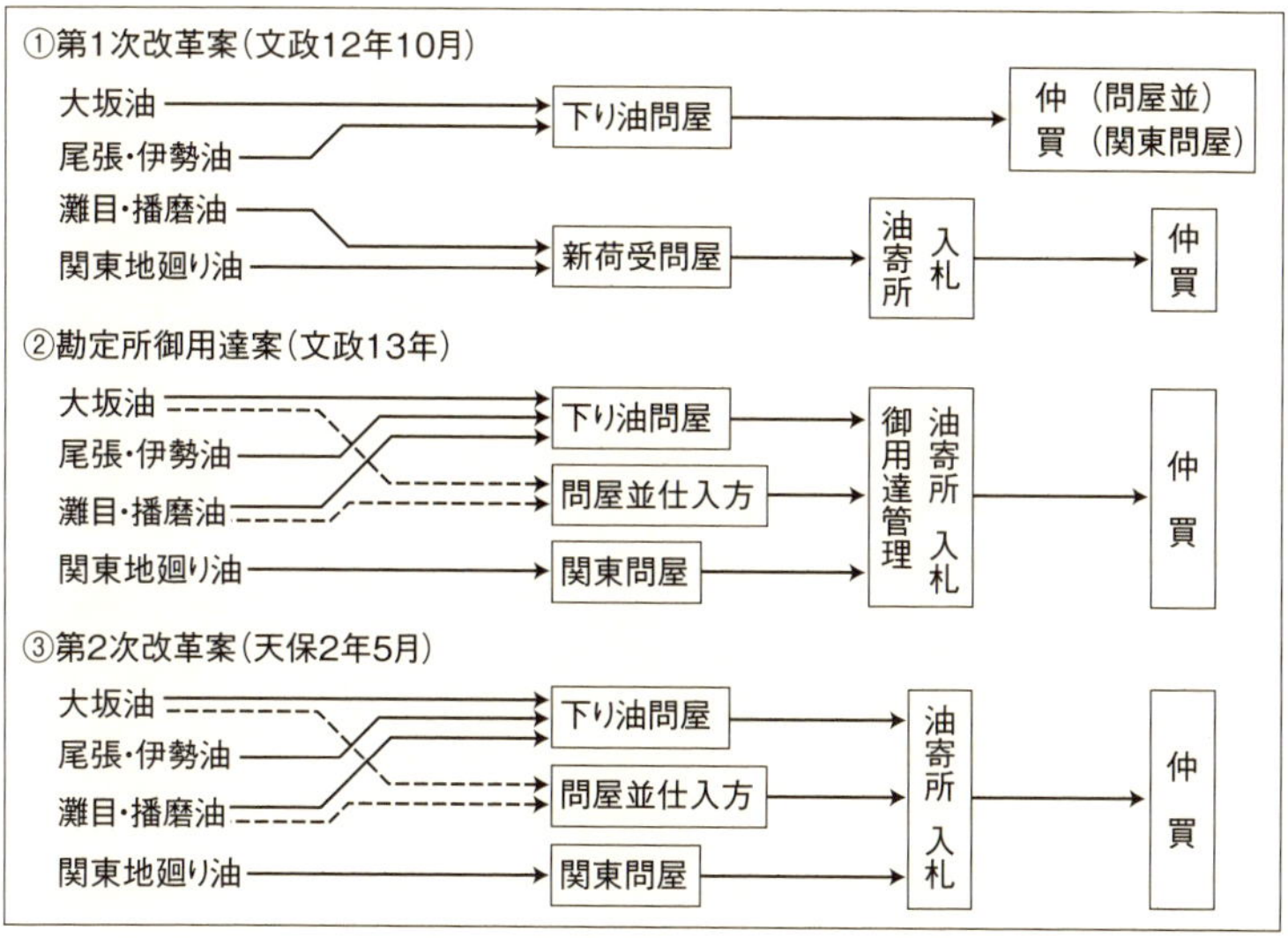

◉江戸灯油市場改革案の変遷
町会所掛が提案した抜本的改革案が審議の過程で骨抜きにされ、業者の既得権益が保護されていく様子がわかる。

めて新たな提案を行なった（前ページ図②）。大坂油と灘目油を分けて、新たに問屋をつくったり問屋・仲買をそれぞれに系列化するのは業界不和のもとだとして、下り油問屋、問屋並《といやなみ》仕入方、関東問屋などは従来どおりの仕入れを行なうようにしたほうがよいという。そのうえで、新たに霊岸島《れいがんじま》に油寄所を設け、仲買へ卸す段階で一元的に入札をすれば、時の相場も反映され、価格操作や隠し売りなどの不正もしにくくなるだろう、というものであった。旧来の体制を維持しつつ、入札管理を導入するという折衷案である。

下請負人の相次ぐ辞退や御用達らの上申書は、町会所掛による改革案の問題点を浮き彫りにした。このままでは、町会所掛案は政策実行の受け皿を確保できないことになる。さりとて御用達案を採用するには、政策理念とのギャップが大きすぎた。楢原謙十郎《ならはらけんじゆうろう》は、こうした現実に直面して、もはや第一次案の放棄もやむなしとの腹を固め、改革案の抜本的見直しを勘定奉行に提案した。

楢原の上申書を受けた勘定奉行は、町奉行の同意も得て見直しに着手した。その後の経過は不明だが、翌天保《てんぽう》二年（一八三一）五月、勘定奉行・町奉行から老中に伺書《うかがいがき》が出されている（前ページ図③）。これによると、下り油と関東地廻《じまわ》り油は従来どおりの問屋が引き受け、問屋・問屋並仕入方・関東問屋などもそのまま存続するとされていた。第一次案にみられた徹底した統合再編は大幅に後退し、取り引きの旧慣は大半が温存されることになったのである。再編案をそのまま実行すれば業界から「愁訴」されて、市場が混乱しかねないというのが、その理由であった。業界の空気を読んで、政権側が譲歩したということである。

注目すべきは、江戸に入ってくるすべての油を、新設する油寄所に集荷させ、問屋一同立ち会いのうえ、仲買に入札させるとする点である。それまでは入札ではなく、問屋と仲買による相対《あいたい》取引が主流であったから、油寄所における集中入札によって価格監視をはかりやすくするというねらいであった。既存業者の改廃再編には失敗したものの、卸売りの段階で勝手な価格操作はさせない、という政権側の姿勢を見せたともいえる。

以上、江戸油方仕法《あぶらかたしほう》の成立過程をみてきたが、既得権益を解体する急進的な町会所掛案は、まず油問屋の経営弱体化を懸念する町奉行の異論で後退し、内部調整を経て成立した第一次改革案も、下請負人の辞退により改革仕法の実行基盤を確保することが困難になった。それが第二次改革案への転換につながったが、これは既存の流通秩序を尊重しつつ、油寄所を通じて価格をコントロールしようとする現実的なプランであった。

勘定奉行と江戸町奉行の連名で老中に提出した伺書には、これまでのいきさつにこだわって第一次案を強行したのでは改革もおぼつかないとある。いくら低価格が社会の要請だとはい

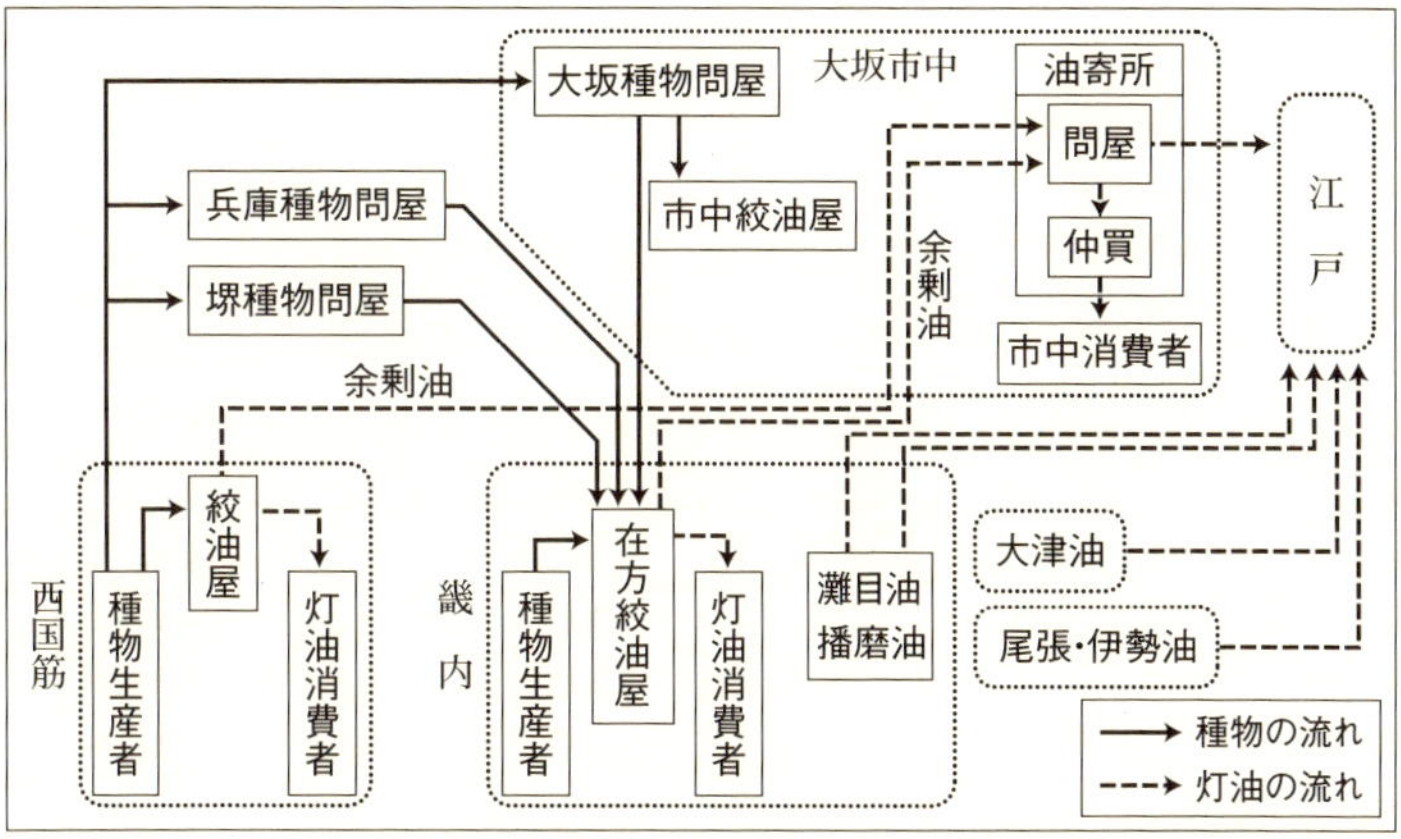

●「天保の仕法」による流通制度
「明和の仕法」図（212ページ）と比べると、灯油の生産と販売が地産地消型に改革されていることがわかる。

え、業界の抵抗を封じ込めるのは容易なことではない。第一次改革案から第二次改革案への修正は、無用な混乱を回避しつつ、できるところを改革するという姿勢への転換だった。

このような紆余曲折《うよきょくせつ》を経て、大坂と江戸の灯油市場の改革案が成立した。老中がこれを承認し、実行に移されたのは天保三年一一月のことである。楢原謙十郎が大坂町奉行所に乗り込んでから、五年の歳月がたっていた。改革案の策定は一朝一夕にできるものではなかったということだが、この改革案に示された市場改革の方向性こそ、のちの天保の株仲間《かぶなかま》解散につながるものであった。

世論と政治

楢原謙十郎《ならはらけんじゅうろう》が主導した灯油市場の改革は、これまであまり知られていない幕府の事業である。将軍徳川吉宗《とくがわよしむね》が行なった享保《きょうほう》の改革、老中松平定信《ろうじゅうまつだいらさだのぶ》の寛政《かんせい》の改革、老中水野忠邦《みずのただくに》の天保《てんぽう》の改革などのように、将軍や老中がリーダーシップを発揮した政治改革ではなかったため、関心を集めることがなかったようだ。だが、社会が解決を求める課題が、どのような経路を経て新たな政策として生み出されてくるのかを示す事例として、これほどわかりやすい改革政治はない。さらにこの過程こそ、幕府による政策決定が、役人の独断によってではなく、社会に存在するさまざまな集団の利害関係や意見を視野に入れながら行なわれていたことを示すものであった。世論政治を実証するモデルケースともなりうる事例だといってよい。

ある社会的争点を解決するための政策過程は、さまざまな力学をからませながら、結果としての政策にたどり着く。それが政治だといってもよい。その力学の典型が、政策立案者に対する諸種のアプローチである。楢原の担当した市場改革が紆《う》余曲折《よきょくせつ》の過程をたどったのは、そのアプローチのためであった。政策立案者に影響力を行使しようとする存在を、政治学ではアクターと表現するが、この市場改革の過程を諸アクターのせめぎ合う場としてとらえ直してみると、左図のようになる。閉じられた政治空間のなかで政策が決定されるのではなく、社会状況や民意のあり方をもふまえながら政策が検討されていったことがわかる。ポイントとなる点をいくつか指摘しておきたい。

第一に、政策決定過程でもっとも重要な役割を果たすのは、中心的政策立案者である。この改革では、おもに支配勘定《しはいかんじょう》の楢原謙十郎が発案と調整を担った。支配勘定といえば勘定所のなかでは実務担当の下僚なのだが、改革案という大仕事も、このクラスの役人が立案していたのである。経緯からみても、楢原はかなり有能な人材であったことがわかる。

第二は、政策立案者の提示した原案は、検討の過程でいくつものアクターからアプローチを受け、大幅に修正されたという点である。そのアクターは、業界などの民間アクターと、幕府役人または藩役人などの官アクターに大別できる。

江戸町奉行は官アクターとして楢原謙十郎の改革案に異論をとなえたが、それは幕府内の稟議《りんぎ》システム（文書による意見交換や決裁）の場にお

政策過程とアクター

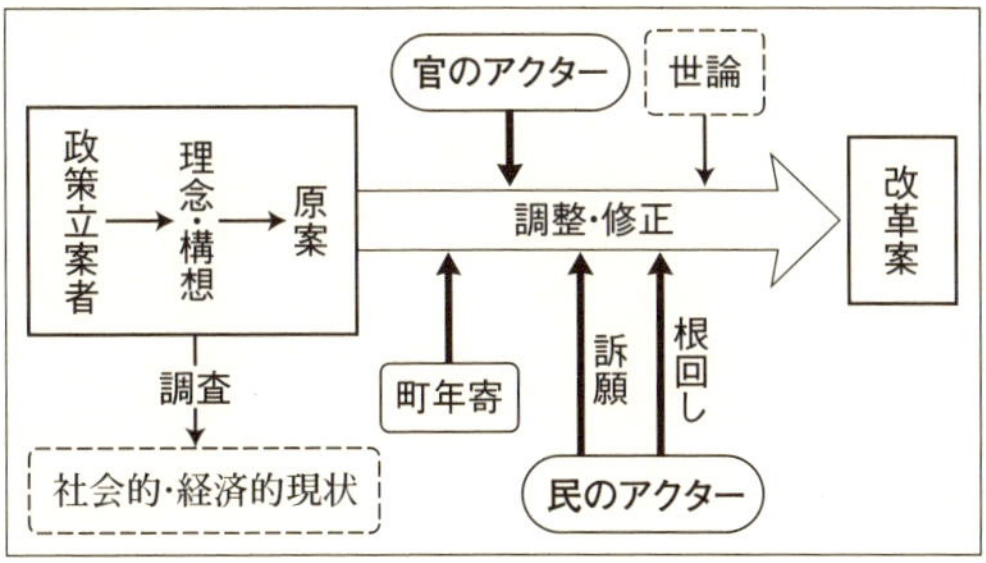

いてであった。これに対して民間アクターからのアプローチは、おもに訴願（陳情）という形態をとった。利害関係者が積極的に訴願することによって政策立案過程にコミットし、影響力を発揮したことが確認できる。稟議システムが権力内部の調整機能を発揮したのに対して、訴願は社会的意見と政策立案過程をつなぐ役割をもったといってよい。

第三に、政策立案者である楢原謙十郎が考慮したのは、彼に直接的にアプローチしてきた民間アクターや、稟議過程での幕府他部局の意見だけではなく、「世上」「国々一統」「人気」といった言葉で表現される世論の動向でもあった。集団的結合を背景にして政策立案過程に積極的にアプローチする直接的アクターの効果は大きいが、政策決定要素には「世上」や「国々一統」の「人気」に対する配慮があったことも重要である。

第四は、世論と政治の関係についてである。世論とは、ある政治的な争点に関して世間一般の人々がいだく意見やとなえる論のことである。特定の社会集団に拠《よ》った世論もあれば、母体を特定しがたい世論もあり、内容も、政治に対する印象批評的なものから、個別の利害にかかわるものまで多様である。利益集団が発する声も、世論のひとつだと見なすべきであろう。幕府役人は、こうした世論の動向を無視することができなかったのである。

もうひとつ重視したいのは、世論は決して一枚岩ではありえないということである。政治がうろたえるのは、世論の圧力のゆえであると同時に、分裂した世論への対応に苦慮するからである。油《あぶら》方仕《かたし》法《ほう》にみられた紆余曲折の過程は、民意の動向＝複数世論に規定されつつ政策決定の局面が展開したことを示している。それは一方で、世論間の調整を模索する動きでもあった。江戸時代の政治は民意を排除した専制政治だったとする理解が、まだ根強い。だが、政策決定過程のこうした動きをみれば、現代とは異なるのは当然だとしても、明らかに世論政治といってよい形態が存在していたのであった。

ただし、世論を受け止めた政治は、初発から妥協を運命づけられるといってもよいだろう。その結果、政治と世論は不幸な関係に陥りやすい。図に示したように、世論A・Bを吸収した政治は、よほどの政治決断をともなわないかぎり、世論A・Bのいずれかに与《くみ》することを慎重に避けて政策合意に到達する。しかしそれは、世論A・Bのいずれの主張からも離れたものとならざるをえない。結局のところ、その政策は、世論A・B双方の不信の対象となりかねない。多くの政策的争点は、世論と政策の間にズレを生み出し、政治に対する民衆の不満や批判を生み出すということである。

これは、世論に対応すればするほど世論から乖離《かいり》するという逆説にほかならない。その意味で世論政治は、政治不信を構造化する要素をはらむといってよい。政治への不信は政治が開かれるほどに増大するという関係が存在するのであり、江戸時代の政治もまた、そのような要素をもっていたのであった。のちに老中水野忠邦が、抜本的改革とでもいうべき天保の市場改革に取り組むことになる。そこにもまた、世論と政治との関係が凝縮して現われてきているのである。

世論と政治

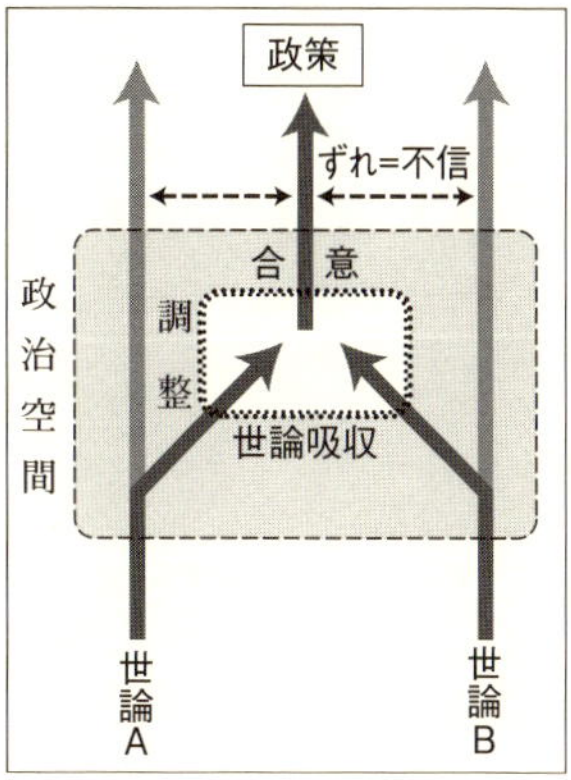

コラム2

老農渡部斧松の地域づくり

◉渡部神社と斧松
斧松の没後、村民は彼の功業と恩徳に感謝し渡部神社を建立。胸像は没後一五〇年（二〇〇五年）に建てられた。

出《で》羽国《はのくに》八郎潟《はちろうがた》近くの檜《ひ》山町《やままち》（秋田県能代《のしろ》市）に、在郷足軽《あしがる》の三男で斧松《おのまつ》という男がいた。一八歳のときに鍛冶《かじ》職人に弟子入りし、二二歳で盛岡藩領の鉱山の掘子《ほりこ》となり採掘技術を学んだ。二三歳のとき江戸に出て武家の中間《ちゅうげん》奉公をするが、二七歳で帰郷したあと、斧松の活躍はめざましい。

開発難儀の場所といわれた、男鹿《おが》半島と八郎潟の間にある広大な原野を巧みに開拓し、近隣から人を集めて渡部《わたなべ》村（同男鹿市）を開いた。その功が認められて文政《ぶんせい》一二年（一八二九）、士分に取り立てられ開発取調役に任じられると、秋田藩領内のいくつもの河川改修や用水堰《せき》の築造、開墾、殖産事業など、八面《はちめん》六臂《ろっぴ》の活躍を見せる。斧松の指導で開発された領内の新田は二二〇〇町歩に及ぶという。藩政に関する献策も数多くある。

斧松の幕末の覚書には、「外国の防ぎは百姓にて致すべき事」とあり、渡部村の農兵に西洋流兵術を稽古《けいこ》させたという。地域を守ることと国を守ることは表裏一体であった。

第五章

天保という時代

1

大塩平八郎の乱

天満町に砲火とどろく

天保《てんぽう》八年（一八三七）二月一九日の朝八時頃、大坂市中の天満《てんま》に砲声がとどろき、火の手が上がった。大塩平八郎《おおしおへいはちろう》とその一団が、大坂町奉行所の与力《よりき》屋敷に大砲を撃ち込み、みずからの居宅に火を放ったからだ。

二門の大砲と槍《やり》、長刀《なぎなた》、刀、鳶口《とびぐち》などで武装し、法被《はっぴ》や火事頭巾《ずきん》などを着して白い鉢巻《はちまき》をした一団は、陣羽織をまとった大塩を守るように取り囲みながら、難波《なんば》橋を渡って船場《せんば》に向かって進んでいった。

先頭には「救民」や「天照皇太神宮《てんしょうこうたいじんぐう》」「東照大権現《とうしょうだいごんげん》」などと染めぬいた幟《のぼり》を押し立て、道々では、何事かと一団を見物しようとする群衆に向かって、「味方につけ」と叫び、「否《いな》」と言った者には抜き身の槍を振りまわしながら仲間に引き入れていった。北船場に至ったところでは、三〇〇人を超えるほどにふくれあがっていたという。しかも、あちこちの商家を砲撃し、火矢を放って市中を火の海とした。世にいう大塩の乱である。

大塩が蜂起《ほうき》の際にばらまいた檄文《げきぶみ》には、つぎのようなことが書かれていた。

◉三方領知替反対一揆
庄内《しょうない》藩主酒井《さかい》氏の領知替に反対した領民一揆。『夢《ゆめ》の浮橋《うきはし》』には、出訴の相談から老中への駕籠訴《かごそ》、大集会、領知替撤回までの八〇場面が描かれている。前ページ図版小人《しょうにん》に国家を治めさせると災害が頻発する。大切な政事に携わる役人らは公然と賄賂《わいろ》を受け取り、知行所《ちぎょうしょ》の民《たみ》百姓には過分の役金《やくきん》を申し付けて苦しめている。この節、米価が高騰しているにもかかわらず、大坂町奉行や諸役人は得手《えて》勝手《かって》の政道をなし、江戸へ廻米《かいまい》をし、天子《てんし》のおられる京都へは廻米の世話もしていない。大坂の金持ちどもは、この節の天災をも畏《おそ》れず、餓死する貧民や乞食《こじき》を救おうともせず、自分たちは贅沢三昧《ぜいたくざんまい》をしている。役人どもはこれを取り締まろうともせず、下民を救うこともできず、堂島《どうじま》（大阪市）の米相場をいじるだけだ。もはや堪忍《かんにん》できないので、有志の者と申し合わせて役人を誅伐《ちゅうばつ》し、金持ち町人を誅戮《ちゅうりく》する。この者たちの金銀銭や蔵屋敷の米を配分するので、大坂市中で騒動が起きたと聞いたなら、一刻も早く馳《は》せ参ぜよ。

これまで大塩の乱は、庶民の窮状と役人や富商の

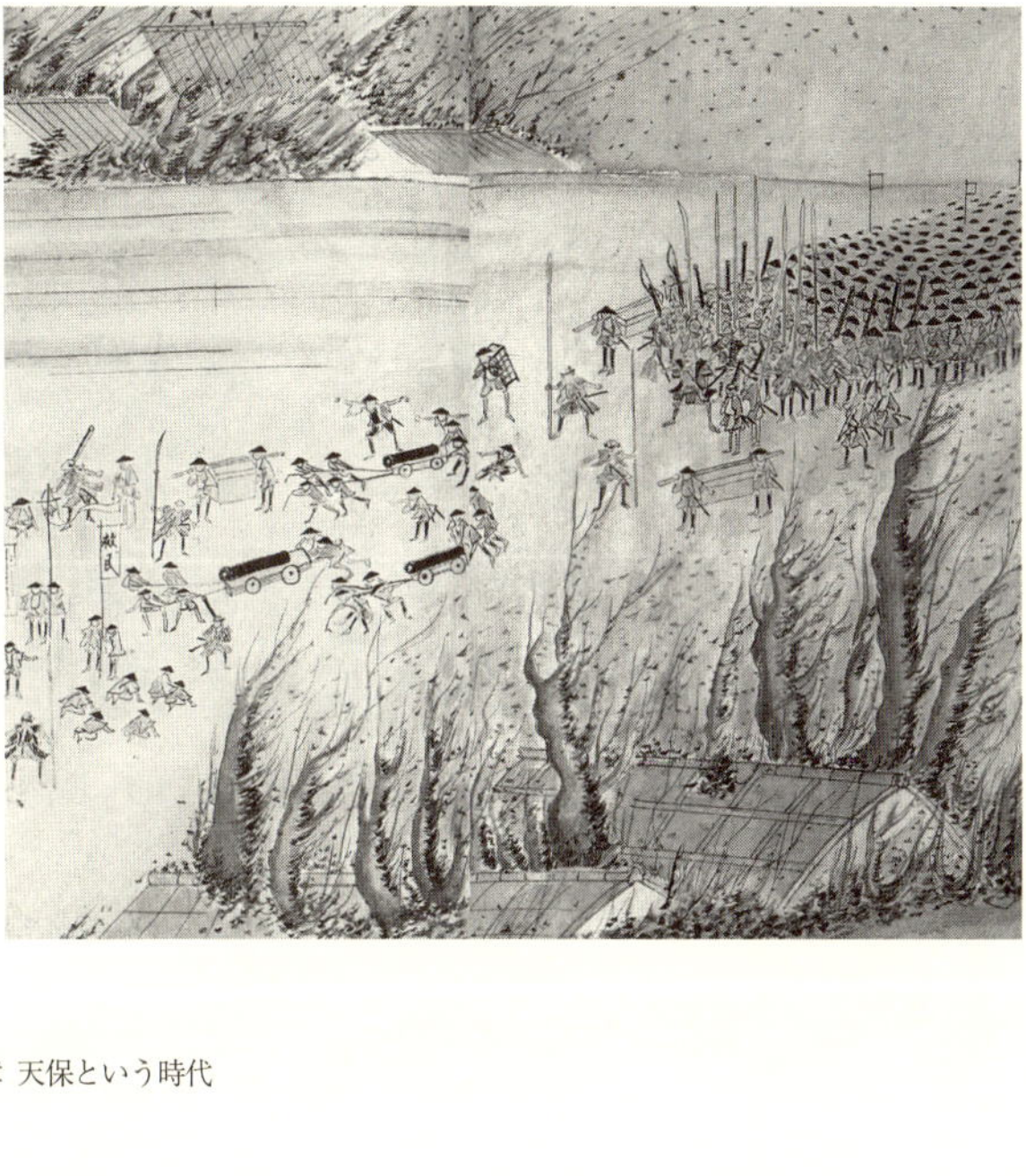
2

◉大塩一党、放火進軍の図
「救民」と書いた幟を先頭に、三門の大砲を押し立て、市中に火をつけながら進軍する大塩隊。（『出潮引汐奸賊聞集記《でしおひきしおかんぞくもんしゅうき》』）

腐敗堕落を見かねた大塩が、貧民救済のために蜂起したものだといわれてきた。その根拠となったのは、義憤に満ちたこの檄文と、蜂起の二週間前に蔵書を売って得た代金六六八両（現在に換算すると約一億三〇〇〇万円）で一万軒の貧民に施行《せぎょう》した、とされていることである。私財をなげうって貧民を救い、命をかけて悪徳商人や無能な役人に掣肘《せいちゅう》を加えようとした行為は、多くの歴史教科書でも称賛されている。

だが、以下に紹介するいくつかの記録を前にすると、別の側面がみえてくる。

水戸藩への米移出と大塩

水戸藩主徳川斉昭《とくがわなりあき》の側近で儒者《じゅしゃ》でもある藤田東湖《ふじたとうこ》の日記『丁酉日録《ていゆうにちろく》』の天保《てんぽう》八年（一八三七）三月二十二日条に、水戸藩が大坂で買い付けた米を積んだ船が一艘《そう》、幕府の定法に違反して浦賀番所《うらがばんしょ》を経ずに常陸《ひたち》沖に乗り入れたため、幕府の奥右筆《おくゆうひっ》桑山《くわやま》と浦賀奉行に、今回に限り見逃してもらう工作をしたとある。

西日本から江戸や江戸以北に物資を輸送する廻船《かいせん》は、必ず江戸湾の入り口に設けられた浦賀番所で荷物の検査を受けることになっていた。抜け荷を取り締まるためと通行税を徴収するためである。この時期は江戸

3

◉大塩平八郎
乱を起こしたとき、大塩は四四歳であった。

への米の入津高《にゅうしん》も激減していたから、米の抜け荷にはとくに厳しい監視体制がしかれていた。その浦賀番所を通さずに水戸まで廻船が直航したということなので、水戸藩は大坂で手に入れた大量の米を抜け荷したということになる。しかし、それが露見して幕府から譴責《けんせき》されることを恐れたため、藤田東湖は先手を打って幕府の要路に手をまわしたのであった。奥右筆の桑山は、浦賀奉行にこの一件を問題にしないよう根まわしをしてくれた、という。

凶作によって米が不足したのは大坂だけではなく、江戸も各地の城下町も同様であった。誰もが必死に米を確保しようとするから、米の相場が急騰した。水戸藩が種々の伝《つて》を頼って米を確保しようとするのは当然のことである。では同藩は、米不足の大坂からどうやって米を手に入れたのだろうか。山田三川《やまださんせん》の『三川雑記《ざつき》』という記録の天保八年条には、つぎの記事がある。

「水戸侯ハ、（佐藤《さとう》）一斎《いっさい》ヘタノミテ大塩《おおしお》ニタノミ、六万両ノ米ヲカハセタリ、ソレガ漸々《ようよう》二艘来ルマデニテ、アトハイカヾナリシヤ分ラズト也」

山田三川は伊勢国三重《いせのくにみえ》郡の村役人の家に生まれ、津《つ》藩の藩校有造館《ゆうぞうかん》に学んだが、のち江戸に出て昌平坂《しょうへいざか》学問所に入学した。天保九年に松前《まつまえ》藩（福山《ふくやま》藩）に禄高《ろくだか》一五〇石《こく》で仕官したが、嘉永《かえい》五年（一八五二）には上野《こうずけ》国安中《あんなか》藩に召し抱えられている。『三川雑記』は山田が見聞した事柄を書きとめ

4

◉藤田東湖
父は水戸徳川家儒者の藤田幽谷《ゆうこく》。儒者である東湖は藩主の側用人《そばようにん》として藩政改革にあたった。安政の大地震で家が倒壊し圧死した。

た記録だが、右の記事は三川が学問所に在籍中に耳にした噂《うわさ》であろう。
「水戸藩主が同藩の儒者佐藤一斎を通じて大塩平八郎《へいはちろう》に頼み、六万両分の米を買ってもらった。その米を積んだ船が二艘やってきたが、あとはどうなったかわからないらしい」とある。なんと大塩の斡旋《あっせん》で米を手に入れたというのである。とはいえ、『三川雑記』が書きとめた記事は、あくまで噂であって真実であるかどうかはわからない。だが、つぎの記事をあわせてみると、それなりに真実味を帯びてくる。婦人運動家の山川菊栄《やまかわきくえ》が、『大日本史《だいにほんし》』編纂《へんさん》局総裁などをつとめた曾祖父《そうそふ》と祖父(青山《あおやま》氏)の日記や手紙、あるいは故老の思い出話などをもとに書いた『覚書《おぼえがき》幕末の水戸藩』に、大塩の話が書かれている。

饑饉《ききん》の年に、領内の産米では不足なので、大坂から多量に米を仕入れて江戸藩邸の用に宛《あ》てた。このとき大坂の町与力《まちよりき》大塩平八郎が非常な好意をもって尽力し、米を安く仕入れることができたので、水戸では後年まで大塩を徳としたという。大塩は烈公《れっこう》(藩主徳川斉昭)に敬意を抱き、彼が暴動を起こした当時、烈公によせた上書もあったという。

あいにく饑饉の年が記されていないが、『三川雑記』の記事との関係からみて天保七年から八年のことであろう。大塩が藩主斉昭を敬慕していたことも、領内ではよく知られた話だったらしい。大塩が斉昭に宛てた上書の件も、実際にあったことである。

以上紹介したいくつかの記録は、すでに知られているが、これまでその意味が十分に問われてはこなかった。そこで、もう少し掘り下げて検討してみよう。

大塩の抜け米斡旋疑惑

大塩平八郎《おおしおへいはちろう》が水戸藩に抜け米を斡旋《あっせん》したのではないかという話は、『塩逆述《えんぎゃくじゅつ》』という記録にも出てくる。水戸藩勘定《かんじょう》奉行の川瀬《かわせ》七郎《しちろう》右衛門《えもん》と蘭学《らんがく》者の幡崎鼎《はたざきかなえ》が大坂に米の買い付けに行き、川瀬と旧知の大塩に頼み込んで米一万五〇〇〇俵《ぴょう》を確保したという内容である。

『水戸市史』によれば、川瀬七郎右衛門は江戸在勤の勘定奉行で、藩主徳川斉昭《とくがわなりあき》の指示により、天《てん》保《ぽう》七年（一八三六）の秋に大坂と長崎に走って大量の米の買い付けに成功したという。同年一一月には大坂からの米、翌年春には大坂米と肥前《ひぜん》佐賀米を積んだ船が那珂湊《なかみなと》（茨城県ひたちなか市）に入港し、水戸領内の飢餓状態の軽減に大きく貢献している。ここに春の入港というのは、前述した藤田《ふじた》東湖《とうこ》『丁酉日録《ていゆうにちろく》』天保八年三月条に出てくる船のことだろう。大塩が蜂起する前の一一月にも、大坂から米を搬出している。

　蘭学者の幡崎鼎は長崎の生まれで、シーボルトがつくった鳴滝塾《なるたきじゅく》に入門した人物である。文政《ぶんせい》一一年（一八二八）のシーボルト事件のあと、幡崎は大坂で蘭学塾を開いていたが、天保四年から水戸藩主徳川斉昭に仕えて蘭学を指南したという。幡崎は、渡辺崋山《わたなべかざん》や江川《えがわ》太郎左衛門《たろうざえもん》（英龍《ひでたつ》）とも交際があった人物である。『塩逆述』では川瀬だけではなく幡崎も大坂に派遣されたとしているが、それが事実ならば、幡崎がもつ大坂の知己に伝《つて》を頼った可能性もないわけではない。

しかし、以上紹介した情報は信用できるのだろうか。大塩の乱の直後から、大塩にかかわるさまざま情報が飛び交った。そのひとつに、平八郎は倅格之助《せがれかくのすけ》の許嫁《いいなずけ》を寝取った「不義の徒」だとする話が諸書に記録されている。だが、大塩隊の鎮圧にあたった坂本鉉之助は、『咬菜秘記《こうさいひき》』のなかで、これを間違いだと否定している。山田三川《やまださんせん》も『想古録《そうころく》』でこの噂《うわさ》を、幕府役人が捏造《ねつぞう》した情報だと批判した。混乱時に出所の不確かな話に尾ひれがついて流布することはよくあることだが、大塩の人物評を左右するような根拠のない噂に対しては、このように批判的な記事を確認できる。しかし、この抜け米情報については山田三川も否定しておらず、これを否定する世評も、いまのところ確認されていない。どうやら、幕府が大塩をおとしめるために流した謀略情報だとは見なされていなかったようである。

あるいはこれとは逆に、水戸藩領では大塩崇拝が行きすぎて、大塩は大坂の貧民だけではなく、水戸藩領住民のことも考えてくれていたのだとする、贔屓《ひいき》の引き倒し情報であった可能性もないわけではない。もしそうであれば水戸発の情報だろうが、これは大塩との関係を疑われていた水戸藩にとっては不都合な情報になる。できるだけ打ち消しに走ったと思われるが、その形跡は確認できない。

重要な点は、『三川雑記《ざつき》』や『塩逆述』に記された噂が、藤田東湖の日記や山川菊栄《やまかわきくえ》の聞き書きと符節があうということである。とくに、大塩の斡旋《あっせん》により大坂から米を手に入れたとする山川菊栄の情報が、『大日本史』編纂《へんさん》局総裁を二代にわたってつとめた青山家に伝わった話であるという点は、水戸藩内に流布した情報として確度の高さをうかがわせている。

『塩逆述』に出てくる川瀬七郎右衛門らによる大坂での米買い付けも、前述のように歴史的な事実として確認されている。『水戸市史』によると、川瀬らが確保した大坂米は六〇〇〇石《こく》であった。代金は一万九〇〇〇両程度になる。一石あたり二・五俵とすれば、『塩逆述』のいう一万五〇〇〇俵と、ほぼ等しい。『三川雑記』には六万両分の米を買ったとあるが、当時の大坂米相場は一石につき約三両前後であり、六万両であれば米二万石分ということになる。『水戸市史』のあげる米高との違いは大きいが、いずれにしろ水戸藩は大坂から大量の米を二度にわたって運び出した。当然のことだが、米相場の高騰に拍車をかけたに違いない。

ただし、川瀬七郎右衛門が大塩に頼み込んで大坂米を確保したという『塩逆述』の記事については、いまのところその真偽は不明というしかない。もしこの記事のとおりであったとすれ

5

◉焼き打ちされた岩城升屋
高麗橋《こうらいばし》通りの呉服店岩城升屋《いわしろますや》。近辺の商家は、軒並み火をつけられた。この絵は再建後の様子を描く。（歌川広重《うたがわひろしげ》『岩城升屋店前之図』）

ば、大塩の水戸藩への斡旋もまた、米不足と米価高騰の一因になっただろう。そうであれば大塩が掲げた大義とは逆に、大塩も庶民を苦しめた元凶のひとりだということになる。もし『塩逆述』の記事が誤りだったとしても、水戸藩が大坂から大量の米を運び出したことは事実である。大塩は、大坂町奉行跡部山城守《あとべやましろのかみ》による米の江戸移出を口をきわめて罵《ののし》っているが、水戸藩をはじめ多くの藩が大坂での米買い付けに躍起になっていた。大坂在米の不足をもたらしたのは、大坂町奉行の江戸への廻米《かいまい》だけが原因ではなかったということになる。大坂商人の動向を熟知した大塩が、こうした動きをまったく知らなかったとするのも不自然だろう。

水戸藩への米斡旋の話は、水戸藩主徳川斉昭および佐藤一斎《さとういっさい》と大塩との関係のなかで語られている。大塩は佐藤一斎に自著を献呈するほど心酔していたといわれる。一斎は昌平坂《しょうへいざか》学問所の学頭である林大学頭述斎《はやしだいがくのかみじゅつさい》の門人であり、文化《ぶんか》二年(一八〇五)には林家の塾長となっていた。林述斎が亡くなったあとの天保一二年には、幕府の御儒者《おじゅしゃ》に抜擢《ばってき》されて将軍に進講するほどの第一人者であった。

徳川斉昭と佐藤一斎との関係も親密で、水戸藩校弘道館《こうどうかん》開設の準備をしていた斉昭が天保八年頃に一斎に相談したことが知られている。大塩は一斎を通じて自著を贈呈したように、水戸学の本場である水戸藩主の斉昭を崇敬していた。学問的な関係では佐藤一斎を介して大塩が斉昭と接触をもったということになるのだが、『三川雑記』は斉昭が一斎を通じて大塩に米の確保を依頼したと書いている。心酔する大塩を斉昭は巧みに利用したという話になる。

いまのところ、大塩による抜け米斡旋を決定づける、確たる史料はない。だが右に紹介してきたように、その可能性をうかがわせる記録はある。事は大塩平八郎の人物や蜂起《ほうき》の評価にかかわる問題だといってよい。この噂の真偽は、さらに究明される必要があるだろう。

大塩の大金融通

学問を通じた大塩《おおしお》の知己は広いが、昌平坂《しょうへいざか》学問所の学頭である林述斎《はやしじゅっさい》とは、奇妙な事情で縁ができている。文政《ぶんせい》一〇年（一八二七）八月頃、林述斎の用人が資金繰りに大坂に来たときに、その用人と、大塩の同僚与力《よりき》である八田五郎左衛門《はったごろうざえもん》の家で偶然会って以来の関係だという。財政難に陥っていた林家では、大坂で無尽《むじん》を催し一〇〇〇両（現在では約二億円）を確保する計画だったらしい。

無尽とは、加入者を集めて講をつくり、一定額の掛け金を継続的に積み立て、貯《た》まった資金を順繰りに融通しあう金融方式である。貸し付けは無利子で、返済も従来どおりの掛け金を払いつづけるだけでよいから、庶民の相互扶助的な金融として江戸時代には広く行なわれていた。いわゆる無尽講や頼母子講《たのもしこう》と呼ばれるものである。しかし、講元が大きな利益を得るような不正無尽も流行《はや》っていたようである。林家の用人が無尽で一〇

6

◉**林述斎**
父は美濃国岩村《みののくにいわむら》藩主。天保《てんぽう》の改革に登場する江戸南町奉行の鳥居耀蔵《とりいようぞう》は、述斎の三男である。

○○両を調達しようとしたのは、幕府が違法としていたこの不正無尽のほうだろうと見なされている。大塩は林家用人に対して、即座に「一策」ありとして一○○○両の融通を約束したという。天下の学政をつかさどる林家が不正無尽に手を染めることを、大塩が憂慮したからだといわれている。

それにしても林家用人が、はるばる大坂まで来て、そうした不正無尽の相談を大坂町奉行所与力にするというのも不思議な話である。それだけではない。相手がいかに林述斎の用人だとはいえ、自分に依頼に来たわけでもない初対面の人物に対して、軽く一○○○両の用立てを引き受ける大塩にも驚かされる。大塩はすぐに門人の豪農橋本忠兵衛《はしもとちゅうべえ》ら数人に相談して、一○○○両を調達したようだ。文政一○年一一月の借用証文には、翌年から一五年賦で返済することになっている。

大塩は、見返りは何も望まないが、手に入れにくい書物の借覧を願うことがあるかもしれないと伝えた。林述斎は大塩のこの周旋に深く感謝し、江戸に来ることがあれば面談したいと礼状を出している。林述斎に対する学問的な尊崇の念が、大塩を金策に走らせ、林家の財政危機を救ったということになる。大塩はこの金策を契機に、林述斎の知遇を得る

7

◉昌平坂学問所での会読風景
林述斎のとき、林家の私塾昌平黌《こう》が幕府官立の昌平坂学問所となり、全国の俊英を集めた。

ことになった。大塩が与力を引退するのは天保《てんぽう》元年（一八三〇）のことであるから、それよりも三年前の現役時代の出来事であった。

もうひとつの金策

金策に関して、大塩にはもうひとつ不思議な話がある。江戸城西丸御用取次見習《にしのまるごようとりつぎみならい》の要職にあった新見伊賀守正路《しんみいがのかみまさみち》に、大塩がやはり一〇〇〇両もの金額を斡旋《あっせん》したのであった。新見正路は文政《ぶんせい》一二年（一八二九）四月に大坂西町奉行として着任し、天保二年（一八三一）四月に江戸に戻り、西丸御用取次見習に抜擢《ばってき》されていた。大塩との関係ができたのは大坂に赴任中のことだが、多くの書籍を大坂でも購入しており、その学識の深さは藤田東湖《ふじたとうこ》が「君子の人」と絶賛するほどであった。のち天保一二年四月には、将軍の御側《おそば》御用取次に登用され、将軍側近として重きをなした人物である。

その新見から大塩に金一〇〇〇両の調達依頼があったのは、天保三年のことである。新見の所領がある近江《おうみ》の庄屋であり代官をつとめる武藤休右衛門《むとうきゅうえもん》からの依頼だが、武藤は新見の大坂在任中に家来の勝手方元締《かってかたもとじめ》役として在坂していたから、おそらく大塩とも知己を得ていたのであろう。これに対して大塩は、自分は退職したため直接の周旋はできないからと、かわりに現役時代の同僚与力であった瀬田藤四郎《せたとうしろう》を紹介した。大塩は新見に、瀬田には大坂の豪商鴻池《こうのいけ》一族に昵懇《じっこん》の者がいるので、そこから調達すると伝えている。自分も口添えをし、必ず成功させるとも手紙で知らせているように、たんに瀬田を紹介しただけにとどまらない入れ込みを見せている。また、調達した一〇〇〇両のうち七〇〇両は為替を門人に持たせたが、残り三〇〇両は大塩自身が近江国蒲生《がもう》郡の武藤宅まで届けたほどであった。

新見や武藤と大塩がやりとりした書簡をみると、新見たちは文政一〇年に大塩が林述斎に一〇〇〇両を調達したことを知っており、「先年の林家のように」とある。借用証文の書き方などは、林家と同様にしたようだ。新見の大坂着任は文政一二年なので、着任後に林家調達金の話を聞いていたのかもしれない。大塩がもつ金融ルートが念頭にあったからこそ、新見や武藤は大塩に一〇〇〇両の金策を依頼してきたのではないかと思われる。

大塩は新見の期待どおりに動いてくれたわけだが、奔走ぶりに感激した新見は大塩に礼をしたいと考えていた。だが大塩は、自分のことではなく、元同僚である瀬田藤四郎を引き立てるよう、瀬田の上司戸塚忠栄に頼んでほしいと、新見に依頼した。新見は「戸塚へ得《とく》と話しおくので安心せよ」と大塩に伝えている。戸塚は天保三年六月に大坂東町《ひがしまち》奉行に就任したが、大坂への赴任は同年一〇月であるから、新見は江戸出立前の戸塚に瀬田を引き立てるよう伝えたのであろう。まだ会ったこともない瀬田のことを、幕府重役の新見に頼まれた戸塚は面喰《めんくら》ったのではないだろうか。

しかし、その瀬田はまもなくして病に倒れ、翌天保四年八月には辞職している。だが瀬田の養子済之助は大塩の門弟であり、蜂起《ほうき》の計画が発覚した際、東町奉行所から逃亡して大塩に注進した人物であった。済之助は乱後、河内国《かわちのくに》に逃れるが自殺した。父藤四郎は済之助から蜂起の計画を聞いていたからだと思われるが、乱の直前に出奔している。しかし河内国で捕縛され、その後牢死《ろうし》した。

林述斎や新見正路へ一〇〇〇両もの大金を大塩が斡旋したことには驚かされるが、それも大塩の人脈と力量を示す証拠かもしれない。だが注意しておきたいのは、最初に林家の用人から一〇〇〇両もの金策を依頼されたのは与力の八田五郎左衛門であり、新見家に一〇〇〇両を周旋したのも、やはり与力の瀬田藤四郎だったという点である。大塩だけが特別の金策パイプをもっているのではなく、大塩の同僚与力も同様に巨額資金を調達することができる立場にあったということだろう。

要請を受けた八田五郎左衛門は無尽講で資金を調達しようと考えていたようだが、講元が一〇〇〇両もの調達金を可能にするような掛け金はかなり高額になる。だとすれば講への参加を呼びかける相手は大坂市中のそれなりの規模の商人たちになるのではないか。八田は、それを可能にする豪商ネットワークを有していたのかもしれない。瀬田藤四郎もまた大坂屈指の豪商鴻池に太いパイプをもっていた。大塩も鴻池に口添えをして影響力を発揮し、新見への調達金を実現している。

大塩の力

こうしてみると、商人たちと深い絆《きずな》で結びついていたのは、大塩を含めて大坂町奉行所与力《よりき》の一般的なあり方だったのではないか。大塩は蜂起の檄文《げきぶみ》のなかで、腐敗堕落した豪商たちや、彼らと癒着《ゆちやく》した役人たちを口をきわめて罵《ののし》っているが、その豪商たちに話をもちかけて大金を融通していたのは、大塩の親しい同役であり、ほかならぬ大塩自身でもあったことになる。

このほか、幕府の学問所学頭である林述斎《はやしじゆつさい》、西丸御用取次見習である新見正路《しんみまさみち》への入れ込み方も気になるところだ。敬慕する人物に対して大塩は最大限の厚意と配慮を見せている。見方を変えれば、権威に弱いということもできる。水戸藩主徳川斉昭《とくがわなりあき》が佐藤一斎《さとういっさい》を通じて米の斡旋を大塩に依頼してきたという風説を先に紹介したが、斉昭にしろ一斎にしろ、大塩が敬慕してやまない人物である。風説の真偽は確認できないが、林や新見への入れ込み方をみると、斉昭や一斎から頼まれたら忠勤を励むかもしれないと思わせるところが大塩にないわけではない。

ところで、もうひとつ気になる大塩の言葉がある。新見から最初に金策の依頼を受けたのは大塩だったが、その際彼は、自分は引退して直接周旋できないので瀬田に世話をさせるといっている。現役の与力なら世話ができるが、引退与力では力が弱いということだろう。

天保《てんぽう》七年（一八三六）秋、大塩は鴻池などの豪商に施行《せぎょう》を依頼したが断わられ、ひどく立腹したといわれている。当初は大塩の頼みに応じるつもりだった鴻池《こうのいけ》らは、念のために大坂町奉行の跡部《あとべ》に知らせたところ、「引退与力の要求にこたえて出金するのであれば、幕府の要請にも当然こたえるであろうな」と念押しされたことから、後患を憂えて大塩に断わりを入れたともいわれる。林家への一〇〇〇両融通にみられるように、かつては大塩もずいぶんと世話になった鴻池だが、蜂起の際、真っ先に鴻池などの豪商宅を焼き打ちしたのは、この屈辱感に由来するのかもしれない。

大坂町奉行は無策無能だったのか

天保の飢饉《ききん》は、全国的に餓死者を出すほどの惨状となった。大坂でも餓死する貧民が出たが、ある高校教科書には、大坂町奉行は窮民の救済策をとることもなかったと書いている。しかし、大坂町奉行所はほんとうになんの手も打たなかったのだろうか。じつは、さまざまな対策をしていたのである。

下の表は大坂に入津《にゆうしん》した肥後《ひご》米相場である。これより前の天保六年（一八三五）二月から七月までは、米一石《こく》（一〇〇升《しよう》）につき銀六八・二匁《もんめ》〜七三・九匁、後半の八月から一二月は七一・九匁〜八八匁で推移している。平年作だった天保元年や二年は七〇匁台前半〜八〇匁台前半であったから、それよりはやや高めだが急騰したというほどではない。同様の傾向は天保七年に入っても続いていたが、大不作だとわかってきた七月から上昇しはじめた。一〇月には一四〇匁台に達し、翌年二月には一五〇匁台を突破した。

全国的な不作を見越した幕府は天保七年七月、全国の領主に対して、酒造高を従来の三分の一に減らすことを命じた。同令が大坂三郷《さんごう》（大坂町奉行支配下の北組・南組・天満《てんま》組の地域）に示達されたのは、や

天保7年(1836)		天保8年(1837)	
2月1日	82.7匁	2月1日	154.8匁
3月1日	82.0	3月1日	163.5
4月1日	81.6	4月1日	210.6
5月1日	83.3	5月1日	232.7
6月1日	83.8	6月1日	218.4
7月1日	99.9	7月1日	238.5
8月1日	122.5	8月1日	176.2
9月1日	129.0	9月1日	198.0
10月1日	141.4	10月1日	121.2
11月1日	138.1	11月1日	89.3
12月1日	149.9	12月1日	89.1
12月25日	147.0	12月25日	93.4

*通貨は銀

◉天保凶作時の大坂米相場
大坂両替店は、三井《みつい》の京都店に諸物価を毎月報告した。肥後米のほか、加賀《かが》米・筑前《ちくぜん》米など八地方の米価がわかる。

や遅れて八月九日のことである。これと前後して大坂町奉行は七月二八日に、堂島《どうじま》米市場の仲買年行事《ねんぎょうじ》に対し、不作を見込んだ駆け引きによって米価を引き上げないように警告した。次いで八月一七日には精米して小売りする搗米《つきごめ》屋にも「利欲」にかかわらず取り引きをするよう説諭した。いずれも米高値が諸民の難儀に及ぶことを懸念した措置であった。

八月下旬には、難渋人（困窮者）を対象に幕府の米蔵から三〇〇俵《ぴょう》を安値で放出した。続いて町や町人がもっている備蓄米（囲米《かこいまい》）の勝手売買も命じたが、米が大坂市中から流出しないように他所売りは禁止した。九月中旬には大坂に入ってくる当年米の入札が高値にならないよう警告を発し、市中の備蓄米や幕府米蔵から安値米を売り出した。新米が出はじめるまで、備蓄米を順次放出することでなんとかしのごうとしたのであった。

だが、出来《でき》秋《あき》になっても高値を更新しつづけたた

8

◉堂島の米市場
大坂堂島に設置された米の取引所。堂島米会所の周辺には、大坂に廻米する諸藩の蔵屋敷が集まっていた。（『摂津《せっつ》名所《めいしょ》図会《ずえ》』）

め、市中は不穏な状況になっていた。九月二五日には不正な商いをしたとして、高津《こうづ》五右衛門《ごえもん》町の小売り商人が住民に襲撃される事件が発生した。これを受けて大坂町奉行所は搗米屋に、疑念をいだかれないよう小売り値段を店先に張り出すことを命じ、幕府の備蓄米も無料の御救米《おすくいまい》として難渋人に給与した。また一〇月には、豪商豪家に呼びかけて義捐《ぎえん》金を募り、八四軒から金五両、銀一〇枚、銭《ぜに》一万五四八五貫《かん》三四八文《もん》を拠出させ、極難渋人三五〇二人に給与した。当時の貨幣相場で換算すれば、約二三〇〇両程度となる。

凶作とはいえ、一一月になると入津米も増えてきた。だが米商人以外の者たちによる投機買いと買い占めも進み、他所転売によって高利を得る動きも活発化した。一一月一〇日に大坂町奉行所は、これを禁じた。前述した水戸藩による米の買い付けと移出は、まさにこうした時期に行なわれていたのである。

9

◉御救い小屋での粥の炊き出し
米価高騰で米を買えない窮民に、役所や富商は粥《かゆ》を施行。飢饉時には江戸・大坂のほか各地城下町にも御救い小屋が設けられた。（『凶荒図録《きょうこうずろく》』）

しかも、この抜け米に大塩がからんでいたという話が関東では広まっていた。もしこの噂《うわさ》が事実であったとしたら、必死に米を確保しようとしていた大坂町奉行所の努力を無にしていたのが大塩だったということにもなる。

同月二九日には江戸から、「在方で所持している米穀は素人でも勝手次第に江戸向けに売買せよ」という廻米《かいまい》推進令が届いた。江戸の米不足に対応するためだが、大坂町奉行所はこの触書《ふれがき》を大坂三郷に流しつつも、廻米のための売買は自作米のみを対象とするよう制限した。せっかく諸国から集めた米を江戸に出してはならぬ、ということだろう。同じく一一月下旬には、市中の米仲買一統に対して、「諸藩登《のぼ》せ米《まい》（諸家の蔵米《くらまい》）の入札に躊躇《ちゆうちよ》して他所に入津せしむべからず」と注意している。米価高騰を抑えるために高値入札を避けていると、高相場の他所へ米が流れていく、ということだと思われる。低米価をとなえるのはよいが、それでは大坂に米は集まらないという、冷徹な市場原理がそこにはあった。大坂町奉行所の対応も、二律背反的な要素をもたざるをえなかったのである。

このほか、大坂町奉行所の対応として興味深い一件がある。全国的な大凶作の影響は、当然江戸にも及んだ。天明《てんめい》の飢饉時（一七八〇年代）には江戸町人が米商人を襲撃する事件があったため、今回、幕府は御救い小屋を設けて窮民対策にあたった。だが、町会所《まちかいしよ》の備蓄米だけでは不足するため、江戸町奉行所は御用商人の仙波《せんば》太郎《たろ》兵衛《べえ》・内藤《ないとう》佐助《さすけ》・永岡《ながおか》伊三郎《いさぶろう》ら三人に米の買い付けにあたらせ、その手代《てだい》が大坂に派遣されることになった。ところが江戸から知らせを受けた大坂町奉行は、一二月五日、「江戸から米の買い付けにやってきても協力する必要はない、もし米を売り渡す者がいれば

大坂町奉行所の対策

	年月日	対策事項
天保7年	7月28日	米方年行事に米の安値売買を命じる
	7月	江戸表より全国に酒造制限令(従来の3分の1に)を発する。大坂町触は8月9日
	8月17日	搗米屋に小売米の安値販売を命じる
	8月25日	将碁嶋御蔵の囲籾300俵を買入値段で売り渡す
	8月26日	町々および町人の囲米の勝手次第売り払いを命じる。ただし大坂市中以外での他所売りは禁じる
	9月12日	米方年行事に諸家蔵米入札にあたり下々難渋を勘弁すべしと命じる
	9月15日	江戸廻米の幕府命令を受けた町奉行の跡部が、内山彦次郎に命じて兵庫の北風荘右衛門を謀り、買上米を江戸に回送する
	9月17日以前	惣年寄取り扱いの三郷囲籾を米屋どもより下値に売り払い
	9月17日	川崎御蔵の囲籾を難渋人へ下値に売り出し(白米5合42文)
	9月22日	米方年行事に対し米仲買らが米価平準につとめることを要望する
	9月25日	高津五右衛門町にて雑穀売り方不正の由にて騒動あり。不正の商いを致さず、買い手の者疑念なきよう致すべし
	9月26日	身元よろしき町人は勝手次第施行致すべし
	9月28日	不埒の搗米屋あるにつき、小売米値段を店先に張り出すべし
	9月28日	三郷囲籾及び川崎御蔵囲籾の売り渡しをやめ御救米として給与する
	9月29日	ふたたび極難渋人の書き出しを命じる
	10月6日	市中商人ら義捐金84口、金5両、銀10枚、銭1万5485貫文348文。極難渋人3502人に救恤。家長300文、家内1人100文ずつ。難渋人は1人住まい200文、家内2人以上300文ずつ
	10月9日	酒造米の不正売買を禁ずる。摂州灘目ほか浦手にて入津米を高値に売買し他所売りの者あり。せり買いおよび出買致すべからず
	11月6日	不埒の酒造を禁じる
	11月10日	米商人以外の者の米売買と他所積みを禁じる(買い手市場による高騰を抑制のため)
	11月27日	米方年行事と米仲買に対し、在米高を多量ならしむ
	11月29日	在々にて所持の米穀の江戸送りは素人も勝手次第売買のこと。江戸向け米穀の素人勝手売買を許す。ただし在々の自分作徳米・手作米の江戸積みであり、他所米穀の買継は禁じる
	11月下旬	米仲買一統に、蔵米の入札に躊躇して廻米を他所に入津せしめ有米を払底ならしむべからずと注意する
	12月上旬	銭相場引き上げのため大商人に銭の買い上げを命じる
	12月	跡部山城守、諸家蔵屋敷に、廻米の他所売りの自粛と大坂廻米の増加を要請
	12月5日	江戸より米商人仙波太郎兵衛・内藤佐助・永岡伊三郎の手代が買米に来るが、売り渡すべからず
	12月18日	窮民1軒につき御救米5合を給与する
	12月23日	搗米小売屋91人、白米下値に売り出しにつき褒美
	12月	町々諸仲間および有志より申し出の銭1万2923貫400文、金285両1分、銀1貫439匁を窮民に給与する
天保8年	1月6日	旧臘より銭相場引き上げにつき搗米小売屋・銭商は諸色値段引き下げ売り渡すべし
	1月27日	大坂三郷・兵庫・西宮の困窮人へ御救米2000石を給与する
	2月2日	搗米小売屋22人、白米下値に売り出しにつき褒美
	2月4日	米価急騰につき米仲買行事に実意の売買を命じる
	2月16日	その日稼ぎの者救いのため類焼家屋の普請を勧める

『大阪市史』より作成

処罰する」と市中に示達したのである。これと前後して大坂町奉行は、大坂に蔵屋敷をもつ諸藩に対し、廻米の他所売りの自粛と大坂廻米の増加を要請した。出るを防ぎ、入りをはかる措置である。

また一二月には窮民一軒あたりに五合を施米し、町人有志からの義捐金約二二五〇両を窮民に給与した。翌年一月から二月にかけては、米の下値販売に協力した小売り商人らを表彰したり、米仲買に廉価売買を命じるなど、米商人対策にあたるとともに、大坂市中と摂津国《せっつのくに》兵庫・西宮《にしのみや》の困窮人に二〇〇〇石を施米した。そうこうしているうちに、大塩が蜂起《ほうき》したのであった。

天保凶作時の米穀政策を検討した研究によると、天保四年から五年、同七年から八年にかけて、大坂町奉行はもっとも積極的に米価対策を実施している。堂島《どうじま》米取引不正禁止令、堂島米相場抑制令、入津米増加令、他所他国売禁止令、市中小売米価引下げ令、官米払い下げと施行の実施、民間施行の実施など、取りうる米対策のほとんどを取ったといってもよいほどであっ

◉大坂東町奉行所
大坂の東西の町奉行所には、奉行二人、与力三〇人、同心五〇人がそれぞれ配置され、大坂の行政と治安維持にあたった。

た。これらの政策によって大坂市中の飯米維持政策は、かなりの程度実効性をもったといわれている。もちろん限界があったからこそ米不足は深刻化し、大塩蜂起の理由ともされたのだが、大坂町奉行は何もしなかったとする大塩側の言説（檄文《げきぶみ》）だけが重視されるのは適切ではない。

一方、大坂町奉行は米不足にもかかわらず大坂の米を大量に江戸へ回送したと批判されることが多い。天保七年九月に幕命を受けた大坂町奉行の跡部山城守《あとべやましろのかみ》が与力《よりき》の内山彦次郎《うちやまひこじろう》に命じて、兵庫の豪商北風荘右衛門《きたかぜそうえもん》とはかり、入津米を江戸に回送させたことを指している。大塩が怒って蜂起したのは、これが原因だともいわれている。たしかに大坂の住民にとって、貴重な米を江戸に持っていかれることは許せることではない。だが、そうした地元民の立場を離れて、権力とは何か、領主とはどのような役割を果たすものなのか、ということを考えたとき、大坂の米を江戸に移出することの別の意味もみえてくる。

前述のように、江戸も米価対策に汲々《きゅうきゅう》としていた。江戸一〇〇万住民の食料を確保するために、幕府は西国米の集積地である大坂に江戸廻米令を指示せざるをえなかった。これは権力として不可欠の役割である。ただし、それを受け止めた各地の奉行や代官がどう対応するか。そこに、所轄地域の米対策と幕命とのはざまで悩まざるをえない役人の姿がある。内山彦次郎がどの程度の米を江戸に回送したのかは不明だが、跡部山城守が当初、江戸からの指令に忠実に従ったのは、従来いわれているように実兄である老中水野忠邦《みずのただくに》のご機嫌をとったというより、首都江戸の窮状を考慮したからだと見なすこともできる。その意味で跡部は、大坂地付きの役人ではなかった。だが、大坂の米不足が深刻化するにつれて、跡部の態度は大きく変わった。

天保七年一一月二九日の江戸廻米推進令は米商人以外の素人にも売買を許し、江戸向けの移出を活発化させることがねらいだが、跡部はこれを大坂三郷では自作米のみに制限した。江戸からの指示なので無視はできないが、大坂の米が大量に流出しないようにする措置であった。また、江戸町奉行の命を受けて大坂に米の買い付けにきた江戸商人への協力拒否指令も、跡部の姿勢の転換を示すものだといってよい。限界があるとはいえ、大坂の住民を守るための権力として、跡部は必死で大坂の米を確保しようとしていたのであった。

「大塩焼け」の意味を問う

大塩平八郎《おおしおへいはちろう》蜂起《ほうき》の報は、たちまちにして全国に広まっていったのだが、これまで紹介されてきた世評は、大塩の行為を義挙とし、好意的に評価するものが多かった。たとえば一九世紀前半の世相を著わした『浮世《うきよ》の有様《ありさま》』には、焼け出されたおかげで貧民が御救い小屋で飯にありつくことができたという話や、復旧のために大工や日雇いの仕事が増えて、「大塩様のおかげ」だと感謝しているといった記事がある。大坂城代の家老《かろう》鷹見《たかみ》泉石《せんせき》の日記にも、「京都・大津《おおつ》あたりでは、大塩様がここまで世のためを考えてくれてありがたいと思う下々《しもじも》の者が八割もいる」という情報が記されている。水戸藩の藤田《ふじた》東湖《とうこ》の『浪華《なにわ》騒擾紀事《そうじょうきじ》』にも、大坂市中では焼け出された者が少しも大塩を憎まず、かえって「大塩様」と尊んでいるといった噂《うわさ》が書きとめられていた。松浦静山《まつらせいざん》の『甲子夜話《かっしやわ》』には、なんと江戸城のなかですら、大塩を褒める大名がいたとある。下々から大名に至るまで、世はあげて大塩の義挙を称《たた》えていたのかと思わされるほどである。

いつの世にも政治への不満はある。ましてや凶作・飢饉《ききん》の状況では、幕府への不満も相当に鬱積《うつせき》していただろう。直接の被害をこうむらなかった大坂以外の者が、命をかけて幕府を批判した大塩を好意的にみるのは不思議ではない。焼け出された者のなかにも、大塩様を恨まず、という声があるというのだから、それもありえることなのだろう。

では大塩の焼き打ちは正当化されるのだろうか。あらためて、大塩一団の火付けによって被害を受けた状況を確認しておこう。罹災《りさい》家屋については、家数三三八九軒・竈《かまど》数（世帯数）一万二五七八軒とするものや、竈数一万八二〇〇軒余あるいは二万軒近くを焼いたなど、いくつかの数字がある。一軒の長屋には複数の世帯が入居しているので、竈数は家数の数倍あることになる。焼失した範囲は一一二町で、大坂市中の五分の一に及んだ。

当時の大坂の人口は約三六万人。その五分の一とすれば、七

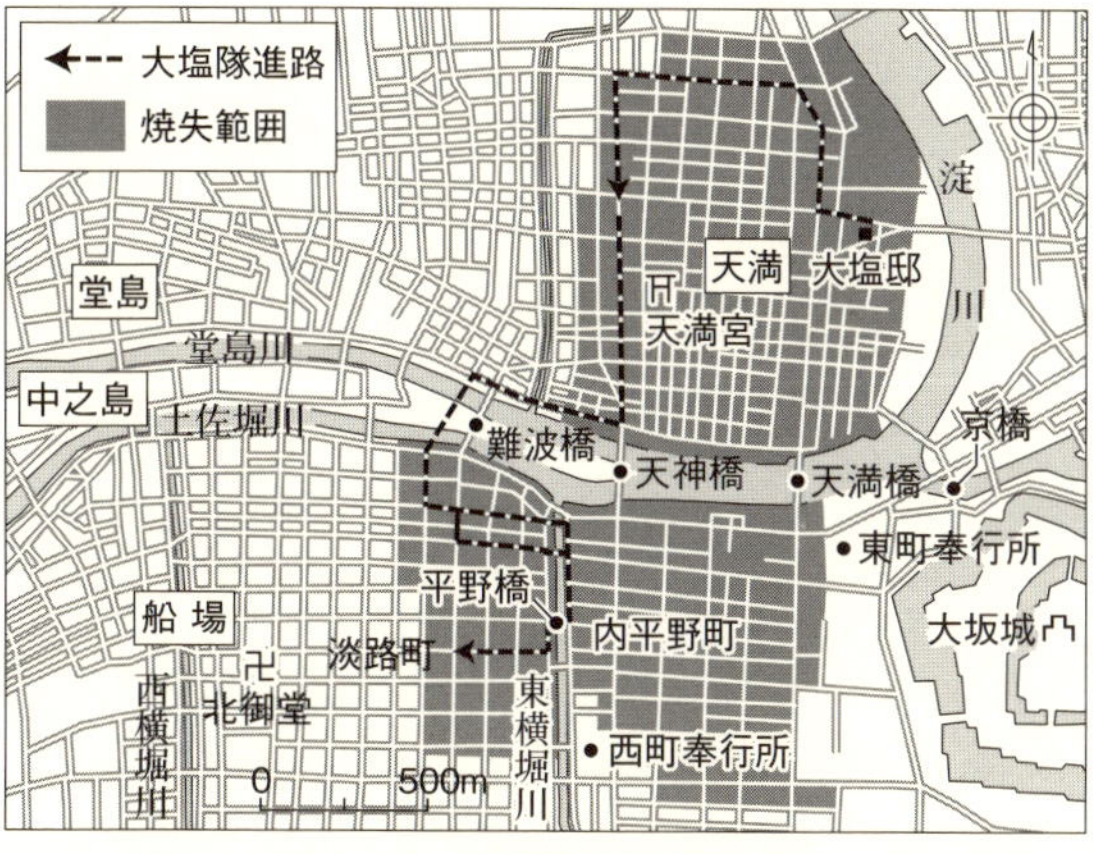

◉「大塩焼け」の範囲と大塩一党の進路
大塩らの火付けによって発生した「大塩焼け」は、近世大坂の三大大火のひとつに数えられるほど大きな被害を出した。

万人程度が焼け出されたことになる。後年、大坂の三度の大火のひとつに数えられるほど大きな火事であった。火事は三日間燃えつづけ、二〇日の大雨でようやく鎮火した。だが、二月の寒気のなかで罹災者は苦しみ、焼け出された者の呻吟《しんぎん》する声が市中に響いたという。

『浮世の有様』には、大塩の乱後の惨状が詳しく記されている。

> 町なかを歩けば必ず餓死者を見るし、道頓堀《どうとんぼり》や日本橋《にっぽんばし》、難《なん》波《ば》新地《しんち》あたりには死骸《しがい》が山と積まれて、犬に喰《く》われている。昼夜とも物もらいの哀れな声が市中にあふれ、乞食《こじき》が乞食を襲うほどだ。大賊《だいぞく》・小盗《こぬすみ》のために物を奪われることも際限なし。疫病も蔓延《まんえん》し、どの家にも病臥《びょうが》する者が多く、数日にして死ぬ者も少なくない。家を焼かれなかった者ですらこれだから、焼け出されて御救い小屋にいる者などは、ことごとく病臥し、便も垂れ流しで近寄りがたく、日ごとに死人が多い。目も当てられぬ有様だ。貧に迫れる者のなかには妻子を刺殺して自害し、また婦子を抱いて川

11

●大塩の乱、瓦町《かわらまち》の衝突
淡路町《あわじまち》で攻撃しあう場面。大塩勢は市中で鎮圧隊と衝突したが、すぐに逃亡して行方をくらました。(『出潮引汐奸賊聞集記《でしおひきしおかんぞくもんしゅうき》』)

に投身する者も少なからず。

「大塩様のおかげ」という状況とは対極の惨状である。数か所に設けられた御救い小屋には五万人がひしめいていたという。２４７ページの表にあげたように、乱後の米価高騰も激しい。餓死者は、乱のあとにとくに多くなったともある。寺社を焼き払い、民家を焼き捨てるなど、旗印の「救民」と大いに相違して「窮民の事なり」という声が出るのも当然であった。

大坂の五分の一を焼き尽くした大火事で、いったいどれほどの犠牲者が出たのだろうか。『浮世の有様』には「死人二百七十余人あり」と記され、『塩逆述《えんぎやくじゆつ》』には「死人何百人共分《わか》り兼《かね》」とある。少なくとも二七〇人、あるいはそれ以上の焼死者が出たとみてよいだろう。これに餓死者や病死者が含まれているのかどうかは不明だが、もし含まれていないのだとすれば、乱による犠牲者は途方もない数字になると思われる。地方には、「手負い死人、焼け死にたる者、幾千万」という噂も広まっていた。

大塩の一団は、まずは元同僚与力《よりき》の屋敷に砲弾を撃ち込んで火の手をあげたあと、豪商宅につぎつぎに火付けをしながら市中を進撃した。そもそも市中に放火する企てが「救民の所為にあらざることは三歳の小児でもわかる」と、かねて大塩と昵懇《じつこん》であった坂本鉉之助からも批判されるのは当然のことであろう。近江国彦根《おうみのくにひこね》藩士で大塩の筆頭門下であった宇津木矩之允は、蜂起の企てを知ると、民に災いをなすものだと諫言《かんげん》して、大塩に斬殺《ざんさつ》されている。

また、門下生として大塩に忠義を尽くしてきた同心《どうしん》の平山助次郎《ひらやますけじろう》と吉見九郎右衛門《よしみくろうえもん》も、大坂城や大坂町奉行所だけではなく市中をも焼き払う計画に「心中迷動」し、ついに蜂起の前に大坂町奉行に訴え出た。彼らは、あまりの事の重大さに煩悶《はんもん》し、みずからの良心に従って大塩を告発したのだった。だが彼らは、あたかも信義に反する行為をした人物であるかのように、「裏切り者」や「密告者」と表現されることが少なくない。

大塩派からすれば「裏切り」や「密告」かもしれないが、市中を焼き打ちにするという反社会的行為をやめさせるための、良心に即した行動であった。彼らの内部告発は、まさに社会正義をまっとうしたものとして評価されるべきだろう。

かねて大塩に心酔していた摂津《せっつ》国伊丹《いたみ》（兵庫県伊丹市）の馬借《ばしゃく》である善右衛門《ぜんえもん》が、蜂起の直前、大塩に頼まれて檄文《げきぶみ》を配ってまわった。大塩から金子《きんす》と長脇差《ながわきざし》をもらって喜んだようだが、大坂に火の手が上がるのを見た善右衛門は、自分のしでかした事の重大さに気づいて煩悶し、みずから首を吊《つ》って死んでいる。残された遺書には、かねてより大塩を「仁心の人」と思い、頼まれて人集めのための施行札《せぎょうふだ》を配布してきたが、愚かな自分が呼びかけたことで多くの人が災難にあうのではないかと書かれており、ひたすら詫《わ》びを入れた文面が痛々しい。ここにも、良心の呵責《かしゃく》に耐えかねて自

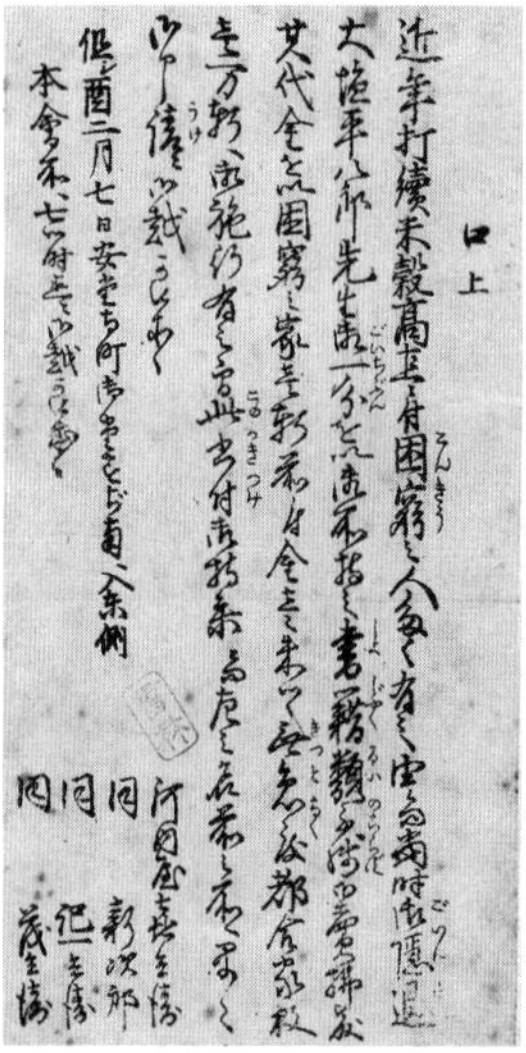

12

◉大塩平八郎の施行の引札
約一万人に金一朱《しゅ》を与えたとされる。大塩の門人は、施行札を渡すときに天満《てんま》に火事があれば必ず大塩邸に参集せよと伝えた。施行が蜂起時の人集めの手段であることを示している。

殺した大塩与党がいたのである。

大塩の乱は、全国の幕藩領主や豪農商あるいは村役人層に危機感をいだかせ、その後の庶民対策や治安対策にも大きな影響を与えたとされる。類似の事件を予防するさまざまな措置が、各地でとられたのは当然のことだろう。そうした意味での歴史的意義は、たしかにある。

だが、かりに幕府批判の論理に正当性があるとしても、市中火付けという、恐るべきテロ行為が不問にされたままでよいとは思われない。政治批判・体制批判の思想と論理が優れていれば、人々の犠牲に目をつむってもよいということにはならないはずである。大塩の掲げた大義に共感するからといって、あるいはまた大塩の思想に高尚性を見いだすからといって、一万二五〇〇世帯を大きく超える罹災者を出し、わかっているだけでも二七〇人以上を死に追いやった大塩の行為を正当化することはできない。

本書での私の大塩論は、その犠牲者の多さに慄然《りつぜん》たる思いをいだいたところから出発している。直情径行型の性格だったともいわれる大塩平八郎については、今後いっさいのタブーを排して再検討する必要があるのではないだろうか。

天保の改革

老中水野忠邦と江戸町奉行

天保《てんぽう》一二年（一八四一）以降、水野《みずの》忠邦《ただくに》が老中《ろうじゅう》首座として主導したのが、いわゆる天保の改革である。財政難と内憂外患に対処するために幕府権力の強化をめざしたとも、あるいは享保《きょうほう》・寛政《かんせい》の改革を手本に経済や風俗の取り締まりに力を入れた復古主義的理想主義だとも評価されてきた。

まずは、改革の概要をみておこう。生活に関しては、倹約令を発して高価な菓子や華美な衣服などを禁止し、料理茶屋や私《し》娼《しょう》、女浄瑠璃《おんなじょうるり》、女髪結《おんなかみゆい》など、風俗を乱す要素の高い商売や職業の取り締まりを強化した。芝居小屋を江戸市中から郊外に移転させ、派手さが売りものの歌舞伎《かぶき》役者に編笠《あみがさ》をかぶらせて目立たないようにさせたのも、人情本で人気のあった為永春水《ためながしゅんすい》を手《て》鎖《ぐさり》にして出版統制を厳しくしたのも、風俗統制の一環であった。無職無頼の徒や入《い》れ墨《ずみ》者などを取り締まったのは、市中の

13

●水野忠邦
国外では異国の接近、国内では生活不安が高まるなかで、水野は政治経済の刷新をめざして改革政治を断行した。

治安を守るためである。このほか、市場対策として有名な政策が株仲間《かぶなかま》の解散であり、江戸に流入した農民を農村復興のために帰村させたのが人返《ひとがえ》しの法であった。また、借金の半分を帳消しにする棄捐《きえん》令を出して旗本《はたもと》や御家人《ごけにん》を喜ばせたかと思うと、江戸と大坂周辺の地を幕府に収公《しゅうこう》する上知《あげち》令を出して大名の不興をかった。これがもとで忠邦は失脚したともいわれている。

近年の天保の改革論の特徴のひとつは、都市政策をめぐる老中水野と江戸町奉行の対立を明らかにしたことにある。質素倹約政策を進めようとする水野に対して、北町《きたまち》奉行である遠山景《とおやまかげ》元《もと》と南町《みなみまち》奉行の矢部《やべ》定謙《さだのり》が、それを強行すれば江戸は衰微してしまうと主張して反対した、という構図である。

たとえば、寄席の全廃を主張する水野に対して遠山は、寄席は庶民の楽しみであり、全廃すれば芸人が失業するとして反対した。また堺《さかい》町と葺屋《ふきや》町（いずれも東京都中央区）の両芝居町が焼失した際、芝居小屋こそ風俗の乱れの原因だと考えていた水野は、火災を契機に、取り潰《つぶ》しか江戸郊外への移転を検討さ

14

◉芝居小屋の役者と観客
千両役者など、役者の給金が上がったため見物料も高騰した。天保の改革による移転が追い打ちをかけ、芝居《しばい》小屋は経営難に陥った。（初代歌川豊国《うたがわとよくに》『芝居大繁昌之図《しばいだいはんじょうのず》』）

せた。だがこれに対しても遠山は、芝居と市中風俗の乱れは関係がなく、芝居役者や関連業者が失業するとして、取り潰しにも移転にも反対したのであった。

当時、江戸市中に寄席は二一一か所あったが、町奉行による反対の結果、一五か所だけは残すことになった。しかし、演目は神道・心学・軍書講釈・昔話の「四業」に限り、ほかはすべて禁止した。教訓話と説教話しかできなくなったのである。芝居小屋についても水野は全廃こそしなかったが、堺町と葺屋町の芝居小屋には浅草《あさくさ》（同台東《たいとう》区）への移転を命じ、木《こ》挽《びき》町（同中央区）の芝居小屋も火事や改築の際に、やはり浅草に移転させることになった。さらに、派手な私生活と本物の甲冑《かっちゅう》を舞台で使用したという理由で、当時一番人気の五代目市川《いちかわ》海老《えび》蔵《ぞう》を江戸一〇里（約四〇キロメートル）四方追放に処した。風儀の乱れと華美が目立つ役者を一罰百戒の標的とし、改革の精神をアピールしたのである。

このように天保の改革は、庶民の楽しみを奪っていった。水野が不評だったのは当然のことだろう。それに対して、都市のにぎわいこそ繁華の源と主張して、水野にたてついた江戸町奉行が人気になるのも当然だった。遠山景元が名奉行遠山の金さん（遠山金四郎）として講談になった要因も、そこにあった。

15

◉八代目市川団十郎の弔い
父の海老蔵が江戸を追われたあと、その美貌で人気を博したが自殺。死後、団十郎をしのぶ錦《にしき》絵《え》が三〇〇種も版行されたという。

風俗の取り締まりと物価の引き下げ

江戸町奉行は水野忠邦《みずのただくに》が打ち出した改革政治に、すべて反対したわけではない。料理茶屋や菓子屋の取り締まり、女浄瑠璃《おんなじょうるり》や女髪結《おんなかみゆい》、市中をうろつく入《い》れ墨《ずみ》者やごろつき、頭巾《ずきん》をかぶる者、手の込んだ絵柄の凧《たこ》、富札《とみふだ》、好色・淫風《いんぷう》のはなはだしい人情本などの取り締まりには、町奉行も賛成している。

料理茶屋や菓子屋の取り締まりというのは、営業停止を命じたわけではなく、高級な料理や手の込んだ菓子を売るな、ということである。改革が宣言された直後の天保《てんぽう》一二年（一八四二）一二月、江戸市中の有力な菓子屋が市中取締掛名主《しちゅうとりしまりがかりなぬし》に一札を入れている。「これまでは、羊羹《ようかん》一棹《さお》につき銀三匁《もんめ》から四匁のもの、蒸菓子一つにつき銀二匁から五分《ぶ》くらいのものをつくってきたが、このたびの御主意につき、羊羹は銀一匁から二匁を限りとし、蒸菓子も銀五厘《りん》から一分五厘までのものを売るようにする」という。数分の一の値段にすることを約束させられたのである。

たんに値下げをしろというだけでは、生産者は元が取れなくなって困ったことになる。そのため、材料費を下げて売り値を下げろという行政指導であった。たとえば、「琥珀饅頭《こはくまんじゅう》」は、小豆《あずき》あんを金《きん》玉糖《ぎょくとう》（寒天《かんてん》に砂糖を加えて煮詰めて固めたもの）で包んだものが通例だが、紅《べに》あんや百合《ゆり》あんなどの高級食材を使って手間をかけてはならぬとある。手間をかけたぶんだけ高くなるからである。よりうまいものをつくりたい菓子職人や裕福な客からすれば、ありきたりの菓子しか食べられなくなるのはおもしろくはない。だがそれは、高級品ではなく安い菓子をつくって売れという、大衆路線を進めたということであった。

　凧も絵柄にこだわって金銀粉を使ったり、大型のものをつくらないように凧職人に通知した。凧ブームが起きていたのだろう。金銀箔《はく》や鼈《べっ》甲《こう》などを使った装束や小物・道具類も、値を引き上げるとして禁じられた。

　このように、物価をいかにして引き下げるかという点では、老中水野も町奉行も、さほど違いはない。淫靡《いんび》な風俗が流行《はや》り、ごろつきが市中を闊歩《かっぽ》しないように治安に力を入れる点も共通していた。水野は、たんなる復古精神から質素倹約にこだわったのではなかった。贅《ぜい》を尽くした品は高価になり、それが物価全般を押し上げて庶民を苦しめる、という認識をもっていたのである。

　もちろん、裕福な百姓・町人たちが衣服飲食に贅を尽くし、家作も派手にするなど、武士の目からみれば「身分不相応」という思いもあったに違いない。それを封建的身分観というのはたやすいが、高級化が物価上昇の一因だと考える立場からすれば、質素倹約をすすめることこそ、庶民生活の安定に資すると考えたとしても不思議ではない。

16

17

●風俗取り締まりの強化
右／禁止された、錦絵のように派手で高価な江戸凧。左／幕府非公認の風俗業地域や私娼も対象となった。（『徳川《とくがわ》幕府《ばくふ》刑事《けいじ》図譜《ずふ》』）

世論が求めた株仲間解散

天保《てんぽう》の改革といえば株仲間《かぶなかま》の解散といわれるほど、株仲間問題は最重要政策であった。

株仲間とは、ひとことで言えば、同業者が仲間（組合）を結成して幕府や大名に上納金（冥加金《みょうがきん》）を納め、流通の特権を得てきた組織のことである。仲間には株をもった者しか入会できず、仲間の構成員でなければその業種の商売をすることはできなかった。それが領主に公認された特権ということである。領主の側も上納金目当てというだけではなく、市場の管理機能に着目して株仲間の結成を奨励した。

たとえば江戸の株仲間の中核は、元禄《げんろく》七年（一六九四）に設立された十《と》組問屋《くみどいや》である。塗物店《ぬりものだな》組、内店組（布・糸）、通町組（小間物《こまもの》・太物《ふともの》）、薬種店組（薬・砂糖）、釘店《くぎだな》組（釘・銅・鉄物類）、綿店組、表店組（畳表）、川岸《かし》組（灯油）、紙店組（紙・蠟燭《ろうそく》）、酒店組の一〇組で始まった。その後、加入の業種も組数も増えたが、当初の名称を継承し、一貫して十組問屋と称されてきた。文化《ぶんか》一〇年（一八一三）には六五組一九九五株が発行されている。このとき以降、新規加入は認めないようになり、入りたい者は廃業した者から株を購入するしかなかった。株仲間商人以外は江戸で売買はできず、もし未加入の者が売買をすると株仲間が町奉行に摘発して処分を求めたのである。ただし、江戸には十組問屋以外の

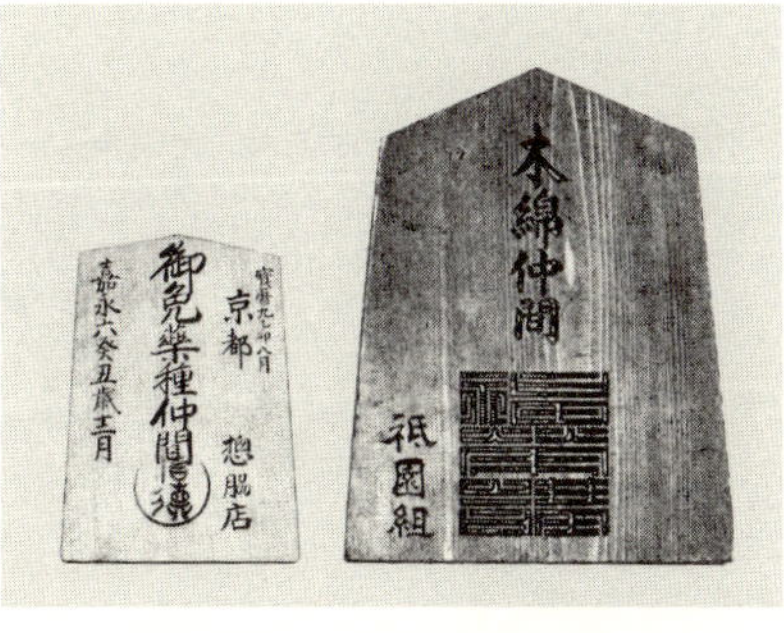

18

◉木綿仲間と薬種仲間の株札
株を所有していることは商人の信用力を高め、資金融資の担保にもなった。

仲間も無数にあり、それらも十組問屋に準じて株化されているものが大半であった。

これでは市場が閉鎖的になり、容易に価格操作をするようになるのは当然である。株仲間商人以外による抜け荷も横行して裏市場が形成されるようになると、表市場では商品が集まりにくくなり、物価上昇として跳ね返ってくることになった。そのため、江戸の庶民や町名主などから株仲間廃止の要望が続出したのである。

こうした流れのなかで、株仲間の解散が政治課題として浮上してくる。水野による株仲間解散は、そうした世論をふまえた政治決断だったといってもよい。株仲間解散と同時に、江戸十組問屋の年一万二〇〇〇両の上納金も廃止した。十組問屋以外からの上納金もなくなったので、幕府財源の減少は一万両を大きく超えただろう。これをみるだけでも老中水野は、幕府の財政に与える影響よりも、世論の多くが求める物価対策を優先したと評価することができる。

町奉行矢部駿河守の意見

江戸町奉行は、この株仲間《かぶなかま》解散令をめぐって老中水野《ろうじゅうみずの》忠邦《ただくに》に抵抗した。南町《みなみまち》奉行の矢部《やべ》定謙《さだのり》は、

19

●問屋株帳
もっとも多い上納金は、下り酒問屋の年一五〇〇両、次いで木綿問屋と繰綿問屋の一〇〇〇両。呉服問屋と水油問屋は五〇〇両だった。

物価問題の解決のためには株仲間を解散させるのではなく、その前に貨幣を改鋳《かいちゅう》すべきだと主張したといわれている。矢部も水野と同じように、物価上昇の要因に「奢侈《しゃし》」があることを認めているが、それだけではなく貨幣の悪鋳こそ真因だと、幕府自身の政策を批判したのである。

幕府はこれより先、文政《ぶんせい》元年（一八一八）から貨幣の改鋳を開始した。それまで流通していた金銀貨を回収し、金銀の含有量を減らして再発行している。たとえば、それまで流通していた元文小判《げんぶんこばん》一両には金が六六パーセント、銀が三四パーセント含まれていたが、文政の改鋳では、その割合が金五六パーセント、銀四四パーセントに変更された。金の含有率が一四パーセント減少したことになる。銀貨でも南鐐二朱銀《なんりょうにしゅぎん》の量目は、それまで二匁《もんめ》七分《ぶ》だったが改鋳して二匁となり、二六パーセントも小さくなった。貨幣価値を落とした通貨では、以前と同じものを買おうとしても同額では売ってもらえなくなる。これが物価が上昇する、ということである。

逆に幕府は、含有率を減らしたぶんだけ収入になった。これを「出目《でめ》」や「益納《えきのう》」と称したように、貨幣改鋳は幕府にとって、困ったときの「打ち出の小槌《こづち》」になったのである。文政の改鋳以降も、天保《てんぽう》三年（一八三二）、同八年と改鋳を実施し、幕府は「出目」を稼いだ。

貨幣の種類によって含有率は異なったが、この貨幣改鋳が物価上昇の主因になったことは間違いない。だからこそ町奉行の矢部定謙だけではなく、貨幣鋳造の責任者である金座《きんざ》の後藤三右衛門《ごとうさんえもん》や、矢部の後任の鳥居耀蔵《とりいようぞう》、それに水野忠邦までもが、悪化から良貨への転換の必要性を十分に認識していた。

天保一四年六月には、後藤の意見を入れた水野が貨幣改鋳を決意したとされているが、同年閏《うるう》九月に老中を罷免されたため、水野が老中のときに良貨への改鋳が実現することはなかった。水野は、腹心の町奉行鳥居耀蔵に勘定《かんじょう》奉行を兼任させてまで改鋳を実現させようとしたが、勘定所役人の抵抗は強かった。貨幣改悪のときには幕府に巨額の「出目」が入ってきたが、良貨への改鋳はこれとは逆に、幕府が巨額の差損を抱え込むことになる。そのため、幕府財政を預かる勘定奉行所が反対したのであった。鳥居は風俗取り締まりに辣腕《らつわん》をふるって江戸の住民に恐れられたが、勘定所役人には彼の神通力も通じなかったということだろうか。

インフレは悪政か?

文政《ぶんせい》以来の貨幣改鋳が物価押し上げの要因になってきたことは、確かである。だがそれは幕府に益金をもたらしただけで、庶民にとってはたんなる悪政だったのだろうか。経済史研究者によると、貨幣改鋳による通貨量の増大と、改鋳益金を財源とした幕府による財政支出の増大は、天明《てんめい》の凶作以来、デフレ傾向で沈滞していた市況に対して有効需要の拡大をもたらし、生産拡大につながったといわれている。要するに景気がよくなったということである。とくに非農業部門において顕著な発展があり、一人あたり所得の増大と消費水準の向上がみられた。列島各地で特

20

産物の生産が活発になり、農民の可処分所得に余裕が出てきた結果でもあった。

貨幣改鋳を行なった一九世紀初頭以降、日本は歴史上最大の経済成長期に突入した。天保《てんぽう》の凶作や飢饉《ききん》は一時的な落ち込みをもたらしたが、巷《ちまた》には金があふれ、物があふれた。物をつくれば高く売れる時代であり、生産者の所得は急速に伸びた。物価は上がるが所得も伸びる。高物価は生産者にとって高利潤を意味した。これがインフレのもつ両側面でもある。

江戸時代のインフレ政策とでもいうべき貨幣改鋳は、必ずしも否定されるべき金融政策ではない。つまり、インフレは即「悪」ではないということだ。ただし、賃金の上昇がインフレに追いつかず、実質賃金はむしろ下落したという指摘もあり、賃稼ぎの多い都市部では物価上昇の影響を直接受けていた可能性はある。都市に視点をおくか、農村に視点をおくかで、幕府の経済政策に対する評価も分かれることになるだろう。

もし矢部《やべ》定謙《さだのり》が主張するように、悪貨を良貨に戻したとしたら、たしかに物価は下がるかもしれない。だが、インフレによ

21

◉南鐐二朱銀と金座の仕事
南鐐二朱銀の表面には、「南鐐八片を以て小判一両に換える」と刻まれている。小判の鋳造や検定などを行なう金座《きんざ》は、江戸・駿府《すんぷ》・京都・佐渡《さど》に置かれた。（『金吹方之図《きんふきかたのず》』）

る成長要因はなくなり、デフレによる全国的不況を招く可能性は高いだろう。それはそれで、リスクのある選択ということになる。

前に述べたように、水野《みずの》忠邦《ただくに》は失脚前に良貨への改鋳を進めようとしていた。しかし勘定所《かんじょうしょ》の抵抗にあって実現できなかった。これは矢部と同様に、貨幣問題を物価上昇要因として明確に認識していたことを示すが、勘定所のインフレ持続政策とは対立したということになる。水野は芝居小屋や寄席の問題、および株仲間《かぶなかま》解散をめぐって町奉行と対立したというだけではなく、貨幣改鋳問題をめぐっては勘定所とも対立したのであった。

廻船の競争

町奉行矢部《やべ》定謙《さだのり》は株仲間《かぶなかま》解散に反対する理由として、もうひとつあげている。十組問屋《とくみどいや》が「占め売り、占め買い」するというが、これは十組問屋の罪ではなく、幕府の処置が悪いからだというのである。大坂から江戸への物資輸送を紀州《きしゅう》（紀伊《きい》国）

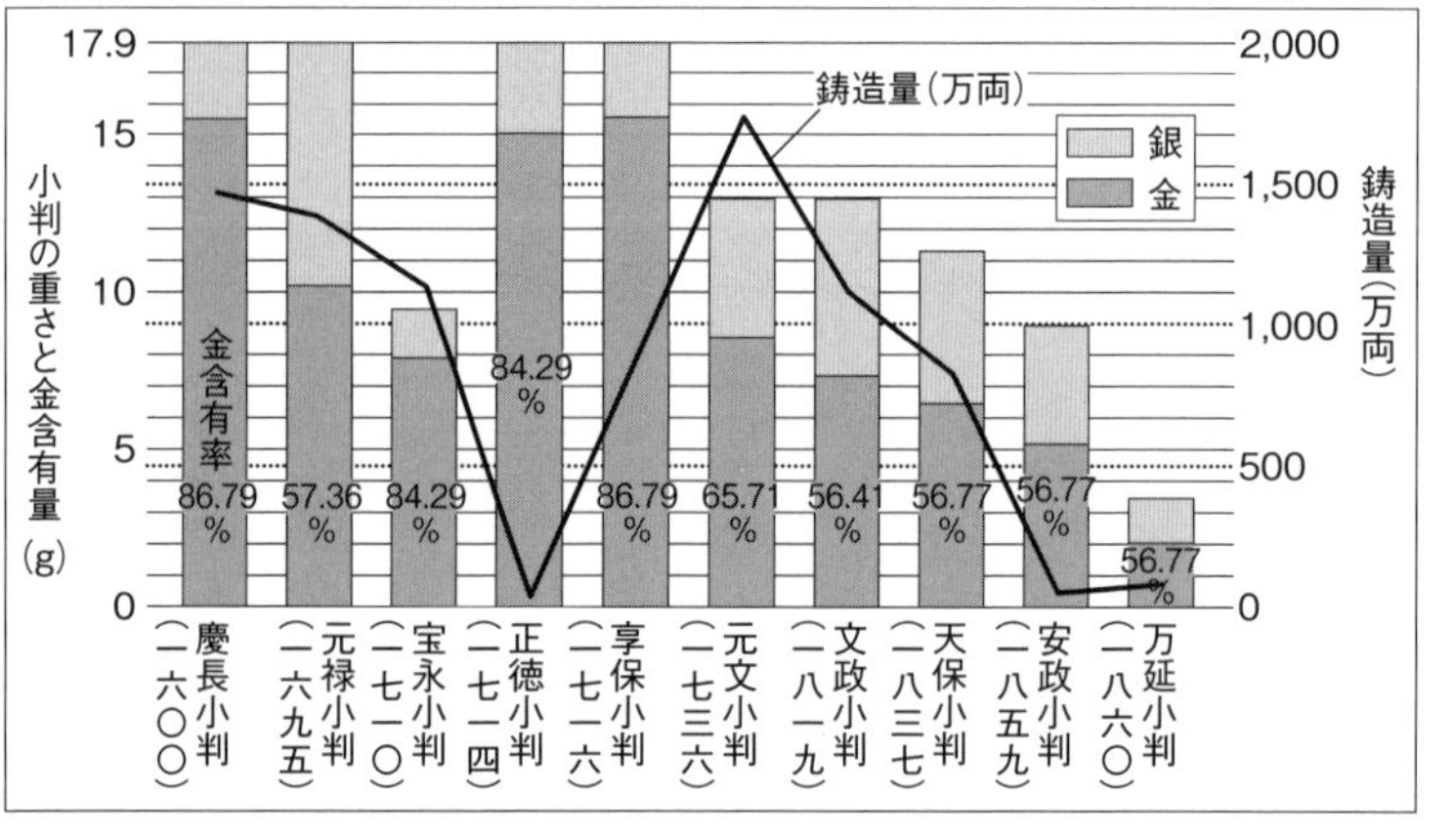

◉貨幣改鋳による金含有量と鋳造量の変化
江戸時代最初の慶長《けいちょう》小判に比べ、最後の万延《まんえん》小判は重さ八割減、金含有率も約三割減である。

徳川《とくがわ》家の要請により菱垣廻船《ひがきかいせん》に独占させたために、樽《たる》廻船との競争がなくなって運賃が上がったことや、諸藩国産品の江戸直送を認めた経済政策こそが幕府の失政だと批判したという。

菱垣廻船と樽廻船は、いずれも上方と江戸の海上輸送を担う主力海運業者団体のことである。菱垣廻船は寛永《かんえい》元年（一六二四）には大坂に姿を現わしてくるが、元禄《げんろく》七年（一六九四）に、海難予防と保証のために江戸と大坂の問屋商人たちが十組問屋（大坂はのちに二十四組問屋《にじゅうしくみどいや》）を発足させると、その勢力下に組み込まれることになった。しかし享保《きょうほう》一五年（一七三〇）に江戸の酒問屋が他品の連帯保証を嫌って脱退し、新たに酒荷物専用の輸送船団として樽廻船を発足させた。その後、低運賃かつ迅速な樽廻船にほかの荷物も流れるようになり、明和《めいわ》七年（一七七〇）には両廻船の間で積み荷協定が結ばれ、下の表のように積載荷物が区分された。安永《あんえい》元年（一七七二）の船数は菱垣廻船が一六〇隻《せき》、樽廻船が一〇六隻だったが、その後も樽廻船の勢力が増大して、文化《ぶんか》五年（一八〇八）になると菱垣廻船はわずか三八隻にまで減少している。

劣勢となった菱垣廻船を再興させたのが、定飛脚《じょうびきゃく》問屋の杉本茂十郎《すぎもともじゅうろう》だった。茂十郎は文化六年に

積み船＼年	明和7年（1770）	天保4年（1833）
樽廻船積み	酒	酒
両廻船積み	米、糠、藍玉、灘目素麺、酢、醤油、阿波蠟燭	（左欄の品目に加えて）鰹節、塩干肴、乾物（両積みだが、主として菱垣積み）、幕府御用砂糖（10万斤に限り両積み）
菱垣廻船積み	その他の品物	その他の品物

◉菱垣・樽両廻船の積み荷規定

明和の規定は樽廻船優位の状況で結ばれたが、天保四年の規定は、江戸町奉行を後ろ盾にした菱垣廻船に有利な内容であった。

幕府のサポートを得て海事金融機関として三橋会所《さんきょうかいしょ》を設立し、その資金力を背景に同七年には八〇隻にまで回復させた。だが、米相場に手を出して失敗し、その影響を受けて文政《ぶんせい》三年（一八二〇）には二七隻にまで落ち込んでしまった。

失脚した杉本の跡を継いだ白子屋佐兵衛《しらこやさへえ》は天保《てんぽう》四年（一八三三）に、樽廻船に属していた紀州廻船を引き抜くという奇策を実現させ、一挙に三〇隻を菱垣廻船に取り込むことに成功した。このときに両廻船の積み荷規定も改正され、前ページの表に示したように、両廻船いずれにも積み込み可能な品目として鰹節《かつおぶし》、塩干肴《しおひざかな》、乾物、および幕府御用砂糖が追加された。一見すると、両積み荷物が増えているので樽廻船に有利なようにみえる。だが、追加分については主として菱垣廻船積みであるとする文言が付され、幕府御用砂糖にも一〇万斤《きん》（六〇トン）までが両積みとなっており、それ以上は菱垣廻船積みとされた。そのうえ、「その他の品物」も禁止されたのだから、酒以外の諸品を大量輸送していた樽廻船にとっては、逆に積み荷制限として機能することになったのである。

こうした動きをみると、菱垣廻船と樽廻船の対抗の様子がよくわかる。しかも、寛政《かんせい》一二年（一八〇〇）前後からは、東海地方の尾州《びしゅう》廻船なども新興勢力として登場してくる。日本沿岸では、いくつもの廻船集団が積み荷をめぐって熾烈《しれつ》な競争を展開していたのである。

先の矢部定謙の指摘に戻ると、菱垣廻船による江戸輸送荷物の独占を紀州徳川家の要請により幕府が認めたことが、そもそもの誤りだとあった。これはおそらく、前述した天保四年の紀州廻船の引き抜き事件と新積み荷規定のことを指していると思われる。もし矢部の指摘どおりであれば、和歌山藩（紀州藩）が黒幕だということになる。だが海運史の研究によると、引き抜きを画策したのは菱垣廻船の白子屋佐兵衛であり、渋る紀州廻船側を説得するために幕府役人や和歌山藩役人に工作した形跡がある。その結果、和歌山藩が紀州廻船に菱垣廻船問屋株を購入する資金を融通し、江戸町奉行が和歌山藩を通じて菱垣廻船と紀州廻船の合体命令を出した。それをふまえて、樽廻船との間で菱垣廻船に有利な新積み荷規定が定められたのであった。

この経緯をみると、白子屋が幕府を巧みに動かして和歌山藩に働きかけたことが浮かび上がってくる。だが、ここで注意しておきたいのは、合体を指示し新積み荷規定を承認したのは江戸町奉行だったという点である。要するに、江戸町奉行は樽廻船を弱体化させ、菱垣廻船に梃子《てこ》入れをはかったのであった。

天保四年時の江戸町奉行は榊原忠之《さかきばらただゆき》（北町《きたまち》奉行）と筒井政憲《つついまさのり》（南町《みなみまち》奉行）だが、矢部の主張は前任町奉行の政策が間違っていたといっていることになる。同じポストであっても人が変われば部局の方針が転換することはあるから、それ自体は不自然

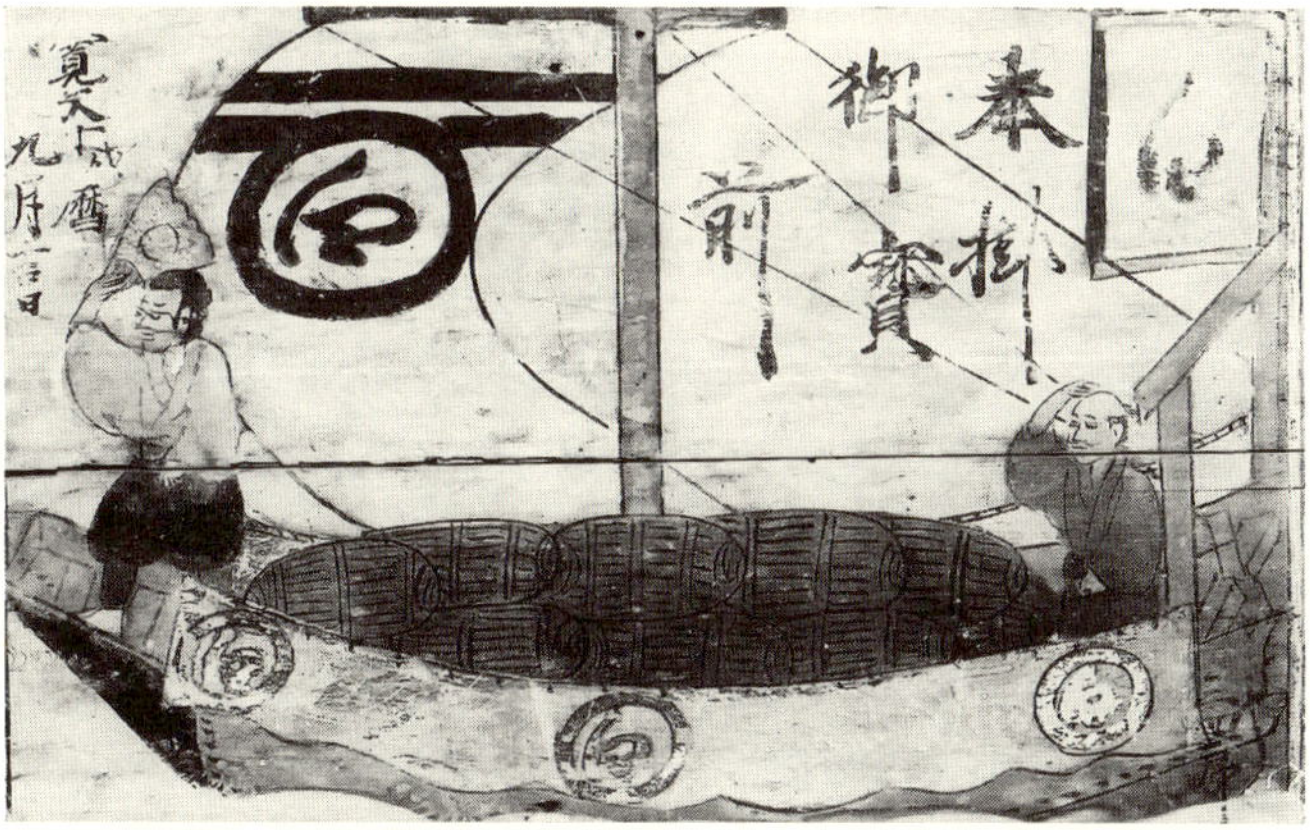
22

◉伊勢白子《いせしろこ》の御用廻船絵馬
紀州廻船や尾州廻船のほか、各地方に拠点をもつ海運集団の活動が盛んになり、列島経済の活性化に大きく貢献した。

ではない。また、この引き抜き事件が樽廻船の競争力を弱めて菱垣廻船有利となり、運賃が値上がりしたのであれば江戸の物価を上昇させる海運政策を推進した前任者は批判されて当然だろう。

では、矢部は菱垣廻船を優遇するような政策を即刻改めるべきだといっているかといえば、そうではない。物価上昇の責任はこうした政策を行なってきた幕府にあるのだから、株仲間の解散には反対といっているにすぎないのだ。一見すると、幕府を批判しているようだが、実際は前任者と同様に十組問屋の利権を守ろうとしているといってもよい。

町奉行のこうした反対にもかかわらず、水野忠邦《みずのただくに》は株仲間の解散を断行した。菱垣廻船問屋と樽廻船問屋も解散したのだが、表でみた従来の積み荷規定も廃止されたことから、解散後は経済的優位性をもつ樽廻船が積み荷獲得競争で菱垣廻船を圧倒したという。安い早いという樽廻船効果は、江戸の物価にも当然反映しただろう。株仲間の解散は、歴代の江戸町奉行が守ろうとした十組問屋の利権を解体し、江戸の物価引き下げに効果をもたらしたと評価してよいのではないだろうか。

産地直送と江戸の物価

町奉行矢部定謙《やべさだのり》は、諸藩国産品の江戸直送を認めたことも幕府政策の誤りだと批判していた。なぜだろうか。当時の市場関係とかかわる問題なので、その事情も確認しておこう。

江戸を首都として以来、西日本や日本海側を中心とした諸国の産物は海運を通じて大坂に集荷され、そこから廻船《かいせん》によって大消費地江戸に出荷されてきた。その結果、大坂の商品相場が江戸相場の基準（元立《もとだ》て）となった。つまり江戸の物価は、天下の台所である大坂相場の影響下にあったということである。

ところが各地で特産品生産が盛んになると、買いたたきに走りやすい大坂問屋の専横を嫌って、諸国の生産者や商人たちは江戸直送を希望するようになった。それまで大坂問屋の独占的集荷権を認めていた幕府も、大坂の問屋や仲買の口銭《こうせん》が減るぶんだけ値段も安くなるだろうということで、申請があれば諸藩による江戸直送をつぎつぎに認めはじめた。寛政《かんせい》一二年（一八〇〇）前後からのことである。

当然のことだが、江戸直送が増えると大坂への入荷は減少した。取り扱い高が減った大坂の問屋や仲買たちは、収益を確保するために口銭を引き上げたから、大坂の商品相場は以前よりも高くなってしまった。しかも、大坂経由は減ったにもかかわらず、大坂相場を元立てとする江戸相場の構造は変わっていなかったので、江戸の物価も連動して上昇することになった。幕府は、諸藩国産の江戸直送品がこれを超える値下げ効果を発揮することを期待していたのだが、産地商人たちは大坂元立ての

23

◉『矢部駿河守桑名護送図』
矢部は南町奉行所与力《よりき》の不正事件処理の不始末を問われて罷免され、桑名《くわな》藩預けとなった。大《おお》塩平八郎《しおへいはちろう》も大坂町奉行時代の矢部の不正を告発していた。

江戸相場より少し安くするだけにとどめ、収益の確保を優先した。そのために、産地直送の利点が生きなくなってしまったのである。

産地直送品は大坂以外の地から出荷されるために、必ずしも菱垣《ひがき》廻船や樽《たる》廻船を使うわけではない。両廻船は大坂―江戸間の独占輸送を認められているにすぎないから、起点が大坂でなければ両廻船以外の船で輸送してもかまわないのである。そこに尾州《びしゅう》廻船やさまざまな廻船集団が活躍する余地があった。

こうした市場関係を念頭において矢部定謙の意見をみると、諸藩国産品の江戸直送を認めたために大坂への入荷が減少し、連動して江戸の物価も上昇したではないか、これは幕府政策の誤りではないか、という指摘には一理あるかもしれない。しかし一方で、諸藩国産品の江戸直送を認めたりするから菱垣廻船や十組問屋の扱い荷物が減って困ったことになったではないか、といっているようにも聞こえてくる。

十組問屋をかばう江戸町奉行

江戸町奉行が十組問屋《とくみどいや》をかばう姿勢を見せたのは、この株仲間《かぶなかま》解散時だけではなかった。前述した文政《ぶんせい》の灯油市場の改革の際にも、十組問屋側に立って改革案に抵抗していた。

勘定所役人《かんじょうしょ》檜原謙十郎《ならはらけんじゅうろう》は、大坂市場の改革案のなかで、大坂、灘目《なだめ》から江戸への灯油輸送を、それまでの菱垣廻船《ひがきかいせん》だけではなく樽《たる》廻船にまで広げようと提案した。しかし江戸町奉行がこれに異論をとなえ、結局は樽廻船を排除している。また江戸市場の改革で町会所掛《まちかいしよがかり》が提案した、下り油問屋・関東問屋・油仲買の抜本的再編案に対しても、江戸問屋たちがきっと抵抗（「愁訴」）するぞといって修正させ、改革案を骨抜き同然にした。その審議のなかで江戸町奉行は、油問屋は十組問屋の一員であり、したがって油問題は十組仲間を管轄する町奉行の職掌だと言い放った。要するに、越権だといって町会所掛に圧力をかけたのである。町会所掛は勘定所色の強い人事であったから、ここには灯油市場の改革をめぐる町奉行所と勘定奉行所の政策対立があったということになる。

大坂および江戸の灯油市場改革の全体像をみると、これを主導した勘定所の構想は、両都市の種物・油問屋の既得権を解体または大幅に削減することによって、市場を活性化させようとしていた。じつは大坂の油問屋は、この改革で冥加金《みようがきん》の上納を停止させることになっていた。利権を解体させるのだから幕府も冥加金はとらない、ということである。勘定所は江戸市場も抜本的に改革し、冥加金を廃止しようとしていた。しかし江戸町奉行が抵抗したことによって、わずかな再編にとどまり、菱垣廻船や油商人の利権は温存され、冥加金も残ることになった。要するに、勘定所の方針に抵抗した町奉行のおかげで十組問屋の利権が守られたということである。

天保《てんぽう》の株仲間解散も、やはり勘定所主導の市場政策であった。文政《ぶんせい》の灯油市場改革でも、利権を縮小するかわりに冥加金の廃止が盛り込まれていたが、天保の株仲間解散では、いっさいの株仲間利権を認めず、よっていっさいの冥加金も受け取らないという政策が断行された。勘定所は文政の改革で市場改革の先鞭《せんべん》をつけ、天保の改革でそれを本格実施したといってよい。それだけに十組問屋は既得権の解体に危機感を強めたであろうし、十組を管掌する江戸町奉行も同様だったであろう。なぜ町奉行矢部定謙が株仲間を認めた幕府が悪い、などと十組問屋を免罪するような主張をしたのか。この流れをみると、よく理解できる。町奉行は、明らかに十組問屋の側に立っていたのである。

株仲間の解散は失政なのか

株仲間《かぶなかま》解散が発令されたのは天保《てんぽう》一二年（一八四一）一二月。水野《みずの》忠邦《ただくに》が失脚したのは、上知《あげち》令《れい》の撤回を余儀なくされた直後の天保一四年閏《うるう》九月一三日である。だが翌弘化《こうか》元年（一八四四）六月、水野は将軍徳川家慶《とくがわいえよし》からふたたび老中《ろうじゅう》に指名され、九か月にして奇跡の復活を果たした。再任の理由については、水野失脚後の幕政が不安定であったからともされるが、定かではない。しかし、老中首座に返り咲いたとはいえ、勝手掛《かってがかり》（財政担当）老中の兼務はなかったために、実権はなかったともいわれている。それがためか、同年一二月初旬からは病気と称して登城せず、弘化二年二月には辞表を提出した。この間、在任八か月であった。

おもしろいのは、水野再任の町触《まちぶれ》が出たとたんに京都では縮緬《ちりめん》の値段が下落したという話や、江戸では水野再勤の日から酒の値段が下がり、奢侈《しゃし》品の売買も控えるようになったという、世間の反応である。よほど水野が怖《こわ》かったとみえる。この水野効果は、天保の改革の評価に反映させるべきだろう。

だが辞職した水野は、金座《きんざ》の御金改役《おかねあらためやく》である後藤三右衛門《ごとうさんえもん》からの収賄の罪に問われて、同年九月に将軍から、二万石の領地没収と隠居のうえ蟄居《ちっきょ》謹慎を命じられた。さらに一一月には、駿河国《するがのくに》浜松（静岡県浜松市）から出羽《でわ》国山形（山形市）への所替えを命じられている。権力を失った者の哀れな末路である。

天保の株仲間解散は失敗だったというのが、おおかたの評価である。嘉永《かえい》四年（一八五一）に出された諸問屋組合再興令には、商法が崩れ、諸品は下値にもならず、かえって不融通になったとある。幕府みずからが株仲間解散令の失敗を認め、その組合（仲間）の再興を宣言しているのだから、失敗したという評価は当然かもしれない。

しかし、次ページのグラフをみると、じつは解散令直後から物価が下がっていたのである。白米以下、塩・味噌《みそ》・醤油《しょうゆ》・酒・水油《みずあぶら》（灯油）の生活必需品六品は、いずれも例外なく値下がりしている。解散令の発令から一年後（天保一三年秋）の値段をみると、庶民生活にもっとも影響の大きい白米は一一パーセント安で、その他も七パーセントから一九パーセントの安値を見せている。解散令時の価格に復するか、それを超えていく時期をみると、もっとも早い米と酒でも二年半後の弘化元年春であり、次いで醤油の弘化二年秋、水油の弘化三年春と続き、味噌は八年間、塩は九年間も解散時の価格を下まわっていたのである。

解散令の値下げ効果が何年もてば成功といえるのか、その判断は難しい。だが、ほとんど効果がなかったといわれてきたわりには、二年半以上も低価格を実現していた点に注目しておきたい。これまで述べてきたように、風俗の取り締まりから株仲間解散令に至る一連の政策は、ひとえに物価の引き下げを目的としたものであった。この数字は、その効果を実証したものとして評価すべきだろう。

ではなぜ、嘉永四年の諸問屋仲間再興令には、「商法が崩れ、諸品は下値にもならず、かえって不融通になった」と書いてあるのだろうか。それには、株仲間の再興に執念を燃やした江戸町奉行の意向が強く反映しているのである。

問屋仲間再興に動く遠山景元

水野《みずの》忠邦《ただくに》が辞職した直後の弘化《こうか》二年（一八四五）三月、江戸北町《きたまち》奉行から大目《おおめ》付《つけ》に転じていた遠山景元《とおやまかげもと》が南町《みなみまち》奉行として戻ってきた。この人事にも政権交代した幕閣の思惑《おもわく》が込められているのかもしれないが、遠山はすぐに株仲間復活の動きを見せはじめた。老中《ろうじゅう》の阿《あ》部《べ》正弘《まさひろ》に株仲間の復活を言上したのである。だがその上申書には、当時はとくに諸品の物価に問題はない、とも記されている。それどころか遠山ですらも、「一旦《いったん》は

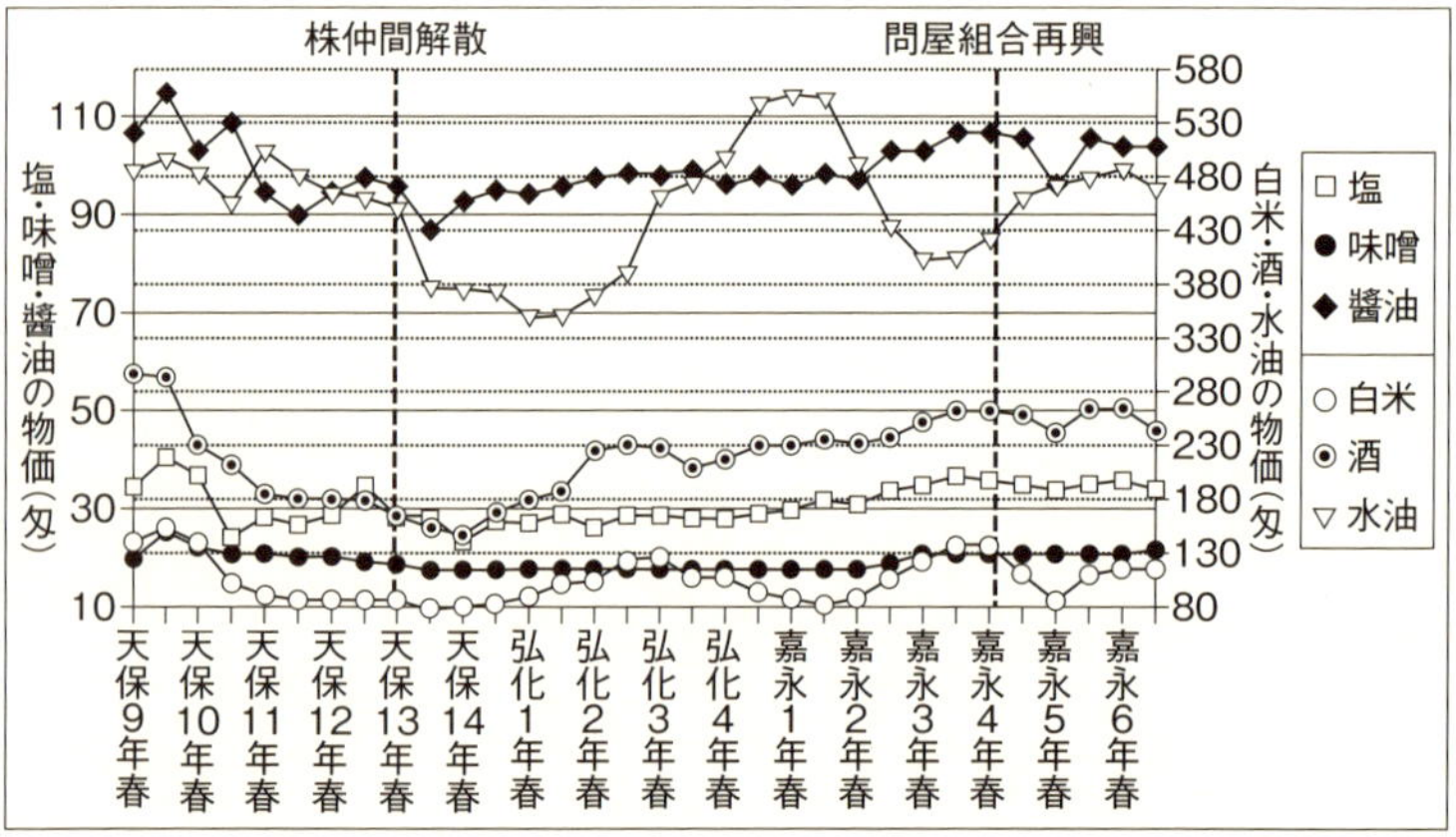

●株仲間解散前後の江戸の物価
大坂では灯油と酒の値下げ幅が大きく、米はいったん上がり、天保一四年には値下げしている。

是非《ぜひ》とも少々づつは引下り申すべく候えども」と、株仲間解散令により物価引き下げの効果があったと書いたほどであった。にもかかわらず株仲間の復活を提案したのは、水野忠邦の政治生命がほぼ完璧《かんぺき》に断たれたからだろう。株仲間解散反対を主張してきた町奉行としては、やはり株仲間体制を早く復活させたかったようだ。

　とはいえ、株仲間解散令効果がまだ持続しているなかで、株仲間の復活を提案しても説得力はない。老中阿部も同意せず、逆に復活の話などがもれると民心を騒がす、という注意があった。そのため、とても復活を話題にできる状態ではないと遠山もぼやいている。だが、思わぬ援軍が遠山の前に現われた。文政《ぶんせい》四年から天保《てんぽう》一二年（一八二一〜四一）の二〇年にわたって南町奉行をつとめた筒井《つつい》政憲《まさのり》が、弘化三年七月に諸問屋株仲間を復活させるよう老中に上申したのである。

　筒井政憲は町奉行在任中の与力《よりき》の不正に上司としての責任を問われて小普請《こぶしん》組に左遷されており、当時は無役だった。だが弘化三年六月から七月にかけての豪雨で隅田《すみだ》川《がわ》が決壊し、千住《せんじゅ》宿《しゅく》（東京都足立《あだち》区）から下谷《したや》、浅草《あさくさ》（いずれも同台東《たいとう》区）、本所《ほんじょ》（同墨田《すみだ》区）や深川《ふかがわ》（同江東《こうとう》区）一帯が冠水した。筒井は町奉行として長年、江戸市政を預かってきただけに、窮状を見かねた

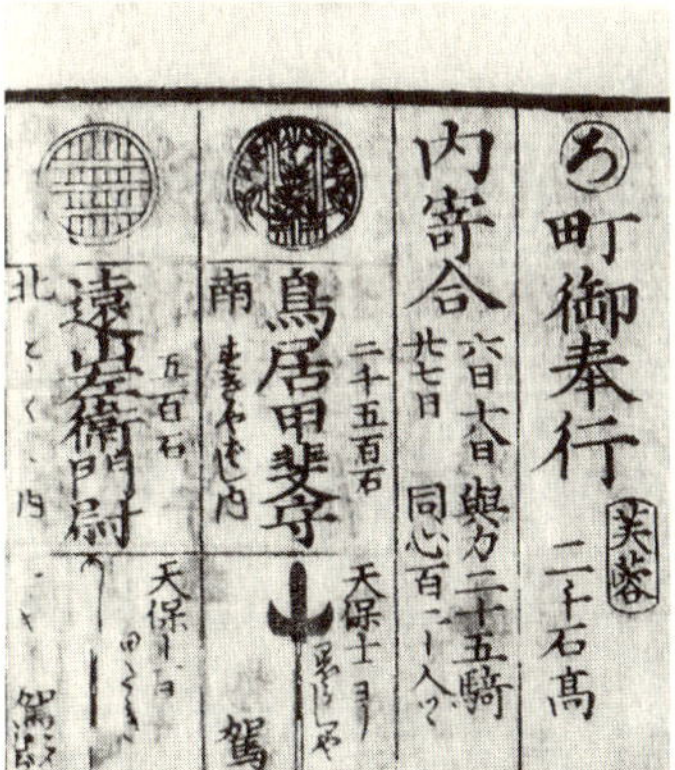

24

◉町奉行の鳥居《とりい》耀蔵《ようぞう》と遠山景元
天保の改革の中心にいた二人で、鳥居は「妖怪」、遠山は「金さん」と呼ばれていたが、人物評価は難しい。（天保一三年『袖珍有司武鑑《しゅうちんゆうしぶかん》』）

のかもしれない。復旧対策のひとつとして株仲間の復活を提案したのである。同年春の江戸大火の際にも同様の上申をしたとあるから、二度目の提出であった。

株仲間を復活させるおもな理由として、筒井は二つあげている。ひとつは、洪水後の諸物価上昇に対応するためには、株仲間があったほうが下《くだ》り米《まい》などの取り引きに都合がよく、値段も安定する。そのうえ奉行所からの指示も行きわたりやすく、もし高値で売り出そうとしても奉行所の取り調べが容易になるともいう。二つ目は、株仲間解散前は株を担保に借金できたが、株が廃止されたので金融がまわらなくなっており、資金繰りを円滑にするためにも株を復活させるべきだ、というものであった。

筒井の上申書を老中から下げ渡された遠山は、町年寄《まちどしより》の館市右衛門からも金子《きんす》不融通を訴える願書を取り付けて老中への答申書に添付し、あらためて株仲間復活の必要性を説いている。町年寄の館は、株がないために、とくに難破船被害を受ける商人たちの資金繰りが悪化していると訴えているが、これは菱垣《ひがき》

25

◉大坂の菱垣廻船と伝馬船
菱垣廻船の荷は伝馬船《てんません》が積み降ろしした。川口《かわぐち》周辺には、川魚市場、雑喉場《ざこば》魚市場、永代浜《えいたいはま》などの市場があり活況を呈した。

廻船積問屋《かいせんづみ》＝十組問屋《とくみどいや》商人のことである。復活の眼目は、やはりここにあった。

だが株仲間復活をとなえた筒井の二度の上申書も、遠山の答申書も、老中は採択しなかった。物価が比較的安定していたからである。それでも遠山は、執拗《しつよう》に復活を訴えつづけていたという。

驚くのは嘉永《かえい》元年（一八四八）七月、老中阿部に上申した復活の論理である。遠山は、「今年は諸国が豊作で米価が下落するだろうから、その対策のために米問屋の仲間を復活させたほうがよい」と提案したのである。米価が安いと都市の庶民は喜ぶが、年貢米を売る立場の武士にとっては収入が減って困ったことになる。米価「下落の災」とまでいっている。そのため、米問屋の仲間を復活させて価格操作をさせようということらしい。だとすれば、庶民のための政策ではなく、武家のための政策ではないのか。

水野忠邦は、物価引き下げこそ肝要という姿勢で、物価問題の元凶になっていた株仲間を解散させた。物価問題の最重要課題は、いうまでもなく米価の引き下げである。遠山の理屈でいけば、水野は武家の利益に反して庶民の利益を選んだということになる。庶民ではなく武家を大事にしたのが水野の政治姿勢だと評されてきたが、実際は逆だったようである。遠山こそ武家のための物価政策を希求し、十組問屋のために問屋仲間の再興を執拗に上申しつづけてきたのではなかったか。

問屋仲間再興の意義

遠山景元《とおやまかげもと》は、すべての仲間を復興させるのが望ましいとしつつも、それが難しいのであれば、さしあたり米問屋・蔵宿・肴《さかな》問屋・船床・髪結床《かみゆいどこ》のほか、八品商人《はっぴんしょうにん》（質屋・古着屋・古着買・古鉄屋《くろがねや》・古鉄買・古道具屋・小道具屋・唐物屋《からものや》）、人宿《ひとやど》や両替屋などの仲間を復活させたらどうかという。これらを選び出した基準はわからないが、御用に差し支えるのでこれまで「仮主法《かりしゅほう》」ととなえて株立てをしてきたという。株仲間解散後も、町奉行による暗黙の承認のもとで存続していたということなら、幕府政策に反する行為を町奉行みずからが行なっていたということになる。

まずは「仮主法」の株を復活させ、その様子をみたうえで、ほかの問屋株も復活させればよいというのが遠山の考えであった。問屋仲間の再興にかける執念を、遠山はみずから「老爺《ろうや》の一徹」といっている。だが「道路の評説《ひょうせつ》」に惑わされないように、とまでいっているから、巷間《こうかん》では必ずしも株仲間の復活に賛成の意見が多かったわけではないようだ。

その思いがほとばしったかのように、嘉永《かえい》元年（一八四八）九月、老中に提出した「諸問屋諸株仲間再興」の演説案では、それまで上申してきた段階的・限定的復活案ではなく、旧株の大半を一気に復活させる案になっていた。そこでは、十組《とくみ》をはじめとする株仲間が、過分の利得を争ったり不正な商いをしたために「世上の疑い」を生じ、やむをえず株仲間解散を命じたと指摘している。遠山は同僚である南町《みなみまち》奉行矢部《やべ》定謙《さだのり》とともに解散令に反対していたが、彼らも追認せざるをえないほど、十組問屋に対する庶民の怨嗟《えんさ》の声は大きかったということだろう。やはり、これが株仲間解散時の世論であった。

しかし遠山の上申書の核心は、つぎの点にあった。解散の結果、株がなくなったために金融が不融通となって難儀をしている、としたうえで、今後は心を改めて過分の利を求めずに実意の取り引きをするならば、寛政期《かんせい》（一七八九～一八〇一）まで承認してきた問屋仲間だけには再興を認めよう、というのである。なぜ寛政期かといえば、それまでに設立された問屋仲間であれば商法の取り締まりにもなるからだという。解散前の、悪名高い十組問屋復活ととられることを恐れ、十組問屋が極端に特権化する前の寛政期の姿での復活をもくろんだということである。

だが、これに対して勘定《かんじょう》奉行から批判が出された。「古くから永続してきた商人だけを株主とし、新規加入の是非《ぜひ》を株仲間に判断させるというのでは、文化期《ぶんか》（一八〇四～一八）に特権化した株仲間と同じではないか。それなら町人（商人）相続のためだけの復活にすぎない」と手厳しい。遠山は、株数を限らないのもどうかと抵抗したが、勘定奉行は、それでは昔の株仲間に戻るだけで「後弊」もはかりがたい、と突き放した。遠山はまたしても、一同に異存がないときがくるのを待つしかないと、断念したのである。

ところが意外なことに、それから一年後の嘉永三年一一月、今度は勘定奉行が江戸町年寄《まちどしより》の館市右衛門に、文化期以前のように軒数や人数に制限は設けないで問屋仲間を復活させるのはどうかと、打診した。もちろん異存なしという町年寄の回答を得た勘定奉行は、ただちに町奉行に対して、株数の増減は勝手次第ということであれば問屋仲間の再興も可と通知した。

なぜ勘定奉行所が態度を急変させたのかは、不明である。だが、もとの十組問屋の株を残らず復活させたり、米問屋だけを復活させるのは人心にかかわるといった文言があるところをみると、遠山らが、また再興の動きを見せていたのではないか。その機先を制し、勘定所の思惑《おもわく》にかなった再興の実現をはかったのだと思われる。

勘定所が反対をするかぎり再興の見込みが立たない町奉行からすれば、条件つきとはいえ、勘定奉行が賛成に転じた機を見逃す手はない。ただちに同意の連絡をし、翌嘉永四年一月二二日、両奉行合意を老中《ろうじゅう》に上申し、市中触《ふれ》渡し案の作成に入った。三月八日、ついに老中は、冥加金《みょうがきん》なしの諸問屋組合再興を命じたのである。

十組問屋が独占的な流通特権を幕府から与えられたのは、文化期に莫大な冥加金を上納するようになったからである。政治献金と利権の関係だといってよい。だが再興させた問屋組合から、幕府は冥加金を取らなかった。それは、彼らになんの特権も与えないということである。問屋仲間ではなく問屋組合と呼んだのは、そのためかもしれない。業界団体は復活させるが、利権団体化させないということであった。理念と実態のずれはあるとしても、株仲間解散令に次ぐ画期的な市場政策だといってよい。

復活させた理由については、株を担保にした金融ができなかったことが大きいかもしれない。金融閉塞《へいそく》は、株仲間解散令発布段階では予測できなかった事態であった。また株仲間という業界管理団体が消滅したことによる行政指導の困難さも、幕府の側は再認識したのではないだろうか。仲間を復活させ同業者を登録させることによって、業者名簿の把握は可能になる。かくして、出入り自由な組織として再興された問屋組合が、行政と業界をつなぐ新たなパイプとして活用されることになった。

復活のもっとも大きな力になったのは、水野《みずの》の失脚後から解散政策を撤回させようとした江戸町奉行遠山景元の執念だろう。「老爺の一徹」と遠山がみずからいう、その執念がなければ、この時期の問屋組合の再興はなかったかもしれない。

水野忠邦の再評価

これまでの評価とは異なって、株仲間《かぶなかま》解散令には相当の政策効果があったことをみてきた。また、庶民は解散を求めているにもかかわらず、江戸町奉行には十組問屋《とくみどいや》の利権を擁護する姿勢が顕著だったということも明らかになった。芝居小屋や寄席の問題では、あれだけ庶民の声を大事にした町奉行が、どうして株仲間問題では庶民の声を代弁しようとしなかったのか、その謎の一端は解けたはずである。

物価上昇の原因は、貨幣改鋳だけにあるのではなく、株仲間商人による流通独占にも原因があった。これに加えて水野忠邦《みずのただくに》は、人々の奢侈《しやし》が贅沢《ぜいたく》を呼び、それが物価を引き上げるとも考えていた。だからこそ水野は、華美な風俗を規制して株仲間の解散を断行し、貨幣改鋳をやめようと試みた。

こうしてみると、水野がやろうとしていたことは、物価上昇の主因を根こそぎ排除しようとしていたということになるのではないか。十組問屋仲間を事実上免罪する矢部定謙《やべさだのり》の意見よりも、水野はしっかりとした低物価政策を考えていたと評価することができるように思われる。

従来の天保《てんぽう》の改革の評価は、水野忠邦や鳥居《とりい》耀蔵《ようぞう》の風俗の取り締まりに対する異常な執念や、武家中心的な都市政策が強調されてきたせいか、市場改革の効果はあまり評価されていない。しかし、いくら幕府が、新たな商人層を取り込んで流通網を拡大せよと十組問屋に指示したところで、新規加入に制限を加えるような排他的な株仲間を温存したままで、それを実現することは困難だったに違いない。既得権の巨大な塊と化した株仲間を一気に解散に追い込み、市場の自由化を一瞬にして実現させた手法こそ、画期的な市場改革のあり方として評価されるべきだと考える。

第六章

庶民剣士の時代

1

百姓剣士の広がり

『武術英名録』の世界

万延《まんえん》元年（一八六〇）に、木版刷りで出版された『武術英名録《ぶじゅつえいめいろく》』という剣士名簿がある。北辰一刀《ほくしんいっとう》流の真田玉川と無双刀《むそうとう》流の江川英山によって編纂《へんさん》されたもので、関東八か国の剣士六三二人の名前と流派と居住地が記されている。各地の剣術家を訪ねて武者修行するために懐中携行したというから、それぞれの流派の道場主や師範クラスだと思われる。三六流派を確認できるが、江戸市中の剣士名はひとりもいない。編集のねらいは江戸以外の剣士だったのだろう。

『武術英名録』にあげられた剣士は、どのような人たちだったのだろうか。どこかの藩に所属する剣士の場合、「神道無念《しんとうむねん》流　武州川越《ぶしゅうかわごえ》藩　大川周蔵」というように、藩名を付けている。それを拾うと、川越藩、武蔵国の忍《おし》藩、下野《しもつけ》国の宇都宮《うつのみや》藩、上野《こうずけ》国の安中《あんなか》藩、同館林《たてばやし》藩など一三藩の藩士三九人を確認できる。それ以外は居住地が「〇〇村」や「〇〇宿」となっているので、ほとんどが在方居住の者であった。たとえば、のちに新選組《しんせんぐみ》で有名になる土方歳三《ひじかたとしぞう》は、「天然理心《てんねんりしん》流　武州日野《ひの》宿　土方歳蔵」と記されている。

●浪士組根岸友山《ねぎしゆうざん》の出陣装束
陣笠《じんがさ》の紋は、根岸家の家紋「平四つ目」である。陣笠・陣羽織は、浪士組一番組小頭として、一般隊員とは異なる装束であった。
前ページ図版

●『武術英名録』
「序」には「武道の本意、剣道にあり」、「太刀」は「国家を治むるの要器なり」とある。

在方居住の者というのは、基本的に百姓身分だということである。だとすると、『武術英名録』にあげられた六三二人の剣士のうち、藩士三九人を除くと、残りの五九三人（約九四パーセント）の多くは、なんと百姓身分だったということになる。出自が百姓身分ではあっても、腕を見込まれて大名や旗本《はたもと》のお抱え師範になれば何々家の師範や家臣を称し、武士身分の仲間入りをすることもできるが、そうでなければ基本的には百姓身分である。ただし、武士の出自をもつが仕官していない場合、あるいは百姓の出自を隠そうとする場合には、浪人または浪士と名のることもあった。

『武術英名録』記載の剣士は、すべて苗字《みょうじ》（名字）をもっている。明治以前、庶民は苗字をもたなかったといわれることが多いが、正確には苗字御免でない限り公的文書に記載できなかったにすぎない。『武術英名録』は市販本なので、堂々と苗字が表記されたのである。もちろん、一般には苗字をもたない百姓・町人もいたが、その割合は意外に低いかもしれない。手習い芸事の免許状や俳諧《はいかい》サークルなどの記録には、庶民でも苗字を記したものが多い。

『武術英名録』で剣士数を争っているのは、柳剛流《りゅうごう》の一五一人と、北辰

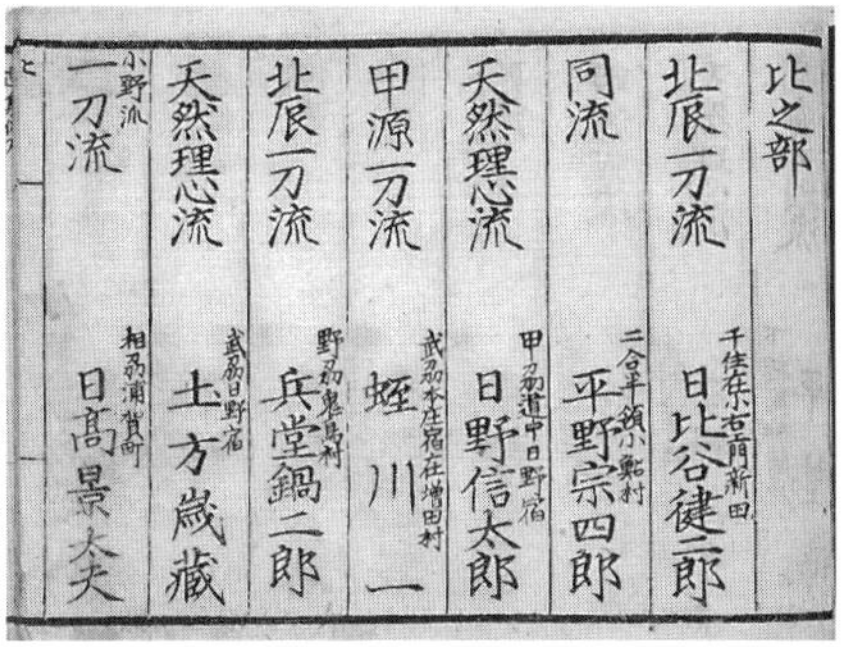

2

『武術英名録』にみる諸流派剣士の分布

流派名＼国	諸藩	安房国	上総国	上野国	相模国	下総国	下野国	常陸国	武蔵国	不明	合計
柳剛流柳剛流			11			4	1	1	36	14	67
岡安柳剛流						5	1		15	3	24
横山柳剛流						1			12		13
中山派柳剛流									6	3	9
飯箸柳剛流									7		7
古川派柳剛流			4							2	6
岡田柳剛流									5	1	6
松田柳剛流			5						1		6
深井柳剛流									5		5
山内柳剛流						4					4
今関派柳剛流			3								3
今井派柳剛流			1								1
										柳剛流合計	151
北辰一刀流	3	9	10	6	5	22	18		50	3	126
天然理心流					15				46	3	64
神道無念流	2		1			2	3	1	50	4	63
甲源一刀流				10			2		20		32
小野派一刀流	6		4		4	9			5		28
一刀流	1		6			9		2	6	3	27
直心影流	4		2	5	8				1	6	26
念流（馬庭）	3			9			1		4		17
鏡心明知流									1	12	13
学心一刀流	1		7	4							12
神武一刀流						1	1		8	2	12
冨士心流			9								9
三神荒木流	2			3							5
奥山念流									4		4
泰平心鏡流									2		2
当軍流			2								2
無念流									1		1
不動心流										1	1
不二心流			1								1
直心影流・不二心流						1					1
浅山一傳流	1										1
清水一刀流									1		1
民谷流									1		1
剣柔術										1	1
剣	19		1	1		3	3		3		30
死亡				1							1
合　計	42	9	67	39	32	61	30	4	290	58	632

一刀流の一二六人で、他に群を抜いている。柳剛流の始祖である岡田《おかだ》惣右衛門《そうえもん》は、明和《めいわ》二年（一七六五）に武州葛飾《かつしか》郡惣新田《そうしんでん》（埼玉県幸手《さって》市）に生まれているように、百姓の出である。はじめ心形刀流《しんぎょうとうりゅう》を学んで諸国を遊歴し、新たに柳剛流をおこした。のち徳川《とくがわ》一橋《ひとつばし》家の師範にもなった。同流を関東一円に広めたという二代目の岡田十内《じゅうない》も、武州足立《あだち》郡下戸田《しもとだ》村（同戸田市）の医者の倅《せがれ》であった。彼

もまた伊勢《いせ》国津《つ》藩（藤堂《とうどう》藩）の師範となり、本郷《ほんごう》（東京都文京区《ぶんきょうく》）に道場を開いて千数百人の門弟を数えたという。分派の多さも同派の特徴だが、各派競い合っての隆盛だといってよい。

北辰一刀流の開祖は、千葉周作《ちばしゅうさく》である。周作は仙台藩領の出身で、生誕地には諸説あったが、現在は気仙《けせん》村（岩手県陸前高田《りくぜんたかた》市）が有力なようだ。身分は定かではないが、父を医者とする伝承がある。文化《ぶんか》六年（一八〇九）、一五歳のときに父とともに水戸街道の松戸《まつど》宿（千葉県松戸市）に移り、若狭《わかさ》国小浜《おばま》藩師範の小野派《おのは》一刀《いっとう》流浅利《あさり》又七郎《またしちろう》に入門して腕を磨いた。浅利の養嗣子となって小浜藩の師範となるが、のち養父と離縁して武者修行の旅に出たあと、北辰一刀流を立てたという。日《に》本橋《ほんばし》品川《しながわ》町（東京都中央区）に玄武《げんぶ》館《かん》を開いたのは文政《ぶんせい》五年（一八二二）、二八歳のときだが、二年後には神田《かんだ》お玉《たま》が池《いけ》（同千代田区）に移転して隆盛を極めた。天保《てんぽう》六年（一八三五）には一六人扶持《ふち》で水戸藩弘道館《こうどうかん》の師範となり、同一二年には一〇〇石《こく》の禄《ろく》を受けた。嘉永《かえい》四年（一八五一）、浅草寺《せんそうじ》（同台東《たいとう》区）に奉納した額には一門三六〇〇人が名前を連ねたという。

三番目の天然理心流の初代は近藤内蔵《こんどうくら》之《の》助《すけ》だが、遠州《えんしゅう》（遠江《とおとうみ》国）から出てきたということ以外、出自は不明である。ただ

3

◉北辰一刀流、千葉周作
玄武館は幕末江戸の三大道場に数えられる。千葉周作の門下には清河八郎《きよかわはちろう》や山岡鉄舟《やまおかてっしゅう》などがおり、坂本龍馬《さかもとりょうま》は二代目千葉定吉《さだきち》に入門した。

し、二代目以降、四代目の近藤勇《こんどういさみ》（のちの新選組隊長）までは、みな百姓の出であった。

四番目である神道無念流の始祖福井《ふくい》兵右衛門《へいえもん》の生まれは、下野国都賀《つが》郡藤葉村（栃木県壬生町《みぶまち》）とされているので、やはり百姓の出であろう。元文《げんぶん》五年（一七四〇）江戸の四谷《よつや》（東京都新宿《しんじゆく》区）に道場を開くが、宝暦《ほうれき》九年（一七五九）に入門した高弟戸賀崎熊太《とがさきくまた》郎暉芳《ろうてるよし》（知道軒《ちどうけん》）も武州埼玉郡清久《きよく》村（埼玉県久喜《くき》市）の出身だった。熊太郎は郷里に戻って道場を構え、のち江戸にも道場を開いて名声を高めていく。江戸の道場（撃剣館《げきけんかん》）を継いだ岡田十松《おかだじゆうまつ》も、埼玉郡砂山《すなやま》村（同羽生《はにゆう》市）の生まれであった。『武術英名録』には、「上清久村」の戸賀崎熊太郎と戸賀崎元右衛門の名前がある。この熊太郎は、三代目芳栄《よしかげ》（喜道軒）であろう。

五番目の甲源一刀《こうげんいつとう》流の開祖逸見《へんみ》太四郎《たしろう》は武蔵国秩父《ちちぶ》郡の名主《なぬし》であり、安永《あんえい》二年（一七七三）頃に剣術師範を始めたという。『武術英名録』には、逸見太四郎と逸見愛之輔の名前が見える。太四郎は五代長英、愛之輔は六代愛作であろう。その愛作は文《ぶん》久《きゆう》年間に上野国岩鼻《いわはな》代官所（群馬県高崎市）の師範になった。

このように、著名流派の開祖をはじめ歴代宗家には、百姓身

4

◉甲源一刀流道場「耀武館」
開祖逸見太四郎のとき、一七七〇年代の建築と伝わる。木造平屋建てで稽古場は一〇坪。同流は武蔵国秩父郡から上野国甘楽《かんら》郡に広まった。

分から立ち上がった人物が多い。幕末に江戸の三大道場といわれて隆盛を誇ったのは、玄武館（北辰一刀流）と練兵館《れんぺいかん》（神道無念流）と士学館《しがくかん》（鏡新明智《きょうしんめいち》〔鏡心明知〕流）だが、玄武館は千葉周作が創始したし、練兵館の道場主斎藤弥九郎善道《さいとうやくろうよしみち》は、越中《えっちゅう》国射水《いみず》郡仏生寺《ぶっしょうじ》村（富山県氷見《ひみ》市）の百姓の出である。ただし、士学館の初代桃井春蔵直由《もものいしゅんぞうなおよし》は大和《やまと》国郡山《こおりやま》藩柳沢《やなぎさわ》家の剣術師範をつとめていたといわれ、天保一二年に一七歳で四代春蔵を継いだ直政《なおまさ》は駿河《するが》国沼津《ぬまづ》藩士田中豊秋の次男だという。武士の系譜をもった道場主がめずらしくみえるほどである。

『武術英名録』の剣士といい、諸流派の開祖や歴代宗家といい、江戸時代後期、武術の世界は、もはや武士をさしおいて、百姓身分出身者が大活躍をする時代になっていたのである。

5

◉神道無念流、斎藤弥九郎
斎藤弥九郎の同門に、幕府代官江川英龍《えがわひでたつ》や水戸藩の藤田東湖《ふじたとうこ》がいた。大塩の乱後、斎藤は江川に依頼されて大坂に事情探索に出向いた。

膨大な庶民剣士

『武術英名録《ぶじゅつえいめいろく》』に載ったのは、あくまでも腕のたつ剣士たちである。その名剣士たちは道場主であったり師範格であったりするので、彼らのもとには多くの門人がいたはずである。

たとえば、天然理心《てんねんりしん》流近藤勇《こんどういさみ》の門人は二八二人いたことが確認されている。同流初代内蔵之助《くらのすけ》と二代三助《さんすけ》の門人も武蔵国多摩《むさしのくにたま》郡や相模《さがみ》国の各地に道場を構えており、初代内蔵之助から寛政《かんせい》八年（一七九六）に免許をもらった相模国高座《たかくら》郡下九沢《しもくざわ》村（神奈川県相模原《さがみはら》市）の小泉茂兵衛には、享和《きょうわ》二年から嘉永《かえい》三年（一八〇二～五〇）までに一八四人が入門した。同じく初代の門弟であった大住《おおすみ》郡万田《まんだ》村（同平塚《ひらつか》市）の真壁孝氏《まかべたかうじ》も、父子二代を通して三〇〇人余の門弟がいたという。武蔵国八王子《はちおうじ》の戸吹《とぶき》村（東京都八王子市）の松崎正作道場では、天保《てんぽう》五年から万延《まんえん》元年（一八三四～六〇）までの二七年間に四一三人の入門者があった。半士半農の八王子千人同心《せんにんどうしん》の子弟を除くと二四五人、約六割が百姓身分であった。近藤の支援者のひとりで日野《ひの》宿の佐藤彦五郎の道場にも、慶応《けいおう》三年（一八六七）に四〇人の入門者があった。

『武術英名録』に載った相模国鎌倉《かまくら》郡平戸《ひらど》村（神奈川県横浜市）の萩原連之助は直心影《じきしんかげ》流だが、弘化《こうか》三年から慶応二年（一八四六～六六）までの二一年間に、近隣をはじめ、高座郡や三浦《みうら》郡から上層百姓を中心に二二五人の入門者があった。萩原の道場に残された剣客名簿によれば、嘉永五年から慶応三年までの一五年間に、同じ直心影流の五八人を筆頭に二七流派の剣客一四八人が来訪して腕を競ったことがわかる。来訪した剣客は東海道を上下する諸藩の侍が多かったようだが、その相手をしたのは道場主の萩原連之助だけではなく、門人の百姓剣士たちであった。

『武術英名録』には念《ねん》流（馬庭《まにわ》念流）剣士として一六人が記載されているが、同流宗家の樋口《ひぐち》家は、上州《じょうしゅう》（上野国《こうずけ》）多胡《たこ》郡馬庭《まにわ》村（群馬県吉井町《よしいまち》）で名主《なぬし》をつとめた家柄であった。同家の研究によると、在地武士の系譜を引くが、江戸時代初頭に百姓身分として土着したという。早くも慶長《けいちょう》一八年

（一六一三）には、九人が連署した「樋口主膳《しゅぜん》」宛《あて》の入門起請文があることから、念流の起源はかなり古い。

左の表は樋口家の入門者数だが、一八世紀に入ってからの増大はすさまじい。明和《めいわ》四年（一七六七）に転封《てんぽう》するまで当地小幡《おばた》藩の領主だった織田《おだ》美濃守《みののかみ》の師範になっただけではなく、近くの七日《なのか》市《いち》藩の藩主である前田《まえだ》大和守《やまとのかみ》の入門盟約書も残っているので、両藩家中の門人も少なくなかったかもしれない。だが、入門者の大半は上州一円に居住する百姓身分の者たちであった。

寛政一二年（一八〇〇）前後までは隆盛を極めたといってよいが、文政《ぶんせい》期（一八一八～三〇）以降に落ち込むのは、北辰一刀流《ほくしんいっとう》千葉周作《ちばしゅうさく》との事件が関係しているかもしれない。文政六年（一八二三）、

馬庭念流入門者の推移

年	起請文人数	門人帳人数
慶長６～15　（1601～10）	0	
慶長16～元和６（1611～20）	9	
元和７～寛永７（1621～30）	7	
寛永８～17　（1631～40）	0	
寛永18～慶安３（1641～50）	0	
慶安４～万治３（1651～60）	0	
万治４～寛文10（1661～70）	0	
寛文11～延宝８（1671～80）	0	
延宝９～元禄３（1681～90）	16	
元禄４～13（1691～1700）	32	
元禄14～宝永７（1701～10）	134	
宝永８～享保５（1711～20）	343	116
享保６～15　（1721～30）	202	227
享保16～元文５（1731～40）	525	336
元文６～寛延３（1741～50）	300	229
寛延４～宝暦10（1751～60）	869	760
宝暦11～明和７（1761～70）	262	981
明和８～安永９（1771～80）	634	1523
安永10～寛政２（1781～90）	364	2032
寛政３～12（1791～1800）	747	1219
寛政13～文化７（1801～10）	331	1291
文化８～文政３（1811～20）	8	1572
文政４～13　（1821～30）	11	432
天保２～11　（1831～40）	1	
天保12～嘉永３（1841～50）	68	
嘉永４～安政７（1851～60）	182	43
万延２～明治３（1861～70）	128	
明治４～13　（1871～80）	30	
明治14～23　（1881～90）	465	282

高橋敏『国定忠治の時代』より作成

千葉周作とその上州門人が伊香保《いかほ》神社（群馬県渋川《しぶかわ》市）に奉額しようとしたところ、馬庭念流の陣営がこれを阻止しようとして、伊香保温泉であわや衝突寸前までいった事件である。背景には新興流派として台頭してきた北辰一刀流に馬庭念流からくら替えする動きがあったからだともいわれる。それでもこのとき、馬庭念流が伊香保温泉に集めた門人は二七〇人にものぼったという。

　樋口家の門人として『武術英名録』には、三人が記載されている。このうち素性のわかる上野国佐井《さい》郡赤堀《あかぼり》村本間千五郎は、農業と蚕種《さんしゅ》商を営むかたわら、邸内に道場を設けて門弟に教授していたという。

『武術英名録』記載の六三二人の多くが、道場主や師範格であったとすれば、彼らの門人だけでも万単位の剣術修行者がいたといってよい。『武術英名録』に記載されていない道場も数多くあったから、百姓剣士の広がりは予想を超えた規模にならざるをえない。

　武術が盛んになったは、在方だけではない。江戸は、幕臣のほか、諸藩の藩邸に多くの藩士が常駐する武家の都市である。剣術修行のための道場が不可欠だが、町道場には多くの庶民が通った。江戸の三大道場といわれた玄武館《げんぶかん》・練兵館《れんぺいかん》・士学館《しがくかん》だけでも数千人の門人がいたとされる。幕末の江戸には三〇〇もの町道場があったともいうから、剣術修行者の数は膨大であったに違いない。

　身分呼称としての町人とは、厳密には市中に家屋敷をもつ者のことを指すが、江戸時代後期には借家人を含めた市中の居住者を広義に町人と呼ぶようになる。そこで、在村の修行者を百姓剣士と呼ぶのであれば、江戸や地方の城下町などに住んで剣術修行に励む者は、町人剣士と呼んでよいだろう。ここでは、百姓剣士と町人剣士をあわせて庶民剣士と命名しておきたい。

百姓・町人と刀・脇差

それにしても、なぜ百姓や町人が武術を習ったり剣術家になりえるのだろうか。江戸時代は、武士と百姓・町人身分が峻厳《しゅんげん》に区別された身分制社会であり、百姓・町人は刀を持つことも、剣術を習うことも禁止されていたのではなかったのだろうか。

近年の研究によって、豊臣秀吉《とよとみひでよし》の刀狩りは民衆から武器を奪い尽くしたのではなく、百姓・町人の世界には多くの武器があったことが明らかにされた。許可なく腰に差すのを禁止されたのは大刀であって、百姓・町人ともに脇差《わきざし》を差すことは認められていたという。

享保《きょうほう》五年（一七二〇）六月、江戸町年寄《まちどしより》は幕府の問い合わせに対して、当時の江戸の町人は、みな脇差をしているとする一方、「軽きもの」は「大方差し申さず」とも答えている。解釈が難しいが、この時期の町人とは市中に家屋敷を所有する者を指すことが多いので、町年寄のいう町人には店借《たながり》・地借《じかり》などは入っていない可能性がある。ただし、脇差事情を幕府ですら十分に把握していないのだから、本来の町人以外の者が脇差をすることはあったに違いない。

大刀をめぐる事情も、地域によってかなり異なっていたようだ。上野国前橋藩《こうずけのくにまえばし》でも寛文《かんぶん》一一年（一六七一）の記録によると、領内での帯刀《たいとう》は禁止するが、旅行などで領外に出るときは、百姓・町人であっても帯刀を許されていた。山城国《やましろ》山科《やましな》（京都市）では、享保《きょうほう》六年（一七二一）に、一五村で一七七人が二本差しの帯刀を許されていた。一村につき一二人程度で、決して少なくはない数字だ。村頭《むらおさ》と神主は日常的な帯刀を許されていたが、それ以外は神事や祝儀のときだけの帯刀だったという。熊本藩では元禄《げんろく》七年(一六九四)の帯刀免許者は二〇四人、それが宝暦《ほうれき》一四年(一七六四)には四五〇人にまでふくれあがった。百姓たちが献金して、苗字帯刀御免の特権を得たからだという。

一八世紀に入るころから、旗本《はたもと》を含めて幕藩領主の財政は厳しくなりはじめた。家臣に対して倹約令が頻繁に出されるようになるのはそのためだが、収入増として領主は、裕福な百姓や町人に御用金を割り当てたり、献金を勧めるようになる。その見返りとして領主は、苗字帯刀御免や士分への取り立てを行なった。熊本藩で帯刀免許者が倍増したのは、そのためであった。

献金額に応じて、特権の内容は異なった。その一例として、次ページに仙台藩のものをあげた。安永《あんえい》期(一七七〇年代)のものと推測されているが、もっとも安い特権として一〇両《りょう》で屋号御免というのがある。庶民社会で屋号を名のる例は少なくないが、これは商売用の仕切状《しきりじょう》や看板で屋号を名のってよいということである。また領主の許可がないかぎり庶民は苗字を公称することができなかったが、この基準では二五両を献金すると苗字を公に名のってよいことになっている。それよりも少ない一〇両なら、苗字はだめで屋号まで、ということである。苗字を名のり、婚礼や葬式その他の儀式のときに裃《かみしも》(上下)を着用して帯刀することが許されるのは、七五両以上の献金をした者に対してであった。一八〇両を出せば最下級の士分になることができた。

仙台藩は天保《てんぽう》五年(一八三四)の凶作時に、窮民救助を名目に領内から献金を募った。献金者二五二人を分析した研究によると、帯刀を許された百姓は一一人、大肝煎格《おおきもいり》に取り立てられた者二人、士分に取り立てられた者は二一人もいたという。このときだけでも三四人が帯刀御免となったわけだが、これ以外のときにも献金や地域行政への貢献によって、苗字帯刀御免や士分取り立てを許された者は少なくない。

こうした傾向は、全国的にみられる。かくして、一八世紀から一九世紀にかけて、帯刀を許された村々居住者の数は増えていくことになった。帯刀するからには、少しは腕を磨いておこうとするのは当然だろう。武士の集住する城下町ではなく、村々に道場が存在したのも、こうした需要にこたえるためだったのではないだろうか。

庶民武芸の取り締まり

帯刀（二本差し）は、武士身分であることを外形的に表わした。そのため帯刀を許可された者以外の帯刀は、取り締まりの対象となった。一方、脇差《わきざし》は帯刀ほど強い規制の対象にはなっていなかったようだ。ところが一八世紀後半から、治安の悪化とともに脇差への規制が強まりはじめた。

献金額	特　権
300両	組士より大番組になしおく
300両	組抜より組士になしおく
180両	百姓より組抜並に仰せつけ
150両	百姓苗字帯刀ならびに妻子まで絹布御免
100両	苗字帯刀御免の者ならびに御扶持人等より組抜並に仰せ渡し
100両	御知行一貫文下さる
100両	御扶持方3人分下さる
75両	百姓苗字帯刀麻裃御免
25両	百姓苗字御免
25両	百姓麻裃御免
10両	百姓屋号御免

●仙台藩の献金と特権
士分に取り立てられた百姓は、屋敷に武家様式の四脚門を建てることが認められた。献金を機に許されたという伝承を聞くことがある。

たとえば明和《めいわ》六年（一七六九）、幕府は関八州《かんはっしゅう》と伊豆《いず》・甲斐《かい》の村々に、「百姓家に因縁をつけて強請《ゆすり》やたかりをする浪人がいたら捕らえおき、役所に注進せよ」と触れている。仕官からあぶれた浪人たちが村々を徘徊《はいかい》して金銭をねだる行為が頻出したため、浪人を雇ってそれを防御した地域もあるという。毒をもって毒を制する方法だが、村々が連合して組合村をつくり、浪人対策に乗りだした地域もあった。武士の失業が農村に治安問題を発生させたのである。

この浪人には士分を騙《かた》る偽浪人も少なくなかったようだが、明和六年の触書《ふれがき》については、関西や遠国の領主たちからも幕府に問い合わせが相次いだというから、浪人問題は全国的な傾向になりつつあったのだろう。幕末の数字になるが、上野国那波《こうずけのくになは》郡阿弥《あみ》大寺《だいじ》村（群馬県伊勢崎《いせさき》市）の文久《ぶんきゅう》三年（一八六三）の記録によると、名主《なぬし》宅への一年間の来訪者は一〇〇人に達するが、七八人は浪人だったという。その多くが宿泊を求め、金銭をねだっていたのである。

寛政《かんせい》一〇年（一七九八）、幕府は、「近ごろ関東において、子分を抱え長脇差《ながわきざし》を差して派手な衣服を着し、通《とお》り者《もの》と称して不

6

◉博徒
博徒には、正業に就かず侠客の仲間に入り、人別帳（戸籍）からはずれた無宿人が多かった。
（『徳川幕府刑事図譜《とくがわばくふけいじずふ》』）

届きをはたらく者がいるので、村方では見つけ次第に長脇差などを没収し、領主役所に届けよ」と通知した。ふつうの脇差は一尺《しゃく》以上一尺三寸（約四〇センチメートル）未満で、取り締まりの対象とはなっていない。ここにいう長脇差とは刃渡り一尺八寸《すん》（約五四センチメートル）以上のもので、幕府は江戸初期から百姓・町人に対し、この寸法を超える脇差を禁止していた。しかし、大刀ほど脇差の取り締まりが厳しくなかったことから、やくざ者たちは長脇差を差して闊歩《かっぽ》するようになっていた。大刀なみの刃渡り二尺五寸（七五センチメートル）ぐらいの長脇差も出まわっていたようだ。博徒《ばくと》のことを「長脇差《ながどす》」と呼んだのは、これに由来している。ただし、右の触書にいう通り者とは、そうしたやくざだけではなく、派手な服装を身にまとい、長脇差を帯びた百姓のことも指すという。百姓たちの間にも、長脇差を差して歩くことが流行しはじめていたのであった。

7

◉剣術と防具
一八世紀に小手《こて》や鉄製の面が普及し、木刀の型稽古から竹刀の打ち込み稽古に転換。スポーツとしての剣術が盛んになった。（『北斎漫画《ほくさいまんが》』）

文化《ぶんか》二年（一八〇五）、幕府は、百姓による武芸習得を禁止している。百姓たちが集まって武芸の稽古《けいこ》をすることは農業をおろそかにすることになり、身分を忘れて「気がさ」にもなる、よって堅く禁ずる、という通達であった。浪人などの武芸師範の者を村方に留め置くな、というから、百姓世界に武術習得の風潮が広まっていたことがわかる。身分を忘れて「気がさ」になるということは、侍になったような気になって態度が大きくなるということだろう。

帯刀（二本差し）御免は、武士に準じるという点で、選ばれた百姓・町人の特権であった。脇差もある程度は身分表象の意味をもったが、帯刀ほどには規制の対象になってこなかった。そこに乗じて、やくざ者や通り者が長脇差をわがものとした。武芸を習う百姓・町人たちも、脇差を帯びたのだろう。治安は悪化し、百姓・町人意識の希薄化に危機感をもった幕府は、脇差の統制に乗りだし、ついに百姓武芸の禁止触も出さざるをえなくなった。ということは逆に、この文化二年まで百姓の武芸は禁止されたことがなかったということでもある。

江戸の町人たちに「武術稽古」の禁止が示達されたのは、これよりさらに遅く天保《てんぽう》一四年（一八四三）のことであった。「町人どもは本来、その産業を守り、武術稽古などを致さざるはずのところ、当時、世上の武備が盛んになるに従い、町人どものなかに武術の稽古をする者がいる」と町名主に宛《あ》てた触書には書かれている。一七世紀末から一八世紀にかけて、ロシア軍艦によるカラフト（樺太）島やエトロフ（択捉）島の日本人入植地の襲撃、フランス船、イギリス船、アメリカ船の日本沿岸の測量や上陸など、不穏な事件が頻発していた。幕府は諸藩に命じて沿岸警備を強化していたし、国内世論も異国への警戒心を高めていた。

この町触《まちぶれ》が出される直前の一八四〇年には、アヘンの密輸を禁止した中国にイギリスが難癖をつけて攻撃し、四二年には香港《ホンコン》の植民地化を実現していた。「中国、アヘン戦争に敗れる」の報はすぐに届き、日本国内は列強の攻勢に、さらに危機感を強めていたといってよい。幕府や諸藩だけが海岸線の防衛体制を固めただけではなく、町人たちもまた、さかんに武術の稽古に走った当時の雰囲気を、この町触はよく示している。

だが幕府にとって、町人や百姓による武術の隆盛は、必ずしも好ましいものではなかった。文化二年の触書に、武芸の稽古をする百姓は身分を忘れて「気がさ」になるとあったのも、武士と百姓・町人の身分のけじめがあいまいになりつつあったからであろう。

効果のない武芸禁止

百姓の武芸習得を禁止したのと同じ文化《ぶんか》二年（一八〇五）、関東の村々から治安対策を求められた幕府は、俗に「八州廻《はっしゅうまわ》り」と呼ばれる関東取締出役《かんとうとりしまりでやく》を八人設置した。しかしこの程度の陣容では、広大な関八州の取り締まりを十分に行なうことはできなかった。文化九年の上総国飯岡《かずさのくにいいおか》（千葉県旭市《あさひ》）の周辺では、六、七人の徒党を組んだ浪人体のやくざ者が毎日のように村人に言いがかりをつけて、酒食や金銭をたかっているという

8

◉国定忠治《くにさだちゅうじ》
赤城山南麓を縄張りとした侠客。博奕・殺人・関所破りなどの罪が重なり、関東取締出役が執念で追い詰め、磔刑《たっけい》に処した。田崎草雲《たざきそううん》筆。

村方の報告がある。相模《さがみ》国でも、毎月二〇人から三〇人の浪人からたかられて難儀しているという。

文化一三年の勘定《かんじょう》奉行の達書《たつしがき》は、さらになまなましい。「代官や火付盗《ひつけとう》賊改方《ぞくあらためかた》の手先と称して、長脇差《ながわきざし》だけではなく大小両刀の二本を差し、博《ばく》奕《ち》をし喧嘩《けんか》口論を好み、仲裁と称して金銭をゆすり取り、押し売りや押し借りをする」とある。くわえて、「他人の女房や娘を無体に連れ去り、宿場では無賃で人馬を使って荷物を送らせ、道中ではあちこちで喧嘩を仕掛けて、百姓たちの往来もなりがたし」ともある。

俗に目明《めあ》かしや岡《おか》っ引《ぴき》と呼ばれる連中の所行である。やくざ者を手先にしないと犯罪捜査がうまくいかないという現実が、彼らを増長させていたのであった。のち天保《てんぽう》期（一八三〇年代）、利根川《とねがわ》筋に勢力を張った飯岡《いいおか》の助五《すけご》郎《ろう》も、この二足のわらじを履いていた。

文政《ぶんせい》九年（一八二六）、幕府は、狼藉《ろうぜき》騒ぎが各地で頻発したため、無宿者はもちろん百姓・町人による武具の携行を禁止した。禁止された武具とは、長脇差と槍《やり》・鉄砲であった。ふつうの脇差は対象になっていない。党を結んで押し歩くというから、武具を持ったやくざ者たちの闊歩《かっぽ》する姿が目に浮かぶ。それにしても槍・鉄砲まで持ち歩くとは、武闘の世界そのも

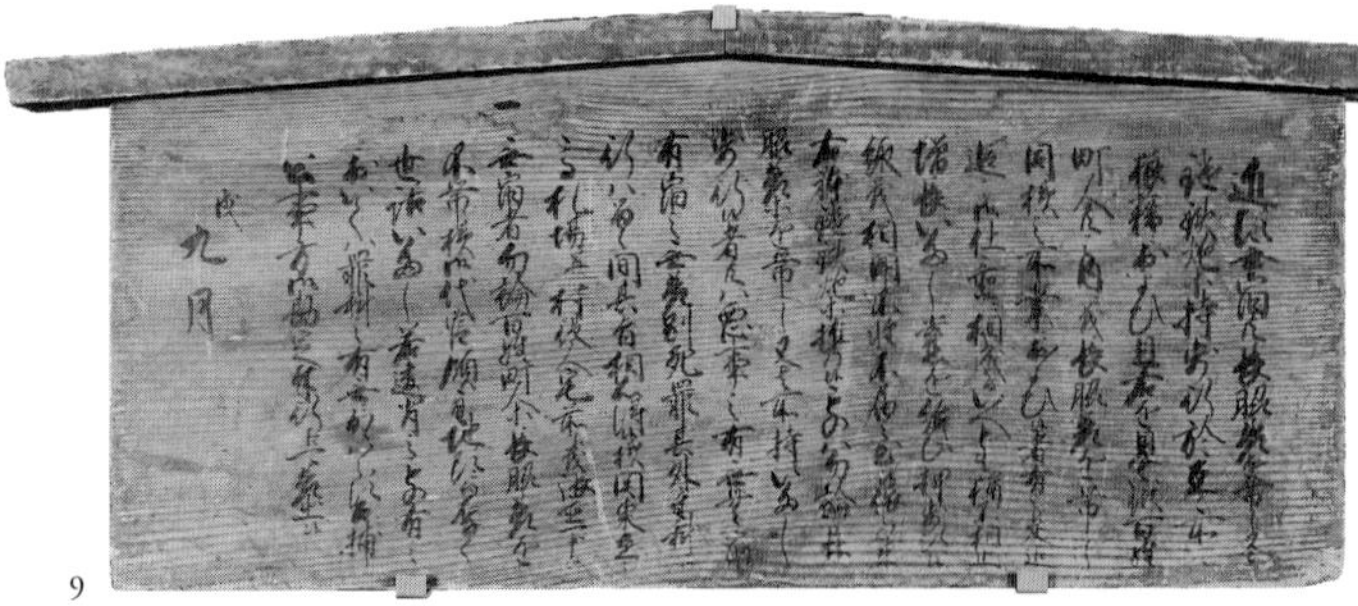
9

◉文政九年の長脇差禁止の高札
幕府は町や村の中心部などに高札を立てて、長脇差禁止の周知をはかったが、効果は弱かった。

のである。やくざ同士の縄張り争いが各地で高じていたのだろう。この触書《ふれがき》には、それをまねる百姓・町人も出てきたと書かれている。「武」の雰囲気が在方に広がっていたことは間違いない。

脇差統制の過程を顧みると、寛政《かんせい》一〇年（一七九八）令では携行した者から長脇差を没収すべしとしたが、文政九年令では、長脇差を帯して悪事をはたらいた者は死罪、腰に差したり持ち歩いた者は遠島に処するとなった。同年の捕縛者は一五〇人にのぼったようだが、やくざの横行や農村武芸の隆盛を押しとどめることはできなかった。関東取締出役の設置について、治安維持のためというより風俗統制＝身分統制のためだとする見方もある。たしかに、増えたとしてもわずか十数人の取締出役で、広大な関東一円を取り締まるのは不可能なことであった。事実上、野放しだったといってよい。

幕府による百姓や町人の武芸禁止の触《ふれ》など、ほとんど効果がなかった。そもそも幕藩制国家は、こうした事態に対応できる取り締まり装置を十分にもっていなかったといってよい。これまで幕藩体制は、むきだしの暴力国家として描かれてきたが、最近では、教諭国家としてのイメージを強めつつある。触書だけをみると、庶民に対して、いかにも厳しい取り締まりをしているかのようにみえるが、実際はそれほどでもなかったからである。武芸禁止も、まさに教諭にとどまっていたのであった。

浪士組と新選組

七〇日の浪士組

幕末の浪人集団としてもっとも典型的な存在が、文久《ぶんきゅう》三年（一八六三）二月四日に幕府が結成した浪士《ろうし》組《ぐみ》と、その後身の新選組《しんせんぐみ》である。浪士組は将軍徳川家茂《とくがわいえもち》上洛《じょうらく》の警護を名目に募集されたが、罪に問われている尊王攘夷《そんのうじょうい》の過激派も改心すれば赦免して採用するとしたように、ねらいは不平浪士対策だともいわれている。集まった浪士は出羽国庄内《でわのくにしょうない》（山形県庄内地方）出身の清河八郎《きよかわはちろう》を筆頭として、総勢二三五名（文久三年二月二四日に清河八郎が朝廷に出した建白書の連署者）にのぼった。このなかに、のちの新選組の立て役者となる近藤勇《こんどういさみ》や土方歳三《ひじかたとしぞう》、沖田《おきた》総司《そうじ》、永倉新八《ながくらしんぱち》らがいた。

筆頭の清河八郎は、過激な尊王攘夷論者として幕府を悩ませていたが、二年前に町人を無礼討ちにしたことから、幕府に追われる立場になっていた。だ

10

◉上洛する将軍家茂の行列
公武合体策の一環として、孝明天皇の妹の和宮と結婚。上洛した家茂は義兄の孝明天皇に攘夷を誓った。（『東海道高輪牛《たかなわうし》屋《や》』）

が、逃亡中も尊王攘夷派の有力者たちとの接触を繰り返して影響力を保持していたため、幕府は、清河をはじめとする過激派浪士の取り込みをはかるべく、前科を赦免して浪士組を結成したのであった。

　上洛した浪士組は、朝廷や幕府との関係をめぐって、三月には分裂した。上洛した以上は朝廷の指揮を受けて攘夷を決行すべしとする清河八郎に対し、近藤勇は将軍の指揮を受けて京都を警護するための上洛であると主張した。だが多数を占める清河派は、生麦《なまむぎ》事件（文久二年）に関する謝罪と賠償を強硬に要求するイギリスを横浜から排撃するため、朝廷と幕府が出した帰還命令に応じて江戸に戻った。これに対し近藤勇と芹沢鴨《せりざわかも》のグループは、わずか二〇名前後だが、将軍家茂が京都滞在中に江戸に帰還することは納得できないとして残留したのである。

　ところが、清河らによる横浜居留地焼き打ち計画を知った幕府は、混乱を恐れて彼を暗殺した。浪士組も解体されて新徴組《しんちょうぐみ》と衣替えし、庄内藩（鶴岡《つるおか》藩）預かりとした。浪士組は、わずか七〇日程度しか存在しなかったのである。浪士組のことがあまり知られていないのは、そのためであろう。

　これに対して、京都に残留した近藤や芹沢らが中心となってつくった壬生《みぶ》浪士組は、のちに新選組

11

◉金品を脅し取る浪士
江戸に戻った清河派の浪士たちが、攘夷のための軍費と称して豪商から金品を脅《おど》し取る様子が描かれている。（月岡芳年《つきおかよしとし》『近世奇説年表《きんせいきせつねんぴょう》』）

へと衣替えをし、歴史に大いに名を残すことになった。

百姓中心の浪士組

浪士組《ろうしぐみ》の特徴は、身分や家柄にこだわらずに入隊できたことである。脱藩浪士・任俠《にんきょう》・儒者など、多様な出自をもつ浪人集団だということは知られていたが、その実態は十分に解明されていなかった。そこで隊員名簿を分析し、浪士組が有した歴史的意義について、整理してみたい。

浪士組およびその後身の新徴組《しんちょうぐみ》をあわせると、現在、三九四人の名前が確認されている。そのうち、文久《ぶんきゅう》三年（一八六三）二月に上洛《じょうらく》した浪士組メンバーは二三二名であった。いわば徴募にすぐさま応じた第一次結集隊であり、これを出自ごとに整理したのが下の表である。

素性を把握できるのは二二〇人だが、その内訳によれば、「武士」身分と見なすことができるのは七八人（約三五パーセント）で、「武士以外」すなわち庶民の出自は一四二人（約六五パーセント）であった。「武士」には、脱藩した下級武士が多い。浪士組が旧来の藩や幕府の体制に飽きたらない下級武士の受け皿になっていたことを示している。しかし驚かされるのは、全体からみると「武士」の割合が低く、予想以上に庶民の割合が

武士	78人（35%）	藩士	4人
		浪士	74
武士以外	142人（65%）	郷士	11
		百姓	128
		神主	1
		医師	2
不明			12
合計			232

●上京浪士組の身分別人数
入隊した武士は浪人のはずだが、浪人であることを確認できない者は「藩士」に分類した。

高いことである。とくに百姓は二三二名中一二八名と、約五五パーセントを占めている。浪士組とは百姓組のことか、といってもよいほどの割合であった。

そもそも浪士組結成を献策したとされる清河八郎《きよかわはちろう》自体が、出《で》羽《わ》国庄内《しょうない》藩清川《きよかわ》村（山形県庄内町）の上層百姓家の出身であった。江戸に出た八郎は学問に励んで幕府の昌平坂《しょうへいざか》学問所に学び、千葉周作《ちばしゅうさく》が創始した北辰一刀《ほくしんいっとう》流の玄武館《げんぶかん》で剣の腕も磨いた。その後は独立して学問と剣術を教える清河塾を開いたという。清河八郎の人生は、百姓にも学問の道や剣術の道が開かれていたことを示す典型的な例となる。

12

◉清河八郎
三四歳で暗殺される。農民出身だが学問と剣術に秀で、尊王攘夷をとなえて浪士組を組織した生涯は、幕末の状況を体現している。

幕末過激事件と百姓身分

幕末の浪士とは帯刀して斬《き》り合いをすることもある存在なのだが、かくも多くの百姓が浪士を名のっていたことに驚かざるをえない。百姓や町人の武芸が盛んであったことは前述したが、こうした数字は、これまでの江戸時代のイメージとは大きく異なっているといってよい。ところが、幕末の争乱には、意外なほど多くの百姓身分の者たちが参加していた。

たとえば、万延《まんえん》元年（一八六〇）三月の桜田門外《さくらだもんがい》の変《へん》は、天皇の許可を得ないまま安政《あんせい》の五か国条約に調印した大老《たいろう》井伊《いい》直弼《なおすけ》を、尊攘《そんじょう》派の水戸藩浪士らが襲撃した事件だが、襲撃者一八人のなかには水戸藩領の百姓一人と神主三人が含まれていた。襲撃の謀議に加わった者にまで広げると、二八人のうち九人が水戸藩領在方出身者であり、その出自は、神主三人、郷士《ごうし》三人、組頭《くみがしら》一人、農民一人、不明一人となっている。三分の一は武士以外であった。

それから二年後の文久《ぶんきゅう》二年（一八六二）一月には、朝廷と幕府との関係を安定させるために、孝明《こうめい》天皇の妹である和宮《かずのみや》内親王と将軍徳川家茂《とくがわいえもち》との婚儀を決定した老中《ろうじゅう》安藤信睦《あんどうのぶゆき》（信正《のぶまさ》）が、やはり尊攘派の浪士に襲撃された。坂下門外《さかしたもんがい》の変《へん》である。襲撃を決行したのは七人だが、謀議に加わっていたのは二五人で、その内訳は、宇都宮藩と水戸藩の浪士が一一人、儒者《じゅしゃ》一人、医師三人、豪農商が九人、組頭一人となっている。半分は武士以外であった。

文久三年一〇月、但馬国生野《たじまのくにいくの》（兵庫県朝来《あさご》市）で尊攘派が幕府代官所を襲撃した生野《いくの》の変《へん》でも、参加者八六人のうち武士身分をもつ者は三三人、百姓身分に連なる者は三二人であった。

13

◉桜田門外の変
この井伊直弼の暗殺事件を契機に、国内はテロと争乱の時代に入った。（『桜田事変絵巻《さくらだじへんえまき》』）

岩倉具視《いわくらともみ》が薩摩《さつま》藩（鹿児島藩）に討幕の密勅を出すなど、緊張が高まっていた慶応《けいおう》三年（一八六七）一〇月、江戸市中の攪《かく》乱《らん》をはかるべく西郷隆盛《さいごうたかもり》は、相楽総三《さがらそうぞう》に命じて薩摩藩邸浪士隊を組織させた。五〇〇人ほどが集まったというが、身分の判明する二二三人をみると、武士は六〇人（約二七パーセント）にすぎず、百姓・町人出身者が一五七人（約七〇パーセント）、郷士・神主などが六人（約二・六パーセント）である。また、慶応四年の鳥羽《とば》・伏見《ふしみ》の戦い後に官軍方の先鋒《せんぽう》隊として結成され、相楽総三が隊長となった赤報《せきほう》隊の場合も、氏名・出身地の判明する二〇〇人から身分不明の三六人を除いた一六四人のうち、百姓・町人が九二人（約五六パーセント）、郷士《ごうし》が一八人（約一一パーセント）、神主・修験《しゅげん》が五人（約三パーセント）を占め、武士の四九人（約三〇パーセント）を大きく上まわっていた。

14

◉相楽総三の辞世
「思うこと　ひとつもならて　死にもせハ　あしく神と也て　たゝらん」。偽官軍として新政府に処刑された相楽の無念が込められている。

浪士組の隊員たち

幕末動乱期に社会を震撼《しんかん》させた諸事件には、かくも多くの庶民が参加し、歴史の変動を身をもって体験していた。それをして草莽《そうもう》の志士と称するが、志士にはならずとも憂国の情と変革の志をもった存在は、ほかにも無数にいたはずである。それらの発掘が進めば、幕末維新史の理解は大きく変わるだろう。だが、ここではまず、浪士《ろうし》組《ぐみ》に結集した人々の素性を洗い出すことで、草莽の志士たちの姿をとらえてみたい。

浪士組では参加者を七組に分け、各組を一〇人前後の三小隊に編成した。316ページの表に各組小頭の出自をあげたが、二一人のうち半分を超える一一人が百姓である。武士身分は、「元藩士」「藩士の子」「浪士」を入れても七人にすぎない。上洛《じょうらく》浪士組には七八人の武士が参加していたが、小頭ポストの六〇パーセント近くを百姓身分に取られて、その配下となっているのである。それにしても、なぜこのように百姓たちは優勢なのだろうか。それは高名な百姓剣士が多かったからである。

たとえば一番組第一小隊小頭の根岸友山《ねぎしゆうざん》は、尊王攘夷《そんのうじょうい》派の豪農として著名な存在である。彼は武蔵国大里《むさしのくにおおさと》郡甲山《かぶとやま》村（埼玉県熊谷《くまがや》市）の自宅に剣術道場と漢学塾を開いており、長州《ちょうしゅう》藩（萩《はぎ》藩）の産物取扱役であったため同藩尊攘派とも接触があった。親交のあった清河八郎《きよかわはちろう》から浪士組への参加を求められた根岸は、比企《ひき》郡志賀《しか》村（同嵐山《らんざん》町）名主《なぬし》の倅《せがれ》で甲源一刀《こうげんいっとう》流の道場主である水野倭一郎にも声をかけ、門人とともに参加したという。根岸は甲源一刀流の免許をもつが、千葉周作《ちばしゅうさく》が開いた江戸

15

●根岸友山と根岸家長屋門
友山が浪士組に参加したのは五四歳のとき。根岸家長屋門は江戸中期の建築。

の玄武《げんぶ》館《かん》（北辰一刀《ほくしんいっとう》流）でも修行しており、息子の根岸新吉（武香《たけか》）は北辰一刀流の剣士として『武《ぶ》術英名録《じゅつえいめいろく》』に記載されている。

このほか一番組隊員では、比企郡上横田《かみよこた》村（同小《お》川町《がわまち》）の新井庄司と中村定右衛門が道場主であったことを確認できる。第二小隊小頭の山田官司は、安房《あわ》国亀ケ《かめが》原《はら》村（千葉県館山《たてやま》市）の百姓の次男であり、長じて千葉周作の門に入り、浪士組参加当時は根岸家の食客だったようだ。第三小隊小頭の

浪士組隊員出身国

国名＼所属小隊	先番	1番組	2番組	3番組	4番組	5番組	6番組	7番組	所属なし	合計
武蔵国	6	20	3	17	7	1	7	5	14	80
上野国	4		26	1	10	3	7	7	4	62
甲斐国	3	3				7		6	37	56
常陸国	2			2		1	2	1	35	43
信濃国	1			1		1		2	13	18
陸奥国	2			2		1	2	1	5	13
下野国					8	1	1	2		12
播磨国	2					1	1	1	2	7
下総国				3			1	1	1	6
出羽国	3								3	6
肥後国				1	1	1		2	1	6
越前国	1				2	1		1		5
加賀国								1	3	4
阿波国							2		1	3
伊予国					1	1	1			3
越後国									3	3
肥前国				1				1	1	3
尾張国			1			1	1			3
伊豆国								1	1	2
近江国									2	2
三河国						2				2
山城国						1	1			2
美濃国									2	2
豊後国						1			1	2
豊前国	1								1	2
安芸国	1									1
安房国		1								1
伊勢国		1								1
越中国		1								1
紀伊国								1		1
駿河国								1		1
松前藩							1			1
上総国						1				1
摂津国							1			1
対馬国				1						1
丹波国						1				1
筑後国		1								1
土佐国									1	1
備後国	1									1
備前国									1	1
備中国		1								1
不明				1					30	31
合計	27	28	30	30	29	26	28	34	162	394

徳永大和は、甲山村の近在にある吉見《よしみ》神社の神主で、もちろん剣術家だった。かくして一番組は根岸友山グループを中心に編成された。

二番組では三〇人中二六人を上野《こうずけ》国でそろえている。第二小隊小頭の医者・大館謙三郎《おおだちけんざぶろう》は、尊王思想家高山彦九郎《たかやまひこくろう》の熱烈な信奉者であった。同組には新田《にった》郡出身者が一四人もいるので、あるいは同郡出身である高山彦九郎の尊王思想に影響を受けたグループの可能性もある。

三番組は、剣術家の常見一郎に率いられた、武蔵国足立《あだち》郡と埼玉郡の有志からなる義集館《ぎしゅうかん》グループと、近藤勇《こんどういさみ》と関係の深い武蔵国多摩《たま》グループが中心になっている。

四番組の第一小隊小頭斎藤源十郎は下野《しもつけ》国足利《あしかが》郡出身で、甲源一刀流の剣士であった。足利郡大前《おおまえ》村（栃木県足利市）出身で第二小隊小頭の青木慎吉は、清河八郎側近の池田徳太郎《いけだとくたろう》と旧知であり、第三小隊小頭の松沢良作も清河八郎と早くから親交があったとされている。松沢は、甲源一刀流の剣客として著名な強矢良輔《すねやりょうすけ》の高弟でもあった。

上京浪士組の編成と小隊小頭

		1番組	2番組	3番組	4番組	5番組	6番組	7番組
	組人数	28人	30人	30人	29人	26人	28人	34人
第1小隊	氏名	根岸友山	武田本記	常見一郎	斎藤源十郎	山本仙之助	村上俊五郎	宇都宮左衛門
	出身地	武蔵国	上野国	武蔵国	下野国	甲斐国	阿波国	肥前国
	身分	百姓	浪士	百姓	百姓	侠客	浪士	浪士
第2小隊	氏名	山田完司	大館謙三郎	新見錦	青木慎吉	森土鉞四郎	金子正玄	大内志津馬
	出身地	安房国	上野国	常陸国	下野国	甲斐国	上野国	肥後国
	身分	百姓	医者	元藩士	百姓	百姓	百姓	藩士の子
第3小隊	氏名	徳永大和	黒田桃眠	石坂宗順	松沢良作	村上常右衛門	近藤勇	須永宗司
	出身地	武蔵国	上野国	武蔵国	武蔵国	下野国	武蔵国	武蔵国
	身分	百姓	百姓	浪士	百姓	百姓	道場主	百姓

五番組は、甲斐《かい》国出身が七人とややまとまっている。第一小隊小頭の山本仙之《やまもとせんの》助《すけ》は侠客《きょうかく》で十手《じって》持ちという、二足のわらじを履いていたが、子分数人とともに浪士組に参加した。山本には甲斐の親分竹居安五郎の用心棒桑原来助を殺害したという前歴があった。ところがその桑原来助の息子大村達尾が、はからずも浪士組六番組に参加しており、のちに親の仇《かたき》と知った大村に討たれるという奇談の持ち主でもある。大村達尾は喜《き》連川《つれがわ》（栃木県さくら市）の浪士というが、父桑原来助の素性は不明で、おそらく浪人だからこそ侠客の用心棒をしていたのだろう。

このように武士の周縁的存在である浪人とアウトローの世界とのつながり、侠客・十手持ちから浪士組へというユニークな経歴を知りうるが、そこにあらゆる武闘的存在を吸引した浪士組の大きな特徴があるといってよい。なお、第二小隊小頭の甲斐国巨摩《こま》郡出身の森土鉞四郎は道場主であった。

六番組の場合、第一小隊は川越《かわごえ》浪士の村上俊五郎が小頭となり、隊員も武蔵国の元川越藩士や各地の浪士が多い。第二小隊小頭の金子正玄は上野国勢多《せた》郡の百姓六人と同郷なので、百姓剣士のリーダーだったのだろう。これに対して第三小隊一〇人は近藤勇が主宰する試衛館《しえいかん》メンバーで固められている。江戸牛込柳《うしごめやなぎ》町（東京都新宿区）の道場には各地の浪人たちが入門して腕を磨いていたが、

16

◉近藤勇
近藤の道場試衛館では、稽古が終わると、いつも国事を議論しあったという。それが浪士組への大量参加につながった。

浪士組の募集を知ると近藤は、試衛館メンバーと相談して即座に入隊を決めたという。のちの新選《しんせん》組《ぐみ》の母体になるこのグループについては、あとであらためて取り上げることにしたい。

七番組は地域的に分散しているため、グループの性格を把握しにくいが、第三小隊小頭の須永宗司は深谷《ふかや》宿（埼玉県深谷市）在住の甲源一刀流の使い手として知られた存在だった。同小隊員の殿内義雄は、上総《かずさ》国山武《さんぶ》郡殿内《とのうち》村（千葉県山武市）の名主土屋忠右衛門の子だとされ、細田市三も武蔵国入間《いるま》郡黒須《くろす》村（埼玉県入間市）の豪農家の出自であった。

浪士組のこうした編成をみると、集団的な参加チームを基軸に個別に参加した人たちを組み合わせ、腕の立つ剣術家たちを小頭に配して統率させたようである。しかも参加者はみな、国難から日本を救うために、武力をもって攘夷を実行しようという気概に燃えた者たちであった。浪士組はまさしく、腕に覚えのある庶民剣士を糾合して結成されたといってよい。

鴻巣の義集館グループ

つぎに三番組に編成された義集館関係者から浪士組《ろうしぐみ》に結集した人々の具体像を探ってみたい。

義集館というのは、中山道鴻巣《こうのす》宿（埼玉県鴻巣市）近辺にあった剣術道場のことである。道場主の常見源之助は埼玉郡上清久《かみきよく》村の神道無念《しんとうむねん》流戸賀崎《とがさき》家三代目の喜道軒《きどうけん》を師としていたが、その喜道軒は天保《てんぽう》一二年（一八四二）に水戸藩校・弘道館《こうどうかん》の剣術師範として迎えられ、同藩の藤田東湖《ふじたとうこ》や武田耕《たけだこう》雲斎《うんさい》と交わり、桜田門外《さくらだもんがい》の変《へん》に参加した水戸浪士にも喜道軒の門弟がいたという。そうした流れをくむ義集館から、少なくとも七人が浪士組に参加している。

そのなかで素性が判明する数人をみると、浪士組名簿で足立郡原馬室《あだちはらまむろ》村（埼玉県鴻巣市）百姓林右衛門の子とされている金子倉之丞は、同村組頭《くみがしら》クラスの家柄である。河野和三は、鴻巣宿近在の糠田《ぬかた》村（同）の豪農河野家の分家であり、志多見《しだみ》村（埼玉県加須《かぞ》市）の島野喜之助は、当地の大地主ともいわれる家の出であった。常見一郎は義集館道場主常見源之助の縁者であろう。このほか浪士組には参加していないが、義集館の門弟には、鴻巣宿近在の名主《なぬし》や地主などの有力者あるいはその子弟が多い。義集館はこうした層を門弟あるいは後援者とすることによって成り立っていたのである。また、『武術英名録』には、判明したぶんだけでも義集館メンバー七人が掲載されている。しかも、そのうち六人が浪士組に参加していたのであった。

近藤勇グループ

つぎに、六番組第三小隊の近藤勇《こんどういさみ》を中心とした試衛館《しえいかん》グループと三番組の多摩《たま》グループについてみておこう。

下の表にあげたように、試衛館グループは浪人の割合が高く、出身地

浪士組6番組第3小隊の出自

試衛館関係者	近藤勇	武蔵国多摩郡上石原村百姓宮川次郎の三男。天然理心流近藤周助の養子となる
	永倉新八	松前藩士長倉勘次（150石取）の次男、江戸屋敷生まれ
	沖田総司	白河藩足軽小頭沖田勝治郎（天保2年22俵2人扶持）の長男、江戸屋敷生まれ
	藤堂平助	津藩藤堂和泉守の落胤を自称
	原田左之助	伊予松山藩中間
	山南敬助	伝・仙台藩の剣術師範の次男
	土方歳三	武蔵国多摩郡石田村百姓土方伊左衛門の四男
芹沢鴨		水戸藩士芹沢又右衛門子あるいは水戸郷士芹沢貞幹の子から水戸の神主下村家に養子に入り嗣次と名のったとの伝もある
平間重助		常陸国行方郡芹沢村の旧家平間勘兵衛の子。水戸浪人で芹沢家との関係が深いとの伝もある

も分散しているが、松前《まつまえ》（福山《ふくやま》）藩士とされる永倉新八《ながくらしんぱち》と陸奥国白河《むつのくにしらかわ》藩士の長男である沖田総司《おきたそうじ》は、いずれも江戸藩邸生まれであり、幼少から江戸で剣の腕を磨いていたという。原田左之助は伊予国《いよのくに》松山《まつやま》藩の中間《ちゅうげん》（武家奉公人）だったが、伊勢《いせ》国津《つ》藩主の落胤《らくいん》を自称した藤堂平助《とうどうへいすけ》や仙台浪人山南敬助らの素性は定かではない。しかしいずれも、それぞれの理由で江戸にのぼり、やがて試衛館に出入りするようになって近藤勇と意気投合したのであった。それだけの魅力を近藤がもっていたということだろう。

その近藤は、武蔵《むさし》国多摩郡上石原《かみいしわら》村（東京都調布《ちょうふ》市）の百姓宮川家の三男として生まれた。嘉永《かえい》元年（一八四八）に一四歳で天然理心《てんねんりしん》流の近藤周助《しゅうすけ》に入門したが、筋のよさを見込まれて翌年には周助の養子となり、文久《ぶんきゅう》元年（一八六一）に四代目を継いでいる。勇の父源次郎《げんじろう》（旧名久次郎《ひさじろう》）は自宅に稽古場《けいこば》をこしらえて、江戸から出稽古に巡回してくる周助を迎え、倅《せがれ》たちを仕込んでもらっていたという。百姓の倅が武術で身を立てることになったわけだが、それは養父の周助も同様であった。

近藤周助は寛政《かんせい》四年（一七九二）に多摩郡小山《おやま》村（東京都町田《まちだ》市）の名《な》主《ぬし》島崎休右衛門の五男として生まれ、文化《ぶんか》八年（一八一一）、天然理心流二代目の近藤三助《さんすけ》に入門。天保《てんぽう》元年（一八三〇）に三代目を継承して近藤周助と名のった。じつは二代目の近藤三助も、多摩郡戸吹《とぶき》村名主で八

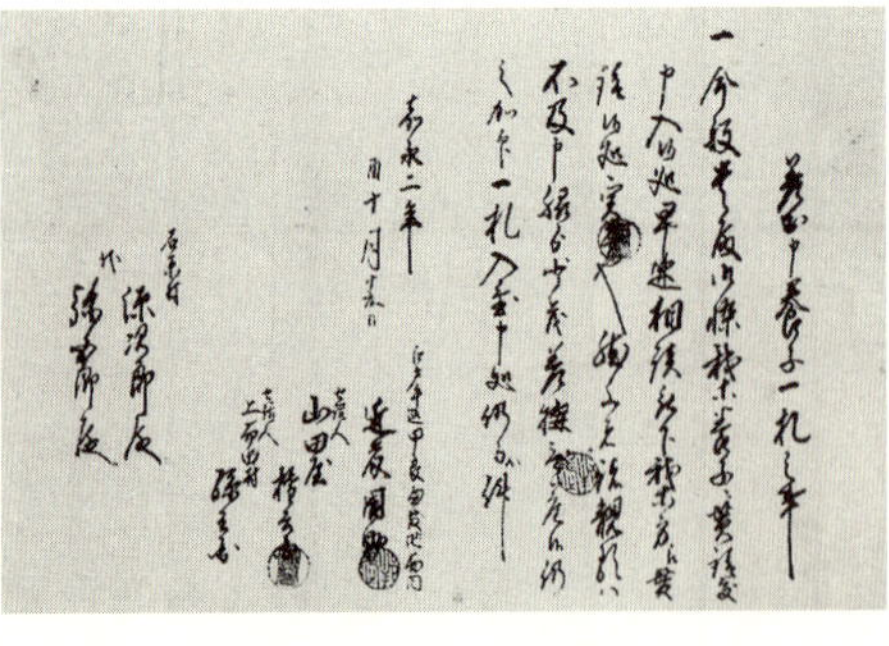
17

◉近藤勇の養子縁組状
宮川源次郎の三男、天然理心流宗家三代目近藤周助の養子となる。一五歳のときであった。

王子千人同心組頭《せんにんどうしんくみがしら》の坂本戸右衛門の長男だとされており、遠江国《とおとうみ》から江戸に出てきた初代近藤内蔵之助《くらのすけ》の養子になって剣術家として身を立てた。腕さえあれば百姓であっても道場の継承者となりえる状態が、この時期には定着していたといえる。

のちに近藤勇と並んで新選組《しんせんぐみ》の立て役者となる土方歳三《ひじかたとしぞう》も、同じグループで浪士組に入隊していた。土方は、武州多摩郡石田《いしだ》村（同日野《ひの》市）百姓土方伊左衛門の四男だが、同家は多くの下男下女を抱える豪農であった。父の死後は、姉の嫁ぎ先である日野宿の名主佐藤彦五郎《さとうひこごろう》の家に寄宿し剣術を学んだ。その佐藤彦五郎は近藤周助の門人で、日野に道場を開いており、出稽古に来た近藤勇と土方歳三もここで出会ったのではないかとみられている。

安政《あんせい》五年（一八五八）、近藤周助門下の佐藤道場一門は剣術上達を祈願して日野の八坂《やさか》神社に額を奉納したが、島崎（近藤）勇と沖田総司を除く二三人は日野在住の八王子千人同心、組頭、名主層であった。このなかには、三番組に入った中村太吉（郎）と馬場兵助の名前もみえる。

佐藤彦五郎と一緒に近藤勇と義兄弟の縁を結んだのが、多摩郡小野路《おのじ》村（同）の小島鹿之助である。小島は小野路組合の惣代《そうだい》をつとめたほどの豪農であり、近藤周助に入門して自宅に稽古場をつ

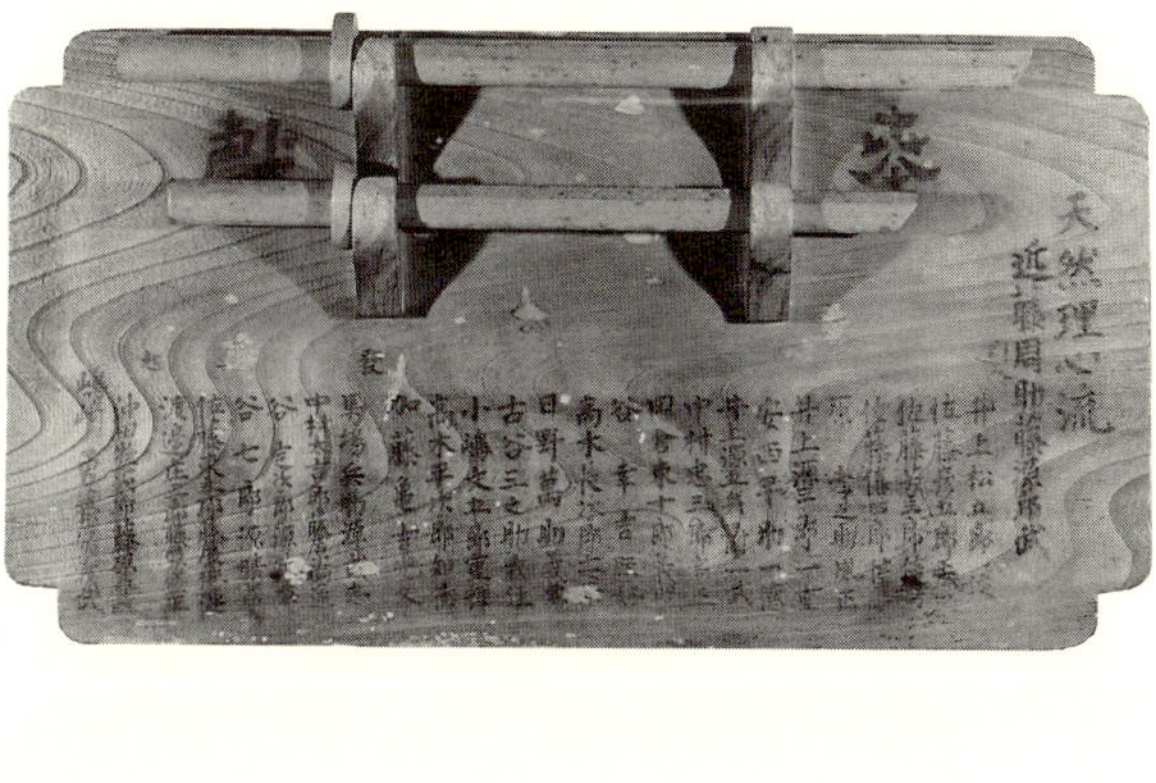

18

◉天然理心流の奉納額
のち新選組隊士となる沖田惣次郎や井上源三郎らの名前もある。

くり、近在の者たちを集めて修練に励んでいた。佐藤彦五郎と小島鹿之助は、近藤勇の多摩ネットワークの中心に位置した存在であった。『武術英名録』では、多摩郡とそれに隣接した相模《さがみ》国地域において、天然理心流の剣士として六四人をあげている。剣士の周辺には、日野宿や小野路地域と同様に多くの有力者が存在していたものと思われる。

『武術英名録』には日野宿とその近在から、八人が剣士として記載されている。佐藤彦五郎の名前もあるが、そのなかから、彦五郎の義弟である土方歳三と中村太吉、馬場兵助の三人が浪士組に入隊した。『武術英名録』剣士のひとりで八王子千人同心でもある井上松五郎は、将軍徳川家茂《とくがわいえもち》の警護役として上洛《じょうらく》したが、弟の井上源三郎を浪士組に送り出している。このように日野宿では、剣士あげて幕末の政治過程に参入していた。

新選組

文久《ぶんきゅう》三年（一八六三）二月に将軍家茂《いえもち》の警護のために上洛《じょうらく》した浪士組《ろうしぐみ》は、江戸帰還をめぐって清河八郎《きよかわはちろう》派と近藤勇《こんどういさみ》および芹沢鴨《せりざわかも》のグループに分裂した。残留した近藤・芹沢グループ二四人は、京都守護《しゅご》職であった陸奥《むつのくに》国会津《あいづ》藩主松平容保《まつだいらかたもり》の指揮下に入り、尊王攘夷《そんのうじょうい》激派浪士の取り締まりと市中警護にあたった。居住した京都郊外の壬生《みぶ》村（京都市中京区）にちなんで壬生浪士組と称されたが、同年八月、一橋慶喜《ひとつばしよしのぶ》や薩摩《さつま》藩・会津藩などの公武合体派が尊王攘夷派の公家《くげ》や長州《ちょうしゅう》藩を京都から追放した文久の政変のあとに、新選組《しんせんぐみ》という隊名を授けられた。

元治《げんじ》元年（一八六四）六月、長州藩の尊王攘夷派を襲撃した池田屋《いけだや》事件当時の新選組は四〇人だった。だが、同年一〇月には伊東甲子太郎《いとうかしたろう》ら二二人名が参加し、翌年、江戸や大坂で隊士募集をしている。その結果、慶応《けいおう》二年（一八六六）六月に新選組が会津藩預かりとなって幕臣に取り立てられた際には、総員は九六名になっていたという。このとき、近藤は幕臣の見廻組与力格《みまわりぐみよりき》（三〇〇俵旗本《ぴょうはたもと》）になり、土方歳三《ひじかたとしぞう》は見廻組肝煎格《きもいり》（七〇俵五人扶持《ふち》）となった。百姓身分の者が士分に転じ、身上《みあ》がりを実現したのである。その後、鳥羽《とば》・伏見《ふしみ》の戦いに敗れて江戸に逃れるが、新政府側に捕らわれた近藤は処刑された。一方、土方は、宇都宮・会津と転戦し、箱館《はこだて》で榎本武揚《えのもとたけあき》軍と合流するが、この地で戦死した。

このように新選組は、壬生浪士組以来、離合集散を繰り返し、現在までにおよそ四八〇人余の隊員名が確認されている。自由意志にもとづく一大軍事・思想集団だったといってよい。

下の表は、慶応二年までの新選組入隊者の身分別一覧である。総数は二五三人だが出自不明が多く、判明したのは一〇八人にすぎない。新選組は浪士組の系譜を引いた組織なので、入隊者は徳川《とくがわ》家や藩の籍をもたないはずだが、表では、入隊時に脱藩や浪

新選組の身分別人数（慶応2年まで）

武士	76人（70%）	藩士・幕臣	30	藩士	17
				幕臣	2
				藩士子弟	4
				幕臣子弟	1
				徒士など	2
				廷臣	4
		浪人	46	元藩士	38
				浪士	8
武士以外	32人（30%）	郷士			6
		百姓			11
		宗教者			4
		商人			3
		職人			2
		医者			4
		力士			2
不明					145
合計					253

人であることが確認できない者は「藩士・幕臣」とした。武士身分の者が約七〇パーセント、武士以外の出自が約三〇パーセントである。浪士組では武士身分は約三五パーセントであったので、新選組のほうが武士の割合が高い。浪士組が分裂した際、江戸に戻った清河派に百姓出自の隊士が多く従ったことも関係している。新選組では百姓身分が少数派になったわけだが、近藤勇と土方歳三に代表されるように、浪士組と同様、やはり百姓身分が組織の主導権を握ったといってよい。

新選組は尊王攘夷《そんのうじようい》派の討伐に活躍したので、反尊攘の印象がある。だが、前身の浪士組への参加からみても、彼らが尊王攘夷の思いを強くいだいていたことは疑いない。清河八郎亡きあと、浪士組から衣替えした新徴組《しんちようぐみ》は、庄内《しようない》藩の指揮下で江戸の警護にあたり、戊辰《ぼしん》戦争（慶応四～明治二年〔一八六八～六九〕）では薩摩藩と戦うことになった。意見を違《たが》えて途中で脱会した浪士もいるが、尊王攘夷派の浪士たちが倒幕《とうばく》派になるか佐幕《さばく》派になるかは、組織の命運や人間関係によるところが大きい。倒幕派が進歩的で、佐幕派を歴史の流れを読めない守旧派

19

◉鳥羽・伏見の戦い
この戦いで幕府軍が劣勢になると、将軍徳川慶喜は、幕府軍艦開陽丸《かいようまる》で大坂から江戸に退却した。（松林桂月《まつばやしけいげつ》『伏見鳥羽戦』）

とするのは、ジグザグで進む歴史の複雑さを単純化しすぎているといってよい。

池田屋《いけだや》事件や倒幕派浪士に対する厳しい取り締まり、あるいは組織内の粛清事件などから、新選組には人斬《ひとき》り集団というイメージがある。侍イデオロギーに冒されて跳ね上がった上層百姓の子弟たちといった見方や、むきだしの暴力で大量の人命を奪い、その代償に短い人生をあっけなく終わらせた存在といったような見方も根強い。だが、浪士組や過激な諸事件を含め、そこに参加した社会階層や動機を検討すると、国の内外の状況を抜きに論じることはできない。とくに、一七世紀以来続く「庶民の武の伝統」を、新たな歴史水脈として歴史分析の俎上《そじょう》に乗せることが求められているといってよい。

コラム3

幕末の使節団と海外留学生

安政《あんせい》の開港以降、幕府は五回にわたって欧米に使節団を派遣した。文久《ぶんきゅう》二年（一八六二）の遣欧使節は開港開市延期、同三年の遣仏使節は横浜鎖港を求めるための派遣であり、気が重い任務であった。遣仏使節の正使である筑後守《ちくごのかみ》池田長発《いけだながおき》は、出発前は熱心な攘夷《じょうい》論者だったが、帰国すると開国論者に変わっていた。

幕府使節団には幕臣だけではなく、諸藩からも人材を募り、のちに倒幕勢力となる長州《ちょうしゅう》藩や薩摩《さつま》藩などからも参加している。豊後国中津《ぶんごのくになかつ》藩士の福沢諭吉《ふくざわゆきち》は遣米使節団と遣欧使節団に参加して、大いに知見を広めた。また、中国貿易団に従者として参加した長州藩の高《たか》杉晋作《すぎしんさく》は、イギリスの属国のようになっている上海《シャンハイ》を見て、日本の危機を感じた。

留学生も派遣された。長州藩と薩摩藩も派遣しているが、幕府の許可のない諸藩の海外渡航は禁止されていたため、密航となった。西洋の文明に触れた使節団員や留学生は知見を広め、日本を外から見直すことになった。

◉文久三年の遣仏使節
一八六四年にフランスの写真家ナダールが撮影した記念写真。前列中央が池田長発。左は副使の伊豆《いず》守河《かわ》津祐邦《づすけくに》。

おわりに

鎖国の威力

国を閉ざしてヨーロッパ諸国との交わりを極小に制限していた江戸時代の日本が、なぜ国家の最高の格である「帝国」と見なされていたのか。それは、ヨーロッパの王権の構造に類似していたからというだけではなかった。「帝国」としての実力を備えた国家だと、西洋諸国から見なされていたからである。その実力を示したのが、鎖国という外交であった。

慶長《けいちょう》一八年（一六一三）、イギリス第八航海隊のセイリスがイギリス国王ジェームズ一世の親書を携えて来日したが、そこには徳川家康《とくがわいえやす》のことを「高貴にして強大な日本皇帝」と記していた。日本六〇余国の諸侯（戦国大名）を平定した家康は、「強大な」皇帝として認識されていたのである。これは、たんなる外交辞令ではなかった。

元和《げんな》七年（一六二一）、江戸幕府は、平戸《ひらど》のオランダとイギリスの商館長に対して、日本人を日本国外に連れ出すことの禁止、武器・弾薬・兵粮米《ひょうろうまい》などの搬出禁止、日本の領土内で日本船・中国船・ポルトガル船に危害を加えることの禁止を通告した。この時期、すでにオランダとイギリスは平戸と長崎のみでの取り引きに限定されており、幕府による貿易管理が徐々に強まっていた。この幕府の指令に対して平戸オランダ商館長は、東インド政庁につぎのように報告している。

日本の皇帝は、マカッサルの王とは異なり、彼の領土内における外国人の暴力を決して許しはしない。マカッサルの王は、外国人の暴力を抑止する力をもたない。しかし日本の皇帝は力において欠けるものはない。

マカッサルとは、インドネシアのスラウェシ島にある王国のことである。オランダはジャカルタに東インド会社の拠点を置いてマカッサルも勢力下においたが、日本の皇帝はそのマカッサルの王とはまるで違う、と述べている。そのためオランダは、日本の皇帝の命令に背くことは破滅につながるとして、日本近海での海賊行為を自粛することにした。

家康は、現実に「力のある皇帝」だと認識されていたのである。それはイギリス国王のいう「強大な日本皇帝」と共通した認識であった。この「力」を背景に家康は、貿易管理を強めてオランダとイギリスを従わせ、領土的野心をもつスペインとポルトガルを日本から放逐し、キリスト教の禁止を断行した。

これら西洋列強はアジア・アフリカの地域で覇権を争っていたのだが、その列強を断固として排除・統制した日本の皇帝の決断力と、それを可能にする日本の国力に対して畏怖《いふ》の念が築かれたに違いない。日本は鎖国を実現することによって、「帝国」としての実力を西洋諸国に見せつけることができたのである。

「帝国」の実像

大黒屋《だいこくや》光太夫《こうだゆう》や若宮丸《わかみやまる》漂流民たちが持ち帰った「帝国」情報は、その流れの上にあった。だが、彼らを送還してきたロシアからの使者たちが、「帝国」の実像を知ることになった。
幕府は遣日使節レザーノフの通商要求を拒否したが、半年間の長崎滞在中にレザーノフは、周辺の状態を抜け目なく観察していた。彼はロシア皇帝アレクサンドル一世に、つぎのように報告している。

彼らはヨーロッパ人を極度に恐れているが、それは自分たちの力の弱さを感じ取っているからだろう。彼らの軍隊にはなんの規律もなく、大砲は一七世紀にポルトガル人から得た旧式の大砲があるだけだ。それも長崎にあるだけで、他所にはない。銃は火縄付きのもので、弓をよく使っている。彼らの船は一本マストで、外海ではもちこたえられない。

レザーノフはこうもいっている。日本では海上航路を使って国内輸送を行なっているので、二、三隻《せき》の武装船で船団を襲撃すれば彼らの商業は完全に封鎖できる。そうすれば民衆が不満で騒ぎ出し、日本政府は双方の利益となるように平和的な解決を余儀なくされるだろう、と。海上封鎖によって通商を迫るということである。
日本に関するこうした情報は、すぐにヨーロッパに広まった。レザーノフを乗せたナジェジダ号の艦長クルーゼンシュテルンが、数年後の一八一〇年前後に『世界周航記《しゅうこうき》』をペテルブルクで出版したからである。この本のオランダ語版を幕府天文方《てんもんがた》の高橋景保《たかはしかげやす》がシーボルトから入手し、青地盈《あおちえい》が『奉使日本紀行《ほうしにほんきこう》』として翻訳したのは、天保《てんぽう》元年（一八三〇）よりも前のことである。この本のなかでクルーゼンシュテルンは、サハリン（カラフト）を占領せよと、つぎのように書いていた。

蝦夷地《えぞち》の北端にはサハリンと同様、軍隊がいない。日本の皇帝が松前《まつまえ》から軍隊を送って、よそ者を追い出そうとしても不可能なことだ。日本人の攻撃を食い止めるには、一二門の大砲と小さな軍艦一隻、それに小規模な砲兵中隊一隊があれば十分だ。

日本の海軍力は極端に劣るという情報が、こうして広まった。漂流民はヨーロッパにおける「帝国日本」の情報を伝えたが、漂流民を送還してきた使節一行は、「帝国日本」の実態をヨーロッパに新たに伝えることになったのである。

日本の海軍力の弱さは、アメリカも知るところとなった。天保八年に、日本人漂流民を送還してきたアメリカ商船モリソン号を日本側が砲撃して追い返す事件があった。このとき乗船していたアメリカ人貿易商のキングは、帰国後に、江戸湾に入る輸送船を追い払い、日本の防衛力の弱さを知らしめるべきだと述べ、日本に開国を迫る方法として江戸湾封鎖を提案している。彼らはたんに追い返されたのではなく、日本の防衛力をしっかりと観察して戻ったのであった。

その後弘化《こうか》三年（一八四六）には、アメリカ東インド艦隊司令長官ビッドルが巨艦二隻を率いて江戸湾に入った。嘉永《かえい》二年（一八四九）にはグリーン艦長のプレブル号が、難破して日本に保護されていたアメリカ人を引き取るために長崎に入港した。いずれもおとなしく引き揚げているが、日本の警備態勢をじっくりと観察していた。

ペリーが日本に来航したあと、香港《ホンコン》ではつぎのような噂《うわさ》がたっていた。

「日本に向かおうとするペリーに対してオランダ人が、日本は異国船打ち払いが厳しいので行かないほうがよい、打ち払われて帰ってくれば世界の笑いものになるだろう、といった。ところがペリーは、日本は太平久しく『武威』も衰えているとして日本に向かった。すると、聞いていたことはまったく異なって、浦賀《うらが》での応対がじつに寛大であった」と。

これは、日本人漂流民が香港で聞いた話であった。

ペリーが日本の「武威」は衰えていると自信を見せたのは、それまでに集積した情報を総合した結果にほかならなかった。にもかかわらずオランダは、日本は強国であるという「帝国」イメージを流し、鎖国の厳しさを強調しつづけることで欧米勢力を日本から遠ざけ、貿易の特権を守ろうとしていたのである。

一七世紀の日本は、スペインやポルトガルを放逐するだけの軍事力を備えていた。だが、弘化三年にビッドル提督率いる二隻の軍艦を見た浦賀奉行は、大船（コロンバス号）が八〇門、小船（ヴィンセンス号）が二〇門の大砲を備えているのに対し、日本側は江戸湾両岸の大筒《おおづつ》を集めても四〇門しかなく、戦ってもまったく勝ち目はない、と上申している。彼我《ひが》の差は歴然としていた。

このときはまだ帆船だったが、それから七年後にペリーが乗ってきたサスケハナ号は、蒸気外輪フリゲート艦になっていた。排水量は三八二四トンで、七八メートルの巨艦であった。日本の千石《せんごく》船《ぶね》は大きなものでも約一五〇〜二〇〇トン程度、船長も三〇メートルに満たない。しかもペリー艦隊四隻には、三二ポンド砲以上の大砲が六三門積載されていた。江戸湾の浦賀周辺には九九門の大砲があったが、三二ポンド砲以上に相当する大砲は一九門しかなく、射程距離もペリー艦隊装備の半分に満たなかったという。日本の防衛力は、わずか四隻の軍艦に完全に圧倒されたのである。

開かれた国防論議

ペリーが帰航したあとの嘉永《かえい》六年（一八五三）六月から七月にかけて、幕府はアメリカ大統領の国書とペリーの書簡を、徳川御三家《とくがわごさんけ》、諸大名、幕府役人に公表し、意見を求めた。「このたびの儀は御国家の一大事にこれあり。じつに容易ならざる筋につき、右書簡を熟覧し、銘々存じ寄りがあれば申し述べよ」と。しかも、「忌諱《きき》」に触れるようなことでも苦しからず、と念押ししている。いっさいのタブーを排して意見を聴取しようとしたのだろう。

その結果、大名、幕臣だけではなく、藩士・学者・庶民なども含めて七〇〇通を超える意見書が提出されたという。ここで注目しておきたいのは、意見書を出した庶民が咎《とが》められていないことである。

三年前の嘉永三年五月、幕府は江戸市中に対して、海防に関する諸人の雑説を禁じている。「種々の妄説」が流れて民心が動揺することを懸念した措置だが、庶民による外交論議をいかに嫌っていたかがわかる。ところがペリーの国書一件では、庶民からの意見書九通を受け付けたのである。

地域政策に関して、領主層が広く民衆の意見を活用したことは本書で紹介した。しかし、外交に関する問題については、幕府の専権事項であるとして、大名や諸士をはじめ学者や庶民が勝手に論じることを禁止していた。それが解禁されたといってよい。庶民の政治的発言は、地域政治の問題にとどまらず、対外関係や海防問題にまで拡大されたのであった。鎖国の是非が国の内外で問われるなか、わが国の世論政治はここまで到達し、庶民による国事への関与は、以後ますます拡大していくことになった。

開国と攘夷

ここで幕末激動の政治過程を概観し、維新前夜の混迷した日本の姿をみておこう。

嘉永《かえい》七年（一八五四）一月、今度は七隻《せき》の艦隊で来航したペリーは、日本の全権代表林復斎《はやしふくさい》らに対して、他国の漂流船を救助せず、送還した自国の漂流民も日本が受け取らないのは「不仁《ふじん》の至り」だと批判し、改めないのであれば「戦争に及び、雌雄を決すべし」と強硬に迫った。アメリカはメキシコと戦争し国都（メキシコシティ）まで攻め取った、貴国も同じ運命をたどるかもしれない、と脅《おど》した。まさに恫喝《どうかつ》外交であった。

送還した漂流民というのは、一七年前の天保《てんぽう》八年（一八三七）、アメリカのモリソン号が日本人漂流民を乗せて江戸湾に入ったところ、沿岸より砲撃を受け、追い返されたことを指している。だが、モリソン号に漂流民が乗っていることを日本側は知らなかったのであり、漂流民は長崎で受け取るのが日本の国法であった。外国の漂流船についても、この時期には薪水《しんすい》給与令を出して救助を与えており、アメリカの漂流船を蝦夷地《えぞち》で保護したこともあった。

人道をいいながら戦争の恫喝をするペリーに対して、応接した林復斎が、人命を重んじるのであれば「戦争に及ぶべきほどの儀」ではあるまいと反論したのは適切だった。ペリーは通商も要求したが、林は「交易の儀は利益の論」であり、漂流船救助の問題とは関係ないと切り返したため、ペリーは通商問題を棚上げにしたと指摘されている。これまでの幕府外交の軟弱・無能論に対し、偏見を排して幕府外交の実力を再評価すべしとする見解である。

日米の和親、下田《しもだ》と箱館《はこだて》の開港、薪水や欠乏品の供給、遭難船員の救助、領事の下田駐在、片務《へんむ》的最恵国待遇などを定めた日米和親条約が締結されたのは、二か月後の嘉永七年三月のことであった。幕府が開港を断固として拒否しなかったのは、防衛力の弱さを認識し、戦争を回避するためだったと見なされている。続けて同年中に、イギリス、ロシアとも和親条約を調印した。

ロシアとは国境画定交渉も行なわれ、エトロフ島とウルップ島の間に国境線を引き、カラフトは両国の雑居地と定められた。日本は開国と同時に、一八世紀後半以来の懸案だった北方の領土分割競争に一応の決着をつけることができたのである。先住民族であるアイヌは、完全に埒外《らちがい》におかれた領土分割であった。

翌安政《あんせい》二年（一八五五）九月、朝廷は三か国との和親条約を了承した。翌三年七月にアメリカ駐日総領事として下田に着任したハリスは、戦争の可能性をちらつかせながら通商を強く要求した。幕府は同四年一二月、在府の諸大名と幕府役人に対してハリスの条約案を開示し、意見を求めた。嘉永六年のペリー来航時に続くもので、衆議による通商・開国政策への転換をねらったものであった。対外政策を幕府の専決とする体制は、もはやとることができなかった。

諸大名から出された意見の大勢は、「開国やむなし」だった。だが、徳川御三家《とくがわごさんけ》のうち、尾張《おわり》は開国拒絶、水戸と紀伊《きい》は開国批判であった。すでに通商条約交渉に入ることを指示していた老中首座堀田正睦《ほったまさよし》は、御三家の反対に頭を痛めたが、安政五年二月、朝廷に日米通商条約の勅許を奏請した。朝廷から勅許を得ることで、御三家ほかの反対論を封じ込めようとしたのである。

堀田には、朝廷は勅許するという成算があった。大名の「十に八、九」が条約をやむをえないものと了解し、朝廷の政務をつかさどる三公《さんこう》（左大臣、右大臣、内大臣）と両役（議奏《ぎそう》と武家伝奏《ぶけでんそう》）も、条約承認に傾いていたからである。だが以後、予想外の事態が展開する。孝明《こうめい》天皇が条約拒否の姿勢を強く打ちだしたのである。しかも岩倉具視《いわくらともみ》など、攘夷《じょうい》派志士と関係のある平公家八八人が、幕府のいいなりにならないようにと関白邸に押しかける事態まで発生した。攘夷とは、外国勢力を日本から排除することである。

その結果、朝廷は条約の勅許を出さず、御三家・諸大名の意見を徴してあらためて勅裁を受けるべし、という内容になった。勅許拒否だといわれているが、幕府が前年末に意見を求めたのは在府大名が中心であり、全大名の意見を網羅していないことを理由に差し戻したといってよい。老中の堀田が議奏に、条約を断わって戦争になったらどうするかを尋ねたところ、「是非なき儀」と答えた。堀田は、「正気の沙汰《さた》とは存じられず」と嘆じたという。

堀田のあとに大老となった井伊《いい》直弼《なおすけ》は、朝廷や外様《とざま》大名、攘夷派志士たちの動きを放置すれば「国家の大事」になるという強い懸念をもっていた。しかも、イギリスがインドの大反乱を制圧し、中国がイギリスとフランスの連合軍に敗れ（第二次アヘン戦争）、その勢いで両国の大艦隊が日本に押し寄せるという情報も届いた。幕府有司は、通商を拒否しつづけることは日本と外国との戦争を不可避にする、と危機感を強めざるをえなかった。また、大名の大勢は条約容認であるため乗り切ることができると考えたのであろう。井伊は天皇の勅許を得ないまま、安政五年六月、日米修好通商条約に調印することを認めた。続けて、オランダ、ロシア、イギリス、フランスとも修好通商条約を締結した。

だが、天皇の裁可を得る手続きを踏みながら、天皇の意志を無視し、幕府専断のかたちで条約調印に走ったことが激しい批判を呼び起こすことになった。調印を急いだことも、外国への卑屈な態度だと見なされ、攘夷派を激高させることになったのである。

また条約調印の直後、将軍家定《いえさだ》は継嗣《けいし》を紀伊徳川家の慶福《よしとみ》（家茂《いえもち》）と定めた。将軍継嗣問題では慶福を擁立する南紀派と、一橋慶喜《ひとつばしよしのぶ》を推す一橋派が対立していたことから、井伊が画策した継嗣決定に一橋派が大きな不満をいだき、井伊の追い落としをねらって勅許なき調印への批判を展開したのであった。

違勅調印問題と将軍継嗣問題で難局に立たされた井伊は、水戸の前藩主徳川斉昭《なりあき》、尾張藩主の徳川慶勝《よしかつ》、越前国福井藩主《えちぜんのくにふくい》の松平慶永《まつだいらよしなが》に謹慎を言いわたし、慶勝と慶永には隠居も命じて藩主の座から追放した。水戸藩主の徳川慶篤《よしあつ》と一橋慶喜は登城停止とした。

井伊直弼の強硬な姿勢に反発した攘夷派の志士や公卿《くぎょう》たちは、井伊の罷免や攘夷決行を求めて朝廷への働きかけを強めた。安政五年八月、孝明天皇は水戸藩に勅諚《ちょくじょう》を出して、条約調印を「軽率の取り計らい」と批判し、水戸侯や尾張侯の処分に懸念を表明した。だが一方で、公武を合体し、徳川を扶助して国内を整え、朝廷・幕府・諸藩あげて攘夷の態勢をとることを求めた。これが、いわゆる「戊午《ぼご》の密勅《みっちょく》」である。天皇は公武融和のなかでの攘夷を期待しており、排除すべきは勅答に背いた大老井伊直弼であった。

これに対して井伊は、京都や江戸で反井伊派や攘夷派をつぎつぎに逮捕した。福井藩の橋本左内《はしもとさない》は将軍継嗣問題に介入したとして斬首《ざんしゅ》され、西郷隆盛《さいごうたかもり》も改名して奄美大島《あまみおおしま》に身を隠している。吉田《よしだ》松陰《しょういん》をはじめ処刑者は数十人、獄死した者もおり、遠島・追放は数知れずといわれている。弾圧の激しさに恐れをなした朝廷は、同年一二月晦日《みそか》、条約調印はやむをえざるものとする勅書を出し、これを見た井伊は「御満悦かぎりなし」の様子であったという。

投獄・追放・処刑された者のなかには、公武合体論者や開国論者も少なくなかった。だが、「安政の大獄《たいごく》」といわれる井伊直弼の恐怖政治に対する反発は、燎原《りょうげん》の火のごとく燃えさかることになった。処分者を多く出した水戸藩や薩摩《さつま》藩士などが、江戸城の桜田門《さくらだもん》外に井伊直弼を襲撃して暗殺したのは、安政七年（一八六〇）三月三日のことである。この謀議や刺客のなかに、多くの百姓身分の者がいたことは前に述べたとおりである。

井伊の跡を継いだ安藤信睦《あんどうのぶゆき》（信正《のぶまさ》）と久世《くぜ》広周《ひろちか》の政権は、公武協調路線を推し進め、文久《ぶんきゅう》二年（一八六二）二月、孝明天皇の妹和宮《かずのみや》と将軍家茂の婚儀を実現させた。消極的な天皇に対して、公武合体を進めて政権を取り返すことを考えていた岩倉具視が和宮の婚姻を勧めたとも、この婚儀に際して孝明天皇が「外夷《がいい》の拒絶」を条件にしたともいわれている。

だが公武合体路線に不満をつのらせた尊王攘夷派の志士により、安藤信睦は婚儀の一か月前の同年一月、江戸城坂下門《さかしたもん》外で襲撃された。一命はとりとめたが、幕府の権威を失墜させたとして老中を罷免された。

一方、薩摩藩の島津《しまづ》久光《ひさみつ》は、文久二年三月、禁裏警備を名目に藩兵一〇〇〇人を率いて上京した。朝廷人事に口を出しただけではなく、久光は朝廷が江戸に勅使を派遣して一橋慶喜を将軍後見職に、松平慶永を大老に就任させるべきだと建議している。島津斉彬《なりあきら》が没したあと、久光の長男忠義《ただよし》が藩主に就いていたが、藩主でもない無位無官の久光が朝廷と幕府の人事に介入するほど、薩摩藩の影響力は大きくなっていた。しかも、「夷人嫌い」の久光に対する尊攘派の期待は大きかったが、尊攘激派の挙兵計画を知ると、同年四月、寺田屋《てらだや》に集まっていた薩摩藩士や浪士を粛清した。

過激派退治は孝明天皇の勅諚を得たものであったため、朝廷の久光に対する信望は大いに高まり、久光の提案どおりに関白が交替し、幕府に対しても勅使を派遣することになった。久光は勅使に随行して江戸に下り、文久二年六月、徳川慶喜を将軍後見職に、松平慶永を大老に準じる政治総裁職に就かせることに成功した。

これに対して長州藩《ちょうしゅう》では、公武合体による開国策をとなえる長井雅楽《ながいうた》の「航海遠略策」を朝廷と幕府に提案したが、朝廷に対する「謗詞《ぼうじ》」（そしり）があるとして攘夷派の公家《くげ》から注意を受けた。これに乗じた攘夷派藩士の画策により、文久二年七月、長州藩は藩論を「破約攘夷」に一転させた。勢いづいた長州・薩摩・土佐《とさ》の尊攘派は朝廷に働きかけ、幕府に攘夷決行を求める勅使を出すに至った。

それまで雄藩首脳と幕府が進めてきた公武合体による開国路線は困難に直面し、翌文久三年二月に上洛《じょうらく》した将軍家茂は、天皇に攘夷決行を約束せざるをえない局面にまで追い込まれてしまったのである。第六章で取り上げた浪士組《ろうしぐみ》と新選組《しんせんぐみ》は、この上洛を契機に誕生した。

朝廷・雄藩いずれにおいても開国論（即時派、延期派）と攘夷論（過激派、穏健派）が入り乱れており、情勢は日々転変した。文久三年八月、孝明天皇の了解を得た薩摩藩と会津藩《あいづ》が協力して尊攘激派の公家や長州藩主を処罰し、京都から追放した（八・一八政変）。

また文久三年は、外国との戦争が二度勃発《ぼっぱつ》した年でもある。ひとつは、勅令を受けて幕府が定めた攘夷決行日の五月一〇日、長州藩が下関《しものせき》海峡を通過するアメリカ船、フランス船、オランダ船をつぎつぎに砲撃し、怒ったアメリカとフランスは報復攻撃を行ない、下関周辺の砲台を占拠・破壊したのであった。

二つ目は、七月二日、鹿児島湾におけるイギリスと薩摩藩の砲撃戦である。前年、勅使とともに下向《げこう》した島津久光が京都に戻る途中、行列の前を横切ったイギリス商人を薩摩藩士が無礼打ちするという事件が発生した。生麦《なまむぎ》事件である。イギリスは幕府と薩摩藩に謝罪と賠償を要求したが、薩摩藩が応じなかったため、鹿児島湾で薩摩藩船を拿捕《だほ》したことから砲撃戦になったのである。薩英双方に大きな被害をもたらしたが、和解のあとは薩英接近をもたらした。

翌元治《げんじ》元年（一八六四）も、いくつもの大事件があった。三月には水戸藩の尊攘激派が筑波山《つくばさん》に挙兵し、六月には新選組が、京都に潜伏していた長州藩や土佐藩などの尊王攘夷派を襲撃した池田屋《いけだや》事件が起きた。また長州藩は前年の政変による藩主赦免を求めて率兵上京し、これを阻止しようとする会津・桑名《くわな》・薩摩の藩兵と衝突して敗走した。禁門《きんもん》の変《へん》である。京都御所に向かって発砲したため、朝廷は幕府に長州征討の勅令を出し、七月には三六藩一五万人の兵を広島に進発させた。藩内の政争を激化させていた長州藩は恭順の意志を示して降伏した。

だが、征討軍が引き揚げたあと、長州藩内では対幕府強硬派が権力を奪取した。そのため幕府は二度目の長州征討を計画するが、第一次の長州征討に協力した薩摩藩をはじめとする諸藩は、反対や消極的な姿勢を見せた。これを押し切って第二次長州征討の勅許が下された直後の慶応《けいおう》二年（一八六六）一月、坂本龍馬《さかもとりょうま》らの仲介で、ついに薩摩藩と長州藩の間に幕府と対抗する薩長同盟が結ばれたのであった。以後、倒幕の機運がいやましに高まり、幕末の日本は内戦に向かって突き進んでいくことになる。

「総国」の防衛

国内の混乱は深刻だったが、日本を外国勢力から守るための新たな防衛体制が生み出されたのも、幕末の大きな特徴であった。

嘉永《かえい》二年（一八四九）に幕府が発した海防強化令は、「総国」の力で対外的危機に立ち向かうべしと、百姓・町人にまで力を尽くすことを求め、諸藩に対しても「土着の士」や「農兵」を採用して防備を充実させることを勧めている。

同令の発布にあたっては幕府内部に、農兵の採用は百姓武芸の禁止と抵触するという反対意見があった。百姓武芸の禁止というのは、前述した文化《ぶんか》二年（一八〇五）の触書《ふれがき》のことである。帯刀《たいとう》（二本差し）は早くから規制の対象になっていたが、剣術の修行は放任されてきた。だからこそ、庶民の武芸が流行し、庶民剣士が輩出したのである。ところが、武芸を身につけた庶民らが身分を忘れて「気がさ」になってきたため、禁止に踏みきったのであった。その禁止触れがまったく効果をもたなかったことも、前に述べた。

ここで注目しておきたいのは、老中阿部正弘《あべまさひろ》が幕府内部の反対意見を押さえて、武芸を身につけた庶民の力を国防に動員しようとしたことである。阿部から諮問を受けた学問所の佐藤一斎《さとういっさい》は、郷士《ごうし》や村役人などの家柄の者を取り立てて帯刀を許し、非常時に備えることを提案していた。実戦力として期待しており、まさしく武芸を身につけた百姓らを念頭においた構想であった。

幕府が諸藩に農兵の採用を推奨したことの影響は大きかった。この海防強化令が出たあと、慶応《けいおう》三年（一八六七）までに、沿岸大名約一二〇藩のうち、農兵を採用したのは五四藩にのぼるという。

一方の幕府は、文久《ぶんきゅう》二年（一八六二）、軍制を改革して、旗本・御家人に対し知行高《ちぎょうだか》に応じた歩兵（五〇〇石につき一人など）の提出を課した。事実上の農兵の取り立てであった。翌三年幕府は、代官に対しても農兵の採用を命じている。これによって藩領と幕府領のいずれにおいても、農兵の取り立てが実現することになった。

慶応二年には、江戸で市中治安の維持を目的に町兵の募集も行なわれた。町兵頭は「苗字《みようじ》帯刀御免」、町兵は「一刀御免」とされた。脇差《わきざし》ではなく大刀である。幕府領の農兵頭も「苗字帯刀御免」であり、農兵も「刀」を差したとある。農兵に二本差しを許した藩もあった。

幕末の農兵は西洋式歩兵制の導入とみられているが、農兵の可否が論じられた経緯をみれば、その前提に庶民剣士の隆盛があったことは間違いない。もはや幕府・諸藩にとって、武士の兵力だけでは国防を実現することはできなかった。嘉永二年に幕府が呼びかけた「総国」の防衛は、農兵や町兵というかたちで実現することになったのである。また世情不安な地域において、農兵や町兵は、国防というより治安維持の役割を果たしている。国防と内治の両面で、庶民が兵の役割を担うことになったのであった。

文久二年、幕府が突如として浪士組《ろうしぐみ》を組織した理由について、これまで攘夷《じょうい》派浪士対策のためだといわれてきた。ところが、浪士組に結集した隊員の半数以上は百姓身分の者たちであった。ほぼ同じ文久二年から三年にかけて幕府は、幕府領における農兵の取り立てを進めた。庶民武芸の成果を幕府は、かたや農兵として、かたや浪士組として編成したということもできる。

その流れは諸藩に及び、文久から慶応期にかけて、藩士だけではなく、百姓・町人・僧侶《そうりょ》・神主らによる諸隊が全国に無数にできた。二度の幕府征討軍と戦った長州藩では、高杉晋作《たかすぎしんさく》が指揮した奇兵隊《きへいたい》のように、士庶混成の部隊が主力となったほどである。その後、内戦である戊辰《ぼしん》戦争に参加した諸隊も少なくない。江戸時代の終わりを告げた戊辰戦争は、倒幕諸藩と佐幕《さばく》諸藩との戦いというだけではなく、庶民が正規軍として全国的な戦争に参加した始まりでもあった。

幕府や諸藩の外交と「総国」の防衛の結果であろうか、日本は植民地化の危機を乗り越えることができた。激しい攘夷の活動が欧米列強をたじろがせ、民族の独立を維持したという評価もある。日本が鎖国に踏みきったのは、一五世紀に始まる大航海時代のひとつの帰結であった。これに対して、日本が歩んだ開国への道は、一八世紀に始まる環太平洋時代のひとつの帰結となった。

こうして世は、国のあり方も人々の暮らしも大きく変える、新しい明治の時代に移っていくことになる。

第六章

- 阿部昭『江戸のアウトロー』講談社、1999年
- 石井修「幕末期の地域結合と民衆」『関東近世史研究』22、1987年
- 岩橋清美「近世後期における情報空間の変容」『史潮』（新）43、1998年
- 大石学編『新選組情報館』教育出版、2004年
- 大石学『新選組』中公新書、2004年
- 川田純之「下野における徘徊する浪人と村の契約」『地方史研究』248、1994年
- 関東取締出役研究会編『関東取締出役』岩田書院、2005年
- 小高旭之『埼玉の浪士たち』埼玉新聞社、2004年
- 『埼玉県教育史』1、埼玉県教育委員会、1968年
- 佐藤大介「仙台藩の献金百姓と領主」『東北アジア研究』13、2009年刊行予定
- 佐藤訓雄『剣豪千葉周作』宝文堂、1991年
- 杉仁『近世の地域と在村文化』吉川弘文館、2001年
- 高木俊輔『明治維新草莽運動史』勁草書房、1974年
- 高橋敏「幕藩制下村落における『武』の伝承」『季刊日本思想史』29、1987年
- 高橋敏『近世村落生活文化史序説』未来社、1990年
- 中村民雄「防具(剣道具)の歴史」『剣道時代』344、2001年
- 平川新「中間層論からみる浪士組と新選組」平川新・谷山正道編『地域社会とリーダーたち』吉川弘文館、2006年
- 深谷克己『江戸時代の身分願望』吉川弘文館、2006年
- 藤木久志『刀狩り』岩波新書、2005年
- 「武術英名録」渡邉一郎編著『幕末関東剣術英名録の研究』渡辺書店、1967年
- 町田市立自由民権資料館編『豪農たちの見た新選組』町田市教育委員会、2005年
- 宮地正人『歴史のなかの新選組』岩波書店、2004年
- 吉岡孝「近世後期関東における長脇差禁令と文政改革」『史潮』（新）43、1998年
- 吉岡孝「関東取締出役成立についての再検討」『日本歴史』631、2000年
- 吉村豊雄「近世農村社会と武具をめぐる覚書」『近世近代の地域社会と文化』清文堂出版、2004年

おわりに

- 青木美智男「幕末における農民闘争と農兵制」『日本史研究』97、1968年
- 井上勝生『日本の歴史18　開国と幕末変革』講談社、2002年
- 大山敷太郎『農兵論』東洋堂、1942年
- 大山敷太郎「江戸の町兵」『幕末財政史研究』思文閣、1974年
- 上白石実「農兵をめぐる議論と海防強化令」『日本歴史』719、2008年
- 木畑洋一ほか編『日英交流史1600－2000』東大出版会、2000年
- 佐々木克「『公武合体』をめぐる朝幕藩関係」『日本の近世』18、中央公論社、1994年
- 芝原拓自『日本の歴史23 開国』小学館、1975年
- 田中彰「幕末期の危機意識」『日本の近世』18、中央公論社、1994年
- 土井重人『大庄屋走る』海鳥社、2007年
- 原剛『幕末海防史の研究』名著出版、1988年
- 三谷博『明治維新とナショナリズム』山川出版社、1997年
- 三谷博『ペリー来航』吉川弘文館、2003年
- 元綱数道『幕末の蒸気船物語』成山堂書店、2004年
- 渡辺信夫「幕末の農兵と農民一揆」『歴史』18、1959年

全編にわたるもの

- 荒野泰典『近世日本と東アジア』東京大学出版会、1988年
- 紙屋敦之『大君外交と東アジア』吉川弘文館、1997年
- 菊池勇夫『幕藩体制と蝦夷地』雄山閣出版、1984年
- 菊池勇夫『北方史のなかの近世日本』校倉書房、1991年
- 木崎良平『漂流民とロシア』中公新書、1991年
- 木村和男編著『北太平洋の「発見」』山川出版社、2007年
- 郡山良光『幕末日露関係史研究』国書刊行会、1980年
- ズナメンスキー『ロシア人の日本発見』北海道大学図書刊行会、1979年
- 高橋敏『国定忠治の時代』平凡社、1991年
- 平川新監修『ロシア史料にみる18～19世紀の日露関係』1－3、東北大学東北アジア研究センター、2004－08年
- 藤田覚『天保の改革』吉川弘文館、1989年
- 藤田覚『水野忠邦』東洋経済新聞社、1994年
- 藤田覚『近世後期政治史と対外関係』東京大学出版会 、2005年
- ベルグ『カムチャツカ発見とベーリング探検』龍吟社、1942年
- 山本博文『鎖国と海禁の時代』校倉書房、1995年
- ラペルーズ『太平洋周航記』上・下、岩波書店、2006年

第三章

• 有泉和子「政治的に利用された事件解決」「ゴロヴニン事件解決時におけるロシア語文書翻訳文の比較検討」寺山恭輔編『開国以前の日露関係』東北大学東北アジア研究センター、2006年
• 岩下哲典『江戸の海外情報ネットワーク』吉川弘文館、2006年
• 岸俊光『ペリーの白旗』毎日新聞社、2002年
• ゴロウニン『日本俘虜実記』上・下、講談社学術文庫、1984年
• 柴村羊五『北方の王者高田屋嘉兵衛』亜紀書房、1978年
• 『仙台市史通史編5　近世3』仙台市、2004年
• 田保橋潔『近代日本外国関係史』(増訂)、原書房、1976年
• 藤田覚『松平定信』中公新書、1993年
• 松本英治「19世紀はじめの日露関係と長崎オランダ商館」寺山恭輔編『開国以前の日露関係』東北大学東北アジア研究センター、2006年
• 松本健一『白旗伝説』講談社学術文庫、1998年
• 宮地正人「ペリーの白旗書簡は明白な偽文書である」『歴史評論』618、2001年
• 守屋嘉美「阿部政権論」『講座日本近世史』7、有斐閣、1985年
• リコルド「日本沿岸航海および対日折衝記」ゴロウニン『ロシア士官の見た徳川日本』講談社学術文庫、1985年

第四章

• 大平祐一「訴えの保障」『日本法制史論纂』創文社、2000年
• 小沼洋子「凶作と一揆と藩政」『天保期の人民闘争と社会変革』上、校倉書房、1980年
• 曾根ひろみ「享保期の訴訟裁判権と訴」『講座日本近世史』4、有斐閣、1980年
• 塚本明「都市構造の転換」『岩波講座日本通史第14巻　近世4』岩波書店、1995年
• 西岡虎之助『近世における一老農の生涯』講談社学術文庫、1978年
• 平川新『紛争と世論』東京大学出版会、1996年
• 平川新「幕府官僚と利益集団−天保の油方仕法改革と政策過程−」『歴史学研究』698、1997年
• 平川新「転換する近世史のパラダイム」『九州史学』123、1999年
• 平川新「交差する地域社会と権力」『歴史評論』635、2003年

第五章

• 相蘇一弘「大塩の林家調金をめぐって」『大塩研究』37、1996年
• 相蘇一弘『大塩平八郎書簡の研究』清文堂出版、2003年
• 青木美智男『天保騒動記』三省堂、1979年
• 青木美智男編『文政・天保期の史料と研究』ゆまに書房、2005年
• 上村雅洋『近世日本海運史の研究』吉川弘文館、1994年
• 「浮世の有様」『日本庶民生活史料集成』11、三一書房、1970年
• 梅村又次「幕末の経済発展」『年報・近代日本研究』3、山川出版社、1981年
• 『大塩平八郎建議書』文献出版、1990年
• 幸田成友「大塩騒動は果して義挙か」『大阪毎日新聞』(1908年10月5日−8日連載、『大塩研究』56、2007年所収)
• 幸田成友『大塩平八郎』中公文庫、1977年
• 国立史料館編『大塩平八郎一件書留』東京大学出版会、1987年
• 斎藤善之『内海船と幕藩制市場の解体』柏書房、1994年
• 酒井一「大塩の乱と在郷町伊丹」『地域研究いたみ』3、1975年
• 酒井一「大塩の乱と畿内農村」『講座日本近世史』6、有斐閣、1981年
• 「シンポジウム　大塩事件が語りかけるもの」『大塩研究』49、2003年
• 新保博『近世の物価と経済発展』東洋経済新報社、1978年
• 『大日本近世史料5　諸問屋再興調』1・2、東京大学出版会、1956・59年
• 津田秀夫『日本の歴史22　天保改革』小学館、1975年
• 中瀬寿一・村上義光編著『民衆史料が語る大塩事件』晃洋書房、1990年
• 中瀬寿一・村上義光編著『史料が語る大塩事件と天保改革』晃洋書房、1992年
• 西川俊作『日本経済の成長史』東洋経済新報社、1985年
• 平川新「『郡中』公共圏の形成−郡中議定と権力」『日本史研究』511、2005年
• 藤田覚『遠山金四郎の時代』校倉書房、1992年
• 本城正徳「大塩の乱と大坂周辺の米穀市場」『高円史学』高円史学会、1995年
• 三田村鳶魚「天満水滸伝」『芝居の裏おもて』玄文社、1920年
• 宮城公子『大塩平八郎』ぺりかん社、2005年
• 藪田貫「新見正路と大塩平八郎」『大塩研究』44、2001年
• 山田三川『三川雑記』吉川弘文館、1972年
• 山中雅子「桑名藩御預人元南町奉行矢部駿河守定謙について」『鈴鹿国際大学紀要』10、2003年
• 柚木学『近世海運史の研究』法政大学出版局、1979年

参考文献

はじめに

• 池内敏『近世日本と朝鮮漂流民』臨川書店、1998年
• 岡田章雄著作集Ⅲ『日欧交渉と南蛮貿易』思文閣出版、1983年
• 箭内健次・沼田次郎編『海外交渉史の視点』2、日本書籍、1976年
• 倉地克直『漂流記録と漂流体験』思文閣出版、2005年
• 『埼玉県教育史』1、埼玉県教育委員会、1968年
• 高瀬弘一郎『キリシタン時代の研究』岩波書店、1977年
• 高橋裕史『イエズス会の世界戦略』講談社、2006年
• 山下恒夫『江戸漂流記総集−石井研道これくしょん』(全6巻)、日本評論社、1992-93年

第一章

• 秋月俊幸「コズィレフスキーの探検と千島地図」『北方文化研究』3、北海道大学、1968年
• 「蝦夷地一件」『新北海道史7 史料1』1969年
• 大友喜作解説校訂『北門叢書1 赤蝦夷風説考・蝦夷拾遺・蝦夷草紙』北光書房、1943年
• 海保嶺夫『幕藩制国家と北海道』三一書房、1978年
• 菊池勇夫『エトロフ島』吉川弘文館、1999年
• 木村和男『毛皮交易が創る世界』岩波書店、2004年
• クック『太平洋探検』5・6、岩波文庫、2005年
• コラー・スサンネ「安永年間のロシア人蝦夷地渡来の歴史的背景」『スラヴ研究』51、2004年
• コラー・スサンネ「天明年間の幕府による千島探検」『北海道・東北史研究』2、2005年
• 佐山和夫『わが名はケンドリック』講談社、1991年
• 島谷良吉『最上徳内』吉川弘文館、1977年
• 平重道『仙台藩の歴史4 林子平−その人と思想』宝文堂、1977年
• 藤田覚『田沼意次』ミネルヴァ書房、2007年
• 水口志計夫・沼田次郎編訳『ベニョフスキー航海記』平凡社、1970年
• 村山七郎「ロシアへの漂流民サニマについて」『日本歴史』232、1967年
• 最上徳内「蝦夷国風俗人情之沙汰」『日本庶民生活史料集成』4、三一書房、1969年

第二章

• 浅野裕一『黄老道の成立と展開』創文社、1992年
• 荒野泰典「二人の皇帝」田中健夫編『前近代の日本と東アジア』吉川弘文館、1995年
• 生田美智子『大黒屋光太夫の接吻』平凡社選書、1997年
• 大島幹雄『魯西亜から来た日本人』廣済堂出版、1996年
• 岸野久『西欧人の日本発見』吉川弘文館、1989年
• 木崎良平『光太夫とラクスマン』刀水書房、1992年
• 木崎良平『仙台漂民とレザノフ』刀水書房、1997年
• 桐原健真「『帝国』の誕生」(台湾中央研究院報告レジュメ)、2007年
• 桐原健真「『帝国』日本と東アジア」(明治維新史学会月例会報告レジュメ)、2007年
• 河野純徳訳『聖フランシスコ・ザビエル全書簡』平凡社、1985年
• 小林茂文『ニッポン人異国漂流記』小学館、2000年
• 小堀桂一郎『鎖国の思想』中公新書、1974年
• 高山純『南太平洋の民族誌』雄山閣出版、1991年
• 田代和生『書き替えられた国書』中公新書、1983年
• 『ドゥーフ日本回想録』雄松堂出版、2003年
• 中村栄孝『日鮮関係史の研究』上、吉川弘文館、1965年
• 中村喜和「日本漂流民送還ロシア文書」解説、『大黒屋光太夫史料集』3、日本評論社、2003年
• 羽賀祥二「和親条約期の幕府外交について」『歴史学研究』482、1980年
• 平川新「ゴロヴニン事件と若宮丸漂流民の善六」『東北文化研究室紀要』46、東北大学文学部、2005年
• 平川新「レザーノフ来航史料にみる朝幕関係と長崎通詞」寺山恭輔編『開国以前の日露関係』東北大学東北アジア研究センター、2006年
• ファインベルク『ロシアと日本』新時代社、1973年
• 藤田覚『幕末の天皇』講談社、1994年
• 藤田覚『近世政治史と天皇』吉川弘文館、1999年
• 前野みち子「国号にみる『日本』の自己意識」前野みち子編『日本像を探る−外から見た日本・内から見た日本』名古屋大学大学院国際言語文化研究科、2006年
• 松本英治「レザノフ来航とオランダ商館長ドゥーフ」『洋学史研究』23、2006年
• 山下恒夫編『大黒屋光太夫史料集』日本評論社、2003年
• 山下恒夫『大黒屋光太夫』岩波新書、2004年
• 吉村忠典『古代ローマ帝国の研究』岩波書店、2003年
• レザーノフ『日本滞在日記』岩波文庫、2000年

スタッフ一覧

口絵レイアウト	姥谷英子
校正	オフィス・タカエ
図版・地図作成	蓬生雄司
写真撮影	西村千春
索引制作	小学館クリエイティブ
編集長	清水芳郎
編集	水上人江
	阿部いづみ
	宇南山知人
	田澤泉
	一坪泰博
編集協力	青柳亮
	小西むつ子
	林まりこ
月報編集協力	㈲ビー・シー
	関屋淳子
	藤井恵子
制作	大木由紀夫
	山崎法一
資材	横山肇
宣伝	中沢裕行
	後藤昌弘
販売	永井真士
	奥村浩一
協力	株式会社モリサワ

所蔵先一覧

所蔵先と写真提供者、撮影者が異なる場合は、（　）内にその旨を明記した。

カバー・表紙

早稲田大学図書館

口絵

1 国立民族学博物館／2 個人蔵（提供：大阪歴史博物館）／3・5 函館市中央図書館／4 大黒屋光太夫記念館／6 ゲッティンゲン大学図書館／7 東京大学史料編纂所／8 東京都立中央図書館東京誌料文庫

はじめに

1 武雄市図書館・歴史資料館／2・6 国立公文書館／3 金刀比羅神社／4 鳥取県立図書館／5 国文学研究資料館／7 提供：吉井町教育委員会

第一章

1 横浜市立大学学術情報センター／2・12 東京国立博物館（提供：TNM Image Archives）／3・5・7・13 国立公文書館／4 ゲッティンゲン大学図書館／6 国立国会図書館／8・14・16 函館市中央図書館／9 早稲田大学図書館／10 武田科学振興財団杏雨書屋／11 提供：つくばみらい市立間宮林蔵記念館／15 鎮國守國神社

第二章

1・29・34 早稲田大学図書館／2・9・18・21・39 国立公文書館／3・4・11 大黒屋光太夫記念館／5・14・16・17・27・28 東洋文庫／6・23 九州大学附属図書館／7・8 撮影：平川新／10 函館市中央図書館／12 天理大学附属天理図書館／13・31・40 泉涌寺／15 東京都立中央図書館東京誌料文庫／19 たばこと塩の博物館／20・24・41・42 神戸市立博物館／22 ВОКРУГ СВЕТА С КРУЗЕНШТЕРНОМより／25・26・30 東京大学史料編纂所／32 個人蔵／33 個人蔵／35 茨城県立歴史館／36 個人蔵／37 横浜市中央図書館／38 仙台市博物館／43 外務省外交史料館

第三章

1 横浜開港資料館／2・6・7 函館市中央図書館／3 早稲田大学図書館／4・5 北方歴史資料館／8 横浜市中央図書館／9 九州大学附属図書館／10 国立国会図書館／11 仙台市博物館／12 板橋区立郷土資料館／13 港区立港郷土資料館

第四章

1（上）岩村歴史資料館（下）個人蔵／2（右2点）個人蔵（左）小田原市尊徳記念館／3 国文学研究資料館／4 大館市立中央図書館／5 西陣織物館／6 三木文庫／7 山口県立萩美術館・浦上記念館／8 たばこと塩の博物館／9 栗崎八幡神社（複製：神戸市立博物館）／10 国立公文書館／11 なにわの海の時空館／12 神戸市立博物館／（コラム）撮影：平川新

第五章

1 致道博物館／2・11 大阪歴史博物館／3・8・25 大阪城天守閣／4 弘道館事務所／5・20 日本銀行金融研究所貨幣博物館／6・7 東京大学史料編纂所／9・21 国立公文書館／10 一橋大学附属図書館／12 早稲田大学図書館／13 首都大学東京図書情報センター／14 国立劇場／15 国立歴史民俗博物館／16 凧の博物館／17 明治大学博物館／18 国文学研究資料館／19 東京大学経済学部図書館／22 江島若宮八幡神社／23 桑名市博物館／24 江戸東京博物館（提供：東京都歴史文化財団イメージアーカイブ）

第六章

1・15 根岸家／2 小島資料館／3 東條会館／4 提供：小鹿野町教育委員会／5 国立国会図書館／6・9 明治大学博物館／7 山口県立萩美術館・浦上記念館／8 個人蔵（提供：草雲美術館）／10 品川区立品川歴史館／11 たばこと塩の博物館／12 清河八郎記念館／13 彦根城博物館／14 個人蔵（提供：中津川市中山道歴史資料館）／16 国立国会図書館ホームページ／17 個人蔵／18 八坂神社／19 聖徳記念絵画館／（コラム）国立歴史民俗博物館

西暦	年号 干支	天皇	将軍	日本	世界
1856	3 丙辰	孝明		2 幕府、洋学所を蕃書調所と改称。7 アメリカ駐日総領事ハリス、伊豆下田に来航し、会見を要求。9 長州藩、吉田松陰に松下村塾の再興を許す。	クリミア戦争終結、パリ条約締結。清国でアロー号事件。
1857	4 丁巳			閏5 下田奉行とハリス、下田条約を調印。薩摩藩主島津斉彬、洋式工場群を集成館と命名。10 ハリス、江戸城に登城し、将軍徳川家定に大統領親書を提出。	アフガニスタン独立。インド、セポイの反乱。
1858	5 戊午		徳川家茂	4 井伊直弼、大老となる。6 幕府、日米修好条約を無勅許調印。7 日蘭修好条約・日露修好条約・日英修好条約を調印。9 日仏修好条約を調印。安政の大獄始まる。	ロシアと清国、愛琿条約調印。清国、天津条約調印。
1859	6 己未			5 イギリス駐日総領事オールコック来日。6 幕府、神奈川（のち横浜）・長崎・箱館で、米・英・仏・露・蘭と自由貿易開始。10 橋本左内・頼三樹三郎・吉田松陰死罪。	イタリア統一戦争（～1860年）。スエズ運河建設開始。
1860	万延 1 庚申			1 幕府遣米使節新見正興ら、アメリカ軍艦で出発。幕府軍艦咸臨丸、アメリカ渡航に出発。3 井伊直弼暗殺（桜田門外の変）。10 孝明天皇、和宮降嫁を勅許。12 幕府、プロイセンと日普修好通商条約を締結。	英仏連合軍、北京入城、北京条約調印。リンカーン、第16代アメリカ大統領となる。
1861	文久 1 辛酉			2 ロシア軍艦ポサドニック号、海軍基地を求めて対馬に来航。5 イギリス仮公使館襲撃（第1次東禅寺事件）。12 幕府遣欧使節竹内保徳・松平康直ら、イギリス軍艦で出航。	ロシア、農奴解放宣言。アメリカ、南北戦争勃発（～1865年）。
1862	2 壬戌			1 老中安藤信正、襲撃される（坂下門外の変）。2 皇女和宮と徳川家茂の婚儀挙行。5 島津久光、江戸へ下向。7 一橋慶喜、将軍後見職に、松平慶永、政事総裁職に就任。8 生麦事件。閏8　松平容保、京都守護職となる。	サイゴン条約。プロイセン、ビスマルク執政（～1890年）。ユゴー『レ・ミゼラブル』刊行。
1863	3 癸亥			2 近藤勇ら、浪士組に参加し、京都へ出立。3　徳川家茂、公武一和を図って上洛。4 家茂、5月10日の攘夷期限を孝明天皇に奏上。5 長州藩、アメリカ・フランス・オランダ船舶を砲撃（下関事件）。7 薩英戦争。8 天誅組の乱。8月18日の政変。壬生浪士組、新選組と命名。10 生野の変。	アメリカ、奴隷解放宣言。ロンドンに地下鉄開通。ポーランドで1月蜂起。カンボジア・フランス保護条約調印。
1864	元治 1 甲子			3 フランス公使ロッシュ着任。6 新選組、尊攘派を襲撃（池田屋事件）。7 禁門の変。第1次長州戦争。8 四国艦隊下関砲撃事件。9 幕府、参勤交代制を復活。五品江戸廻送令を廃止。11 長州藩、幕府に謝罪。12 高杉晋作ら挙兵。	メキシコ帝政開始。太平天国滅亡。第1インターナショナル結成。
1865	慶応 1 乙丑			閏5 イギリス公使パークス、横浜に着任。9 徳川家茂、長州再征の勅許を受ける。10 兵庫開港を除き、安政の諸条約勅許。11 家茂、第2次長州戦争の出兵を命じる。	リンカーン、暗殺される。メンデル、遺伝の法則を発見。
1866	2 丙寅		徳川慶喜	1 薩長盟約。5 幕府、改税約書に調印。米価高騰で江戸・大坂に大きな打ちこわし発生。6 第2次長州戦争。12 福沢諭吉『西洋事情』初編刊行。	普墺戦争始まる。アメリカで公民権法成立。
1867	3 丁卯	明治		5 兵庫開港勅許。8 遠江・三河・尾張で「ええじゃないか」の大乱舞発生（のち江戸以西の本州・四国にも発生）。9 薩摩藩、長州藩と挙兵討幕を約束（のち広島藩も賛同）。10 後藤象二郎、山内豊信の大政奉還建白書を幕府に提出。徳川慶喜、大政奉還の上表文を朝廷に提出。岩倉具視、薩摩藩に討幕の密勅を下す。12 兵庫開港、大坂開市。朝廷、王政復古の大号令を発す。小御所会議。	アメリカ、ロシアからアラスカを購入。北ドイツ連邦成立。南アフリカでダイヤモンド鉱発見。オーストリア・ハンガリー二重帝国成立。

西暦	年号 干支	天皇	将軍	日本	世界
1834	5甲午	仁孝	徳川家斉	1 幕府、関東諸国に江戸廻米を命じる。3 水野忠邦、老中となる。8 東蝦夷地ツカフナイに外国人上陸・略奪。	ドイツ関税同盟成立。
1835	6乙未			9 幕府、天保通宝（百文銭）を鋳造。12 幕府、諸国に国絵図作成を命じる。この年、鈴木牧之『北越雪譜』初編刊行。	アメリカでモールス、有線電信機を発明。
1836	7丙申			5 徳川斉昭、常陸国助川に砲台を築く。7 ロシア船、漂流民を護送し、エトロフ島に来航。	イギリス、経済恐慌（～1839年）。
1837	8丁酉		徳川家慶	2 大坂町奉行元与力大塩平八郎、蜂起し豪商を襲撃（大塩平八郎の乱）。6 生田万の乱。アメリカ商船モリソン号、漂流民を護送して浦賀に入港。浦賀奉行に砲撃される。	イギリスでヴィクトリア女王即位（～1901年）。
1838	9戊戌			5 佐渡一国一揆。8 徳川斉昭、意見書「戊戌封事」を執筆。長州藩、村田清風を登用し、藩政改革を開始。	イギリス、チャーティスト運動（～1848年）。
1839	10己亥			5 渡辺崋山、北町奉行所に捕縛（蛮社の獄）。小関三英自殺。高野長英自首。この年、人情本の流行が最盛期。	清国で林則徐、アヘン貿易を禁圧。
1840	11庚子			6 オランダ船、長崎に入港し、アヘン戦争を伝える。11 幕府、川越・庄内・長岡の3藩に三方領知替を命じる。	清国、アヘン戦争始まる（～1842年）。
1841	12辛丑			5 幕府、天保の改革に着手。6 中浜万次郎、太平洋を漂流し、アメリカ捕鯨船に救われる。12 株仲間解散。	イギリス、香港を占有。
1842	13壬寅			7 幕府、異国船打払令を改め、薪水食料の給与を許可。10 幕府、高島秋帆を投獄。	清国とイギリス、南京条約締結。
1843	14癸卯			3 幕府、江戸人別帳にない百姓に帰村を命じる。6 幕府、江戸・大坂10里四方上知令を発布（閏9月撤回）。閏9 幕府、老中水野忠邦を罷免。	清国で、広州・上海など開港。
1844	弘化1甲辰			3 フランス船、琉球に来航して通商を要求。6 水野忠邦、老中再任。7 オランダ軍艦、長崎に来航し、オランダ国王の開国勧告国書を奉呈。	清国とアメリカ、望厦条約。清国とフランス、黄埔条約。
1845	2乙巳			6 幕府、オランダの開国勧告を拒否。7 幕府、海防掛を設置。	イギリス、上海に租界開設。
1846	3丙午	孝明		3　幕府、異国船打払令復活。閏5 アメリカ東インド艦隊司令長官ビッドル、浦賀に来航し、通商を要求。	アメリカ・メキシコ戦争（～1848年）。
1847	4丁未			3 幕府、江戸湾入り口の相模国千駄崎・猿島、安房国大房崎に砲台築造を決定。	リベリア共和国独立。
1848	嘉永1戊申			5 アメリカ捕鯨船、蝦夷地リイシリ島に漂着。この年、オランダ通詞本木昌造、オランダから鉛活字印刷機を購入。	パリで二月革命。マルクス『共産党宣言』刊行。
1849	2己酉			閏4 音吉を乗せたイギリス測量船、浦賀に来航し、浦賀水道を測量。12 幕府、諸藩に沿岸防備の強化を命じる。	イギリス、インド植民地化完了。
1850	3庚戌			3 オランダ商館長、最後の江戸参府。10 佐賀藩、反射炉築造開始。この年、勝海舟、江戸に蘭学・兵学塾開設。	プロイセン、欽定憲法発布。清国、林則徐没。
1851	4辛亥			1 中浜万次郎、アメリカ客船に送られて琉球上陸。8 薩摩藩、製煉所を設置。	清国で洪秀全、太平天国を建設（～1864年）。
1852	5壬子			5 幕府、武蔵国大森に大砲演習場を設置。6 ロシア船、漂流民を護送して下田に来航。オランダ商館長、長崎に着任し、ペリー来航を予告。	ニュージーランド自治植民地となる。
1853	6癸丑		徳川家定	6 アメリカ東インド艦隊司令長官ペリー、浦賀に来航。7 ロシア使節プチャーチン、長崎に来航。	クリミア戦争（～1856年）。
1854	安政1甲寅			1 ペリー、浦賀に再来航。3 幕府、日米和親条約を調印し、下田・箱館を開港。8 幕府、日英和親条約調印。12 幕府、日露和親条約を調印し、下田・箱館・長崎を開港。	上海にアメリカ租界成立。アメリカ、カンザス・ネブラスカ法。
1855	2乙卯			2 幕府、松前藩の居城近辺を除き全蝦夷地を上知。10 安政の大地震。12 幕府、日蘭和親条約調印。	パリ万国博覧会。

西暦	年号 干支	天皇	将軍	日本	世界
1807	4 丁卯	光格	徳川家斉	3 幕府、松前藩より西蝦夷地を上知。4 アメリカ船、長崎に来航し、薪水を要求。ロシア船、エトロフ島を襲撃。5 ロシア船、リイシリ島を襲撃。10 幕府、松前奉行を設置。	フランスとロシア、ティルジット条約締結。
1808	5 戊辰			4 間宮林蔵、カラフトを探検し、島であることを発見。8 イギリス軍艦フェートン号、オランダ商館員を捕らえて薪水を強要。	アメリカ、奴隷の輸入を禁止。
1809	6 己巳			6 幕府、カラフトを北蝦夷地と改称。7 間宮林蔵、東韃靼を探検し、海峡を確認（間宮海峡）。	フランスとオーストリア、ウィーン条約締結。
1810	7 庚午			2 幕府、相模浦賀・上総・安房沿岸の砲台構築を命じる。	フランス、オランダを併合。
1811	8 辛未			6 奈佐政辰、クナシリでロシア艦長ゴロヴニンら8名を捕らえる。	イギリス、ジャワを占領。
1812	9 壬申			8 ロシア船副艦長リコルド、海上で高田屋嘉兵衛を捕らえる。	ナポレオン、ロシア遠征。
1813	10 癸酉			4 幕府、江戸に米会所を設置。5 リコルド、高田屋嘉兵衛を通してゴロヴニンの釈放交渉を開始（9 月釈放）。	ナポレオン軍、ライプツィヒで敗北。
1814	11 甲戌			10 幕府、箱館・松前以外の蝦夷地守備兵を撤収。9 曲亭馬琴『南総里見八犬伝』初編刊行。	ナポレオン配流。ウィーン会議（～ 1815 年）。
1815	12 乙亥			4 杉田玄白『蘭学事始』完成。	ワーテルローの戦い。
1816	13 丙子			10 イギリス船、琉球に来航して通商を要求。この年、ロシアで、ゴロヴニンの『ゴロヴニン日本幽囚記』刊行。	モンロー、アメリカ第 5 代大統領に選出。
1817	14 丁丑	仁孝		9 イギリス船、浦賀に来航。11 オランダ商館長ドゥーフ、帰国。	セルビア公国成立。
1818	文政 1 戊寅			2 幕府、鎌倉の大砲を試射。5 イギリス人ゴルドン、浦賀に来航し、貿易を要求。幕府、これを拒否。	チリ、独立宣言。
1819	2 己卯			1 幕府、浦賀奉行を 2 名に増員。12 小林一茶『おらが春』完成。	イギリス、シンガポール占領。
1820	3 庚辰			10 幕府、3 か年の倹約令。12 幕府、会津藩の相模国沿岸警備を免じ、これを浦賀奉行に命じる。	スペインで革命勃発。
1821	4 辛巳			7 伊能忠敬『大日本沿海輿地全図』完成。12 幕府、東西蝦夷地を松前藩に還付。	ギリシャ独立戦争（～ 1829 年）。
1822	5 壬午			4 イギリス船、浦賀に来航し、薪水を要求。8 西国にコレラ流行。この年、大蔵永常『農具便利論』刊行。	ギリシャ独立宣言。ブラジル独立。
1823	6 癸未			7 シーボルト、オランダ商館医として長崎出島に着任。	アメリカ、モンロー主義宣言。
1824	7 甲申			5 水戸藩、常陸国大津浜に上陸したイギリス捕鯨船員を捕らえる。8 イギリス捕鯨船員、薩摩国宝島に上陸し、略奪。この年、シーボルト、長崎に鳴滝塾を開く。	第 1 次ビルマ戦争（～ 1826 年）。
1825	8 乙酉			2 幕府、諸大名に異国船打払令を出す。7 鶴屋南北作『東海道四谷怪談』、江戸中村座で初演。	ロシア、ニコライ 1 世即位。イギリスで鉄道開通。
1827	10 丁亥			2 幕府、関東全域に改革組合村の結成を命じる。12 調所広郷、薩摩藩の財政改革に着手。	フランス、アルジェリア侵略を開始。
1828	11 戊子			8 長崎奉行所、シーボルトの荷物から日本地図などの禁制品を発見（シーボルト事件）。12 シーボルト、出島に幽閉。	ロシア・トルコ戦争（～ 1829 年）。
1829	12 己丑			6 幕府、南鐐一朱銀を鋳造。9 幕府、シーボルトを追放。	
1830	天保 1 庚寅			この年、薩摩藩、砂糖専売を強化。水戸藩主徳川斉昭、藩政改革に着手。伊勢御蔭参り大流行。	フランス、七月革命。ポーランド、十一月蜂起。
1831	2 辛卯			2 オーストラリア捕鯨船、東蝦夷地アッケシ（厚岸）に渡来し、松前藩と交戦。7 ～ 11 周防国三田尻の皮騒動から長州藩全域の一揆に拡大（防長大一揆）。	イタリア、青年イタリア党結成。アメリカ、ナット・ターナーの奴隷暴動。
1832	3 壬辰			1 為永春水『春色梅児誉美』初編刊行。この春、村田清風、長州藩に藩政改革案を上申。7 琉球にイギリス船漂着。	ロシア、ポーランドを併合。
1833	4 癸巳			2 蝦夷地場所請負商人高田屋、対ロシア密貿易の嫌疑で処罰。8 ～ 12　全国で米価騰貴による一揆・打ちこわし発生。この年、冷害・風水害などで大飢饉（天保の大飢饉）。	イギリス、工場法成立。アメリカ、奴隷廃止協会成立。

年表

西暦	年号 干支	天皇	将軍	日本	世界
1783	天明 3 癸卯	光格	徳川家治	7 大黒屋光太夫らカムチャツカに漂着。この年、東日本で大飢饉（天明の大飢饉）。大槻玄沢『蘭学階梯』完成。	イギリス、パリ条約によりアメリカ独立を承認。
1784	4 甲辰			8 幕府、大坂の二十四組江戸積問屋株を公認。この年、諸国大飢饉。	ドイツ、ツンベルク『日本植物誌』刊行。
1786	6 丙午			7 関東・陸奥に大洪水。この年、林子平『海国兵談』完成。最上徳内ら千島を探検し、ウルップ島に到達。	ベトナム、南北統一。
1787	7 丁未		徳川家斉	5 江戸など各地で打ちこわし。7 幕府、寛政の改革に着手。8 幕府、諸大名・旗本らに 3 か年の倹約令。	アメリカ、憲法制定会議を開催。
1788	8 戊申			1 幕府、柴野栗山を登用。京都に大火、禁裏・二条城炎上。3 老中松平定信、将軍補佐となる。	オーストリア、オスマン帝国と対戦。
1789	寛政 1 己酉			2 光格天皇、閑院宮典仁親王の尊号宣下を幕府に諮る。7 松前藩、クナシリ・メナシのアイヌを鎮圧・処罰。	フランス革命起こる。
1790	2 庚戌			5 幕府、湯島聖堂での朱子学以外の異学を禁止（寛政異学の禁）。9 幕府、オランダ貿易を船 1 隻、貿易額を銅 60 万斤に減額。11 幕府、江戸出稼人の帰村を奨励。	アメリカ、フランクリン没。イギリス、アダム・スミス没。
1791	3 辛亥			1 江戸市中の銭湯の混浴を禁止。5 最上徳内ら、エトロフ島を調査。12 幕府、七分積金の法を定める。	オスマン帝国とオーストリア、ジストゥヴァ和約。
1792	4 壬子			5 林子平禁固。9 ロシア使節ラクスマン、大黒屋光太夫を護送してネモロ（根室）に来航、通商を要求。12 幕府、諸大名に異国船に対する警備を命じる。	ロシアとオスマン帝国、ヤッシー条約締結。フランス、共和政宣言。
1793	5 癸丑			3 中山愛親ら、尊号宣下の件で処罰。幕府、松平定信に伊豆・相模などの沿岸巡視を命じる。7 定信、老中を辞任。	フランスで、ルイ 16 世処刑される。
1794	6 甲寅			10 幕府、倹約令を 10 年延長。閏 11 大槻玄沢ら、江戸の芝蘭堂でオランダ正月を祝う。12 本居宣長『玉勝間』刊行。	フランス、テルミドールの反動。
1795	7 乙卯			10 幕府、酒造制限を緩和。幕府、女髪結に華美な髪型を禁止。11 高橋至時、天文方となる。	清国で貴州苗族の反乱起こる。
1796	8 丙辰			8 イギリス人ブロートン、海図作成のためエトモ（室蘭）に来航。この年、稲村三伯『ハルマ和解』完成。	清国で、白蓮教徒の乱起こる。
1797	9 丁巳			9 幕府、相対済し令を出す。11 ロシア人、エトロフ島に上陸。12 幕府、林家塾を官学とし、昌平坂学問所と改称。	ベルギー、フランスに帰属。
1798	10 戊午			6 本居宣長『古事記伝』完成。7 近藤重蔵、エトロフ島に「大日本恵土呂府」の標柱を建てる。	ナポレオン、エジプトに遠征。
1799	11 己未			1 幕府、松前藩管轄の東蝦夷地を 7 か年の直轄地とする。7 高田屋嘉兵衛、エトロフ航路を開発。	フランス、ナポレオンの大統領政府成立。
1800	12 庚申			閏 4 伊能忠敬、蝦夷地測量に出発。	
1801	享和 1 辛酉			6 富山元十郎ら、ウルップ島に「天長地久大日本属島」の標柱を建てる。7 幕府、百姓・町人の苗字帯刀を禁止。	大ブリテン・アイルランド連合王国成立。
1802	2 壬戌			2 幕府、蝦夷奉行（のち箱館奉行）を置く。7 幕府、東蝦夷地を永代上知。	イギリスとフランス、アミアン条約。
1803	3 癸亥			7 アメリカ船、長崎に来航し通商を要求、幕府これを拒絶。	
1804	文化 1 甲子			9 ロシア使節レザーノフ、漂流民を護送して長崎に来航し、通商を要求。	フランス、ナポレオン、皇帝となる。
1805	2 乙丑			3 幕府、レザーノフの通商要求を拒否。6 幕府、関東取締役出役を設置。10 華岡青洲、麻酔剤使用の手術に成功。	トラファルガーの海戦。
1806	3 丙寅			1 幕府、ロシア船への薪水補給を諸大名に布達（文化撫恤令）。9 ロシア船、カラフト大泊の日本人住居を襲撃。	ロシアとオスマン帝国、戦争開始（～ 1812 年）。

ま行

や行

ら行

わ行

な行

は行

た行

か行

さ行

索引

000 —詳しい説明のあるページを示す。
000*—写真・図版のあるページを示す。

あ行

全集　日本の歴史　第12巻　開国への道

2008年11月30日　初版第1刷発行

著者　平川　新
発行者　蔵　敏則
発行所　株式会社小学館
〒101-8001 東京都千代田区一ツ橋2-3-1
電話　編集　03(3230)5118
販売　03(5281)3555
印刷所　凸版印刷株式会社
製本所　株式会社若林製本工場

Printed in Japan ISBN978-4-09-622112-9

全集 日本の歴史 全16巻

編集委員：平川 南／五味文彦／倉地克直／ロナルド・トビ／大門正克

1	旧石器・縄文・弥生・古墳時代 **列島創世記** 出土物が語る列島4万年の歩み	**松木武彦** 岡山大学准教授
2	新視点古代史 **日本の原像** 稲作や特産物から探る古代の社会	**平川 南** 国立歴史民俗博物館館長 山梨県立博物館館長
3	飛鳥・奈良時代 **律令国家と万葉びと** 国家の成り立ちと万葉びとの生活誌	**鐘江宏之** 学習院大学准教授
4	平安時代 **揺れ動く貴族社会** 古代国家の変容と都市民の誕生	**川尻秋生** 早稲田大学准教授
5	新視点中世史 **躍動する中世** 人びとのエネルギーが殻を破る	**五味文彦** 放送大学教授 東京大学名誉教授
6	院政から鎌倉時代 **京・鎌倉 ふたつの王権** 武家はなぜ朝廷を滅ぼさなかったか	**本郷恵子** 東京大学准教授
7	南北朝・室町時代 **走る悪党、蜂起する土民** 南北朝の争乱と足利将軍	**安田次郎** お茶の水女子大学教授
8	戦国時代 **戦国の活力** 戦乱を生き抜く大名・足軽の実像	**山田邦明** 愛知大学教授
9	新視点近世史 **「鎖国」という外交** 従来の「鎖国」史観を覆す新たな視点	**ロナルド・トビ** イリノイ大学教授
10	江戸時代（十七世紀） **徳川の国家デザイン** 幕府の国づくりと町・村の自治	**水本邦彦** 京都府立大学教授
11	江戸時代（十八世紀） **徳川社会のゆらぎ** 幕府の改革と「いのち」を守る民間の力	**倉地克直** 岡山大学教授
12	江戸時代（十九世紀） **開国への道** 変革のエネルギーと新たな国家意識	**平川 新** 東北大学教授
13	幕末から明治時代前期 **文明国をめざして** 民衆はどのように“文明化”されたか	**牧原憲夫** 東京経済大学講師
14	明治時代中期から一九二〇年代 **「いのち」と帝国日本** 日清・日露と大正デモクラシー	**小松 裕** 熊本大学教授
15	一九三〇年代から一九五五年 **戦争と戦後を生きる** 敗北体験と復興へのみちのり	**大門正克** 横浜国立大学教授
16	一九五五年から現在 **豊かさへの渇望** 高度経済成長、バブル、小泉・安倍・福田政権へ	**荒川章二** 静岡大学教授